# Trece escalones

**books4pocket**

Ruth Rendell

# Trece escalones

Traducción de Montse Batista

## EDICIONES URANO

Argentina - Chile - Colombia - España
Estados Unidos - México - Perú - Uruguay - Venezuela

Título original: *Thirteen Steps Down*
Traducción: Montserrat Batista Pegueroles

© Copyright © 2004 *by* Kingsmarkham Enterprises Limited
All Rights Reserved
© de la traducción, 2011 *by* Montserrat Batista Pegueroles
© 2011 *by* Ediciones Urano, S.A.
       Aribau, 142, pral. – 08036 Barcelona
       www.titania.org
       atencion@titania.org
       www.books4pocket.com

1ª edición en books4pocket marzo 2014

Impreso por Novoprint, S.A.
Energía 53
Sant Andreu de la Barca (Barcelona)

Fotocomposición: **books4pocket**

ISBN: 978-84-15870-15-9
Depósito legal: B-1199-2014

Código Bic: FF
Código Bisac: FIC031000

Impreso en España – *Printed in Spain*

*Para P. D. James, con afecto y admiración*

# 1

Mix se encontraba allí donde debería haber estado la calle. O al menos, allí donde él creía que debería haber estado. La impresión y la incredulidad ya habían quedado atrás. Lo embargó entonces una amarga decepción que se transformó en furia y que le fue subiendo hasta la garganta, medio ahogándolo. ¿Cómo se habían atrevido? ¿Cómo podían haber destruido, quienesquiera que fueran, lo que tendría que haber sido un monumento nacional? La casa en sí debería haber sido un museo, con una de esas placas azules en lo alto de la pared, y el jardín tendrían que haberlo conservado con el mayor cuidado tal y como estaba, como parte del recorrido que podrían haber hecho los grupos de visitantes. Si hubiesen necesitado un conservador allí estaba él, no tendrían que haber buscado más.

Todo era nuevo, diseñado con esmero e insensibilidad. Ésa era la palabra adecuada, «insensible», y se sintió orgulloso de sí mismo por el hecho de que se le hubiera ocurrido. Era un lugar «ideal», pensó asqueado, un edificio que sería típico del país de los *yuppies*. Las petunias de los arriates lo encolerizaron especialmente. Por supuesto, sabía que poco antes de que él naciera habían cambiado el nombre de Rillington Place por el de Ruston Close, pero ahora ya ni siquiera existía

Ruston Close. Había traído consigo un mapa antiguo, pero no le sirvió de nada, pues era más difícil encontrar las viejas calles que buscar los rasgos del niño en el rostro quincuagenario. Cincuenta años era apropiado. Había pasado medio siglo desde que atraparon a Reggie y lo ahorcaron. Si tenían que cambiar el nombre a las calles, podrían haber puesto un letrero en alguna parte donde dijera: «Antes Rillington Place», ¿no? O algo que indicara a los visitantes que se encontraban en territorio de Reggie. Allí debían de acudir cientos de personas, algunas de ellas con expectación y profundamente decepcionadas, otras que no sabían nada en absoluto sobre la historia del lugar, y todas ellas se topaban con aquel pequeño enclave de ladrillo rojo y arriates elevados donde los geranios y las alegrías de la casa desbordaban las jardineras y los árboles se habían elegido por su follaje de tonos dorado y crema.

Era pleno verano y hacía un día magnífico, sin una sola nube en el cielo azul. En las pequeñas parcelas crecía un césped lozano de un verde intenso y una planta trepadora tendía un manto rosado sobre las paredes construidas ingeniosamente a distintos niveles. Mix se dio la vuelta para marcharse en tanto que la furia que lo invadía hacía que el corazón le palpitara más deprisa y con más fuerza, pum, pum, pum... De haber sabido que habían borrado hasta el último vestigio nunca hubiese considerado el piso de Saint Blaise House. Había ido a ese rincón de Notting Hill únicamente porque había sido el barrio de Reggie. Ya sabía que la casa y sus vecinos no estaban, por supuesto, pero aun así había confiado en que el lugar sería fácilmente reconocible, una calle que los pusilánimes evitaran, frecuentada por entusiastas inteligentes como él. Sin embargo, los débiles, los escrupulosos y los políticamente correctos se habían salido con la suya y lo habían tirado todo abajo. Pensó que se habrían reído de la gente como él, se habrían sentido triunfadores al reemplazar la historia con una urbanización de mal gusto.

Se había estado reservando aquella visita para darse un capricho cuando se hubiera instalado. ¡Para darse un capricho! Siendo niño, ¿con qué frecuencia el capricho prometido acababa en decepción? Demasiado a menudo, por lo que él parecía recordar, y no dejaba de ocurrir cuando se era una persona adulta y responsable. De todas formas no iba a volver a mudarse, y menos después de haber pagado a Ed y a su amigo para que le pintaran el piso y acondicionaran la cocina. Se volvió de espaldas a esas viviendas nuevas e ideales, a los árboles y arriates, empezó a caminar lentamente por Oxford Gardens y cruzó Ladbroke Grove para ver la casa en la que la primera víctima de Reggie había tenido una habitación. Al menos eso no había cambiado. A juzgar por el aspecto del lugar, nadie lo había pintado desde la muerte de la mujer en 1943. Por lo visto no se sabía qué habitación había ocupado, no había ningún detalle al respecto en los libros que había leído. Contempló las ventanas especulando y haciendo conjeturas hasta que alguien lo miró desde una de ellas y le pareció que lo mejor era seguir adelante.

La zona de Saint Blaise Avenue con Oxford Gardens era para gente pudiente, un lugar arbolado con cerezos ornamentales; sin embargo, a medida que descendías por ella, la calle iba perdiendo categoría hasta que sólo encontrabas viviendas construidas por el ayuntamiento en la década de los sesenta, tintorerías, negocios de recambios para motoci-

11

cletas y tiendas de comestibles. Salvo por la hilera de edificios del otro lado, aislada, elegante y victoriana, y por la casona, Saint Blaise House, la única en todo el barrio que no había acabado dividida en una docena de pisos. Mix pensó que era una lástima que no hubieran derribado todo aquello y dejado Rillington Place tal y como estaba.

Allí no había cerezos, sino unos grandes plátanos cubiertos de polvo y cuyos troncos se descortezaban. Estos árboles eran en parte los responsables de que el lugar fuera tan oscuro. Se detuvo a observar la casa, maravillándose de sus dimensiones, como siempre hacía, y preguntándose por qué demonios la anciana no la había vendido a una promotora inmobiliaria años atrás. Era un edificio de tres plantas, con paredes de estuco antes blanco pero ahora gris y una escalinata que conducía a una gran puerta principal medio oculta en las profundidades de un pórtico con columnas. En lo alto, casi debajo del alero, había una ventana circular completamente distinta de las otras, que eran alargadas, en tanto que ésta tenía una vidriera de colores, empañada por la suciedad que se había ido acumulando con los años desde la última vez que la habían limpiado.

Mix entró en la casa. La primera vez que había visto el lugar pensó que sólo el vestíbulo, grande, cuadrado y sombrío como todo lo demás allí dentro, ya era lo bastante amplio como para contener un piso de dimensiones normales. Inútilmente colocadas contra la pared, había unas sillas grandes y oscuras de respaldo grabado, una de las cuales se situaba bajo un espejo enorme con el marco de madera labrada y el cristal salpicado de manchas verduscas como islas en un mapa del mar. Una escalera conducía a un sótano, pero él nunca había estado allí y, que supiera, hacía años y años que nadie lo pisaba.

Al entrar casi tuvo la esperanza de que ella no estuviera por ahí, y normalmente no estaba, pero aquel día no tuvo suerte. La mujer se encontraba junto a una formidable mesa tallada que debía de pesar una tonelada, vestida con las prendas habituales —chaqueta de punto larga y lacia y falda con caída— y sujetando en alto un folleto colorido que anunciaba un restaurante tibetano. Al verle, le dijo: «Buenas tardes, señor Cellini», con su acento de clase alta y una voz que, a juicio de Mix, expresaba una gran cantidad de desprecio.

Cuando hablaba con Gwendolen Chawcer, en las ocasiones en las que resultaba inevitable dirigirse a ella, hacía todo lo posible por escandalizarla… de momento sin éxito notorio.

—Nunca adivinaría dónde he estado.

—Eso es casi seguro —repuso ella—, por lo que parece inútil intentarlo.

¡Vieja bruja sarcástica!

—En Rillington Place —anunció—, o mejor dicho, donde estaba antes. Quería ver el lugar del jardín en el que Christie enterró a todas esas mujeres que mató, pero ya no queda ni rastro.

Ella volvió a dejar el folleto sobre la mesa donde, sin duda, permanecería durante meses. Entonces lo sorprendió diciendo:

—Fui a esa casa en una ocasión, cuando era joven.

—¿Ah, sí? ¿Y cómo es eso?

Él ya sabía que la mujer no estaría muy comunicativa, y así fue.

—Tenía una razón para ir allí. La visita no duró más de media hora. Era un hombre desagradable.

Mix no pudo controlar su entusiasmo.

—¿Qué impresión le causó? ¿Tuvo la sensación de encontrarse en presencia de un asesino? ¿Su esposa estuvo presente?

La mujer se rió con su risa destemplada.

—¡Por Dios, señor Cellini! No tengo tiempo de responder a todas estas preguntas. Tengo que seguir.

¿Seguir con qué? Por lo que él sabía, rara vez hacía otra cosa que no fuera leer. Debía de haber leído miles de libros, leía continuamente. Se sintió frustrado tras su respuesta insatisfactoria, si bien provocativa. Tal vez fuera una mina de información sobre Reggie, pero era demasiado engreída para hablar de ello.

Mix empezó a subir por la escalera que aborrecía con un odio feroz aun cuando no era estrecha, precaria ni curva. Tenía cincuenta y dos peldaños y una de las cosas que le desagradaban de ella era que estaba formada por tres tramos: veintidós escalones en aquel primero, diecisiete en el otro y nada menos que trece en el último. Si algo había que alteraba a Mix más aún que las sorpresas desagradables y las viejas maleducadas, era el número trece. Por suerte, Saint Blaise House estaba en el número 54 de Saint Blaise Avenue.

Un día en que la vieja Chawcer había salido, Mix contó los dormitorios sin incluir el suyo y se encontró con que había nueve. Algunos de ellos estaban amueblados, si es que se podía llamar muebles a lo que contenían, y otros no. La casa entera estaba hecha un asco. En su opinión, hacía años que allí nadie había hecho las tareas domésticas, aunque a ella la había visto pasar el plumero por encima. Toda aquella ebanistería, labrada con escudos, espadas y cascos, rostros y flores, hojas, guirnaldas y cintas, se hallaba cubierta por una antigua acumulación de polvo. Las telarañas formaban cuerdas que unían un balaustre con otro, o una cornisa con la moldura para los cuadros. La mujer había vivido allí toda su larga vida, primero con sus dos progenitores, después con su padre y luego sola. Aparte de esto, Mix no sabía nada más sobre ella. Ni siquiera sabía cómo era que la casa tenía tres dormitorios en la planta de arriba cuando ésta ya se había reformado y convertido en un piso.

A partir del primer rellano la escalera se estrechaba y el último tramo, el superior, estaba embaldosado, no enmoquetado. Mix nunca había visto una escalera de baldosas negras y relucientes, pero en casa de la señorita Chawcer había muchas cosas que no había visto nunca. Daba igual los zapatos que llevara, en esas baldosas hacían un ruido terrible, un golpeteo sordo, o bien un taconeo, y creía que la mujer había embaldosado los peldaños para enterarse de la hora a la que entraba su inquilino. Él ya había tomado por costumbre quitarse los zapatos y continuar en calcetines. No es que alguna vez hiciera algo «malo», pero no quería que ella estuviera al tanto de sus asuntos.

El vitral moteaba el descansillo superior con manchas de luz de colores. La vidriera representaba una chica mirando una maceta con alguna clase de planta en su interior. Cuando la vieja Chawcer lo acompañó arriba la primera vez, la había llamado la ventana Isabella, y el dibujo, Isabella y la maceta de albahaca, no le decía nada a Mix. Por lo que a él concernía, la albahaca era una cosa que crecía en una bolsa que comprabas en el supermercado Tesco. La chica parecía enferma, pues su rostro era el único pedazo de cristal que era blanco, y a Mix le molestaba tener que verla cada vez que entraba o salía de su piso.

Él se refería a su vivienda como a un apartamento, pero Gwendolen Chawcer la llamaba «habitaciones». En su opinión, aquella mujer vivía en el pasado, y no treinta o cuarenta años antes, como ocurre con la mayoría de ancianos, sino un siglo. Él mismo había instalado el baño y la cocina con la ayuda de Ed y su amigo. Lo había pagado de su bolsillo, por lo que la señorita Chawcer no podía quejarse. En realidad, tendría que estar contenta; cuando fuera famoso y se hubiera mudado, todo aquello quedaría allí para el siguiente inquilino. El hecho es que ella nunca había sido capaz de ver la necesidad de tener un baño. Le explicó que, cuando ella era joven, uno tenía el orinal en el dormitorio, una jofaina en el palanganero y la criada te subía un jarro con agua caliente.

Mix disponía de un dormitorio además de una amplia sala de estar en la que dominaba una fotografía tamaño póster de Nerissa Nash, tomada cuando un periódico empezó a mencionar a las modelos además de a los diseñadores de ropa. Eso fue en la época en la que la definían como una Naomi Campbell de baratillo. Ya no era así. Tal como hacía con frecuencia al entrar, Mix se quedó parado frente al póster como un devoto que contemplara una imagen sagrada, pero, en lugar de plegarias, sus labios murmuraron:

—Te quiero, te adoro.

Mix ganaba un buen sueldo en Fiterama y no había reparado en gastos con el piso. Había comprado a plazos el televisor, el vídeo y el reproductor de DVD, que iban en un mueble de barras cromadas, así como gran parte de los enseres para la cocina, pero eso, para utilizar una de las expresiones favoritas de Ed, era moneda corriente, todo el mundo lo hacía. La alfombra blanca y el tresillo de cheviot color gris los había pagado en efectivo y había adquirido la figura en mármol negro de la chica desnuda llevado por un impulso, pero no lo lamentó ni por un momento. Había hecho enmarcar el póster de Nerissa con el mismo acabado cromado que el mueble del televisor. En la estantería de fresno negro guardaba su colección de libros sobre Reggie: *10 Rillington Place, John Reginald Halliday Christie, La leyenda de Christie, Asesinato en Rillington Place* y *Las víctimas de Christie,* entre muchos otros. La película de Richard Attenborough, *El estrangulador de Rillington Place,* la tenía en vídeo y en DVD. Pensó que resultaba indignante que en Hollywood no dejaran de hacerse nuevas versiones de películas y que no hubiera noticia de una nueva versión de ésta. La suya se la ponía con frecuencia y la versión digital era aún mejor, más nítida y clara. Richard Attenborough estaba magnífico, eso no lo discutía, pero no se parecía mucho a Reggie. Hacía falta un actor más alto, con rasgos más marcados y mirada intensa.

Mix era propenso a soñar despierto y en ocasiones especulaba sobre si sería famoso por Nerissa o por sus conocimientos expertos sobre Reggie. Lo más probable era que en la actualidad no quedara nadie con vida, ni siquiera Ludovic Kennedy, el autor del libro, de ese libro[1], que supiera más que él. Tal vez su misión en la vida fuera volver a despertar

---

1. *10 Rillington Place,* el libro de más éxito de Ludovic Kennedy, contribuyó poderosamente a la abolición de la pena de muerte en Gran Bretaña. *(N. de la T.)*

el interés por Rillington Place y su ocupante más famoso, aunque, después de lo que había visto aquella tarde, todavía era un misterio cómo iba a ocurrir eso. Pero lo resolvería, por supuesto. Quizás él también escribiera un libro sobre Reggie, y el suyo no estaría lleno de comentarios inanes sobre la maldad y depravación de aquel hombre. Su libro se centraría en el asesino como artista.

Eran cerca de las seis. Se sirvió su bebida favorita. La había inventado él mismo y la llamó «Latigazo» por lo fuerte que pegaba. Le desconcertaba ver que nadie a quien se la había ofrecido parecía compartir su gusto por una doble medida de vodka, un vaso de Sauvignon y una cucharada de Cointreau, todo vertido sobre hielo picado. Tenía una nevera de ésas de las que salía el hielo picado ya preparado. Estaba saboreando el primer sorbo cuando sonó su teléfono móvil.

Era Colette Gilbert-Bamber que llamaba para decirle que necesitaba que le repararan la cinta de correr urgentemente. Tal vez sólo fuera un problema de la clavija del enchufe o podría tratarse de algo más grave. Su esposo había salido, pero ella había tenido que quedarse en casa porque esperaba una llamada telefónica importante. Mix ya sabía lo que significaba todo aquello. El hecho de que estuviera enamorado de su estrella distante, de su reina y señora, no significaba que no pudiera darse el gusto de divertirse un poco de vez en cuando. Cuando Nerissa y él estuvieran juntos, cuando fuera de conocimiento público, entonces la cosa sería distinta.

A desgana, si bien consciente de sus prioridades, Mix metió el Latigazo en el frigorífico. Se lavó los dientes, hizo gárgaras con un enjuague bucal cuyo sabor no era muy distinto al de su cóctel, pero no tenía sus efectos estimulantes, y bajó las escaleras. En el interior de aquella casa no podías hacerte una idea de cuán magnífico era el día ni de cuánto brillaba y calentaba el sol. Allí siempre hacía frío y, además, reinaba un silencio extraño, siempre. No se oía el metro de la Hammersmith and City Line que transcurría por la superficie entre las estaciones de Latimer Road y Shepherd's Bush, ni el tránsito de Ladbroke Grove. El único ruido que llegaba era el de la Westway, pero, si no lo sabías, no podías imaginar que era el tráfico lo que llegaba a tus oídos. Sonaba como el mar, como las olas al romper en la playa, un rugido suave e incesante como cuando te llevabas al oído una concha de las grandes.

Ahora, en ciertas ocasiones, Gwendolen necesitaba ayudarse con una lupa para leer la letra pequeña. Y, por desgracia, casi todos los libros que ella quería leer estaban impresos en el tamaño de letra que según tenía entendido se llamaba cuerpo 10. Sus gafas de uso diario no podían con la edición de *Historia de la decadencia y caída del Imperio romano* de su padre, por ejemplo, o con lo que estaba leyendo en aquellos momentos, un ejemplar muy antiguo de *Middlemarch*, publicado en el siglo XIX.

Al igual que su dormitorio, situado encima, el salón abarcaba toda la profundidad de la casa, tenía un par de ventanas grandes de guillotina con vistas a la calle y unas cristaleras que daban al jardín de la parte de atrás. Cuando leía, Gwendolen se recostaba en un sofá tapizado en pana marrón oscuro cuyo respaldo estaba coronado por un dragón de caoba tallada. La cola del dragón se curvaba sobre uno de los brazos del sofá en tanto que su cabeza se alzaba como si le gruñera a la chimenea de mármol negro. Casi todo el mobiliario era de un estilo muy parecido: madera labrada, acolchado grueso y tapicería de velvetón en tonos granate y marrón, o bien de un verde apagado; pero había algunas piezas de mármol oscuro y veteado, con patas de color de oro. En una de las paredes colgaba un espejo enorme con un marco dorado de hojas, frutas y arabescos a los que el tiempo y el descuido habían arrebatado el brillo.

Al otro lado de las cristaleras, que en aquellos momentos estaban abiertas para dejar entrar la cálida luz de la tarde, se encontraba el jardín. Gwendolen aún lo veía como era antes, con el césped tan bien recortado que adquiría la misma suavidad que un terciopelo esmeralda, con un estallido de flores en el arriate y con los árboles podados para sacar el mayor provecho posible de su follaje exuberante. O más bien veía que podía ser así con un poco de atención, nada que no pudiera conseguirse con un día de trabajo. El hecho de que la hierba llegara a la altura de la rodilla, que los arriates fueran un amasijo de maleza y que las ramas muertas echaran a perder los árboles le pasaba inadvertido. Para ella era más real la letra impresa que un interior cómodo y un exterior agradable.

Alguna que otra vez, su mente y también sus recuerdos eran más fuertes que el libro; entonces dejaba la lectura y se quedaba mirando el techo pardusco cubierto de telarañas y los prismas polvorientos de la araña de luces, para pensar y para recordar.

No le gustaba ese hombre, Cellini, pero eso no tenía importancia. Su conversación poco elegante había despertado cosas que estaban dormidas, Christie y sus asesinatos, Rillington Place, el miedo que sintió, el doctor Reeves y Bertha. Debían de haber pasado al menos cincuenta y dos años, tal vez cincuenta y tres. Rillington Place había sido un lugar sórdido con hileras de casas adosadas que daban a una calle en cuyo extremo más alejado había una fundición de hierro y una chimenea. Hasta que no fue allí, no tenía ni idea de que existían lugares como aquél. Ella había llevado una vida muy protegida, tanto antes de aquel día como después. Bertha se habría casado..., esa clase de personas siempre lo hacían. Probablemente tuviera toda una prole, hijos que ahora serían personas de mediana edad, y el primero de los cuales sería la causa de sus infortunios.

¿Por qué las mujeres se comportaban de esa manera? Nunca lo había entendido. Ella nunca había estado tentada. Ni siquiera con el doctor Reeves. Sus sentimientos hacia él siempre habían sido castos y honorables, lo mismo que los suyos hacia ella. No tenía ninguna duda al respecto, a pesar de su comportamiento posterior. Tal vez ella, al fin y al cabo, hubiera elegido la mejor opción.

¿Por qué demonios Cellini estaba tan interesado en Christie? No era una disposición de ánimo saludable. Gwendolen volvió a coger el libro. No en aquél, sino en otro de George Eliot, *Adam Bede*, aparecía una chica que se había comportado como Bertha y corrió una suerte horrible. Estuvo leyendo durante otra media hora totalmente ensimismada, ajena a todo, excepto a la página que tenía delante. La alertó el ruido de una pisada por encima de su cabeza.

Aunque su vista era cada vez peor, Gwendolen poseía un oído magnífico. Ya no para una mujer de su edad, sino para cualquier persona de cualquier edad. Su amiga Olive Fordyce decía que estaba segura de que Gwendolen podría oír el chillido de un murciélago. Se quedó escuchando. Él estaba bajando las escaleras. Sin duda creía que ella no sabía que se quitaba los zapatos para intentar entrar y salir a hurtadillas. No se la engañaba tan fácilmente. El tramo inferior crujía y nada de lo que él hiciera podría impedirlo, pensó triunfalmente Gwendolen. Oyó que cruzaba el vestíbulo con paso suave, pero cuando cerró la puerta principal lo hizo dando un portazo que sacudió la casa e hizo que una escama blancuzca se desprendiera del techo y se posara en el pie izquierdo de la mujer.

Se acercó a una de las ventanas delanteras y lo vio subir al coche. Era un automóvil pequeño de color azul que, en su opinión, ese hombre mantenía absurdamente limpio. Cuando Cellini se hubo marchado, ella fue hasta la cocina, abrió la puerta de una vieja centrifugadora de ropa que nunca se utilizaba y sacó una bolsa de red que una vez había contenido patatas. La bolsa estaba llena de llaves que no llevaban ninguna etiqueta, pero ella conocía perfectamente la forma y el color de la que quería. Con la llave metida en el bolsillo de su chaqueta de punto, empezó a subir las escaleras.

Había un buen trecho hasta llegar arriba, pero ya estaba acostumbrada. Puede que tuviera más de ochenta años, pero era delgada y fuerte. No había estado enferma ni un solo día de su vida. Claro que no podía subir esos peldaños con la misma rapidez que hacía cincuenta años, pero eso era de esperar. En medio del tramo superior estaba *Otto* descuartizando y comiéndose algún pequeño mamífero. La mujer lo ignoró y él hizo lo mismo. La brillante luz del sol de la tarde penetraba por la ventana Isabella y, como el viento no soplaba sobre el cristal, un dibujo colorido y casi perfecto de la chica y la maceta de albahaca aparecía reflejado en el suelo, un mosaico circular de rojos, azules, verdes y púrpuras. Gwendolen se detuvo para admirarlo. Lo cierto era que aquel facsímil rara vez podía verse tan claro e inmóvil.

Permaneció allí sólo un minuto o dos más, tras lo cual insertó su llave en la cerradura y entró en el piso de Cellini.

Gwendolen pensó que no era muy aconsejable haberlo pintado todo de blanco. Se veían todas las marcas. Y el gris no era un buen color para el mobiliario y demás, era frío y austero. Entró en el dormitorio y se preguntó por qué Cellini se molestaba en hacerse la cama cuando tendría que deshacerla por la noche. Resultaba deprimente lo ordenado que estaba todo. Era muy probable que padeciera ese mal sobre el que había leído en un periódico, un desorden obsesivo-compulsivo. La cocina no era mucho mejor que el resto. Parecía una de esas que podrían mostrarse en la Feria del Hogar Ideal, a la que Olive se había empeñado en llevarla una vez, en la década de los ochenta. Había un lugar para cada cosa y todo estaba en su sitio, no había ni un paquete o lata sobre la encimera y el fregadero también estaba vacío. ¿Cómo se podía vivir así?

Abrió el frigorífico. Dentro se veía muy poca comida, pero en el estante de la puerta había dos botellas de vino y al frente de la balda central un vaso casi lleno de algo que parecía agua ligeramente coloreada. Gwendolen lo olisqueó. No era agua, por supuesto que no. De modo que bebía, ¿eh? No podía decir que eso la sorprendiera. Volvió al salón y se detuvo frente a la librería. Los libros siempre le llamaban la atención, fueran del tipo que fueran. No se trataba precisamente del tipo de literatura que ella leería, y quizá nadie debería leer esas cosas. Todos ellos, excepto uno, *Sexo para hombres del siglo XXI*, versaban sobre Christie. Gwendolen llevaba más de cuarenta años sin pensar apenas en ese hombre, y aquel día parecía que no había manera de alejarse de él.

En cuanto a Cellini, ésa debía de ser otra de sus obsesiones. «Cuanto más conozco a las personas, más me gustan los libros», dijo Gwendolen citando a su padre. Se dirigió al piso de abajo y fue a la cocina. Allí cogió un sándwich de queso y pepinillos ya preparado de la tienda de comestibles, se lo llevó junto con un vaso de zumo de naranja al sofá del dragón y retomó *Middlemarch*.

## 2

Una parte del mundo absolutamente curiosa y a la que Mix
todavía no se había acostumbrado era la zona al norte de la
Westway, Wormwood Scrubs y su prisión situada no muy
lejos, un laberinto de calles pequeñas y tortuosas, casas grandes, bloques de apartamentos, feas hileras de casas adosadas
victorianas, lugares góticos que tenían más aspecto de iglesias que de hogares, casitas diseñadas con astucia en distintos niveles para dar la impresión de que llevaban doscientos
años allí, colmados, centros donde realizar la inspección técnica de vehículos, garajes, templos, iglesias de verdad para
los fieles católicos apostólicos o de los Santos de los Últimos
Días y conventos para oblatos y carmelitas. Todo aquel lugar
se hallaba poblado de gente cuyas familias siempre habían
vivido allí y que provenían de Freetown, Goa, Vilnius, Beirut
y Aleppo.

Los Gilbert-Bamber también vivían en el distrito W-11,
pero en la zona de moda para gente de categoría. Su casa estaba en Lansdowne Walk, y si bien no era tan grande como la
de la señorita Chawcer, sí era más imponente, con columnas
corintias por toda la fachada y macetas con arbustos en los
balcones. Mix no tardó más de cinco minutos en conducir
hasta allí y otros cinco en aparcar el coche en una zona en la

que pasadas las seis y media ya no tenías que poner dinero en el parquímetro. Colette le dirigió una de sus miradas sensuales al abrir la puerta, una mirada que no era en absoluto necesaria, puesto que ambos sabían por qué lo había llamado y para qué había ido él. Mix, por su parte, fingió formalidad y sonrió mientras entraba con su caja de herramientas diciendo que, si mal no recordaba, la máquina estaba en el piso de arriba.

—Recuerdas bien, por supuesto —dijo Colette riéndose tontamente.

Más escaleras, pero aquéllas tenían los peldaños más anchos y bajos, aunque de todos modos sólo había un tramo.

—¿Cómo está la señorita Nash?

Sabía que a ella no le gustaría que dijera eso, y no le gustó.

—Estoy segura de que está estupendamente. Hace un par de semanas que no la veo.

Fue en casa de los Gilbert-Bamber donde había conocido a Nerissa Nash. O quizá fuera más adecuado decir que se la había «encontrado» allí. Hasta que la vio a ella, Mix había considerado que Colette era hermosa por su esbeltez, su cabellera larga y rubia y sus labios carnosos, aunque ésta le había contado lo de los implantes de colágeno. Mix había pensado que la diferencia entre ellas dos era la misma que existía entre la estrella de Hollywood y la chica más guapa de la oficina.

Colette entró en el dormitorio delante de él. Lo que ella denominaba su gimnasio era en realidad un vestidor situado junto al cuarto de baño y que se abría desde la habitación, el cual había sido diseñado para el señor de la casa cuando se construyó el edificio.

—Llamaría a la puerta de la mujer cuando quisiera echar un polvo —había explicado Colette—. En esa época estaban todos mal de la chaveta. ¿No te parece curiosa esta palabra?

Ahora la habitación estaba amueblada con una cinta de correr, una bicicleta estática, una máquina escaladora y una elíptica. Había un soporte para pesas, una alfombrilla de yoga enrollada, una pelota inflable de color turquesa y un casto frigorífico que nunca había visto nada parecido a un Latigazo, sino que contenía únicamente agua mineral con gas. Mix se dio cuenta enseguida de por qué la cinta de correr no se ponía en marcha. Colette no era tonta y probablemente también conociera perfectamente el motivo.

La máquina contaba con un dispositivo de seguridad en forma de una llave que encajaba en una cerradura y que llevaba sujeta una cuerda con un clip en el otro extremo. Se suponía que tenías que prendértelo en la ropa mientras utilizabas la máquina de manera que si te caías, la llave saldría y el motor dejaría de funcionar. Mix sostuvo la llave en alto.

—No la has metido.

—Le dijo la actriz al obispo.

A Mix le pareció una réplica muy manida. Ya se la había oído decir a su padrastro hacía veinte años como mínimo.

—No arrancará a menos que la llave esté dentro —dijo con voz apagada para demostrarle que no la consideraba ingeniosa. De todos modos no iba a quejarse. Sólo por el desplazamiento ya cobraría sus cincuenta libras.

Insertó la llave, puso en marcha la máquina, dejó que funcionara y, para retrasar un poco las cosas (¿por qué todo tenía que ser siempre como ella quería?), aplicó un poco de aceite en los pedales de la bicicleta. Colette apagó la máquina y condujo a Mix de nuevo al dormitorio. En ocasiones él se preguntaba qué ocurriría si el honorable Hugo Gilbert-Bamber regresara inesperadamente, aunque siempre podía vestirse a toda prisa y agacharse entre las máquinas con un destornillador y una aceitera.

Mix quería ser famoso. Le parecía que hoy en día la única vida posible que cualquiera podía desear era la de una celebridad. Que te pararan por la calle para pedirte un autógrafo, verte obligado a viajar de incógnito, ver tu fotografía en los periódicos, estar solicitado por los periodistas que quieren hacerte entrevistas, tener seguidores que especulen sobre tu vida sexual, ser citado en las columnas de cotilleos. Llevar gafas de sol para que no te reconozcan y desplazarte en una limusina con las ventanillas tintadas. Tener tu propio relaciones públicas y quizá conseguir que te representara Max Clifford.

Lo mejor sería ser famoso por algo que hicieras que a la gente le gustara o por lo cual te admiraran, como era su caso con Nerissa Nash. Sin embargo, la fama que provenía de un gran crimen era, en cierto modo, envidiable. ¿Qué se sentiría al ser el hombre al que la policía sacaba a escondidas del juzgado con la cabeza tapada con una chaqueta porque si la multitud lo veía lo haría pedazos? El asesinato te garantizaba la fama eterna. No hay más que fijarse en el asesino de John Lennon, y en el del presidente Kennedy, o en Princip, quien disparó contra el archiduque de Austria y desencadenó la Primera Guerra Mundial. No obstante, sería mucho mejor y más seguro ser el guardaespaldas de Nerissa Nash. Esta posición no tardaría en elevarlo a la categoría de famoso, lo invitarían a los programas de entrevistas de televisión y solicitarían su presencia en las fiestas que celebraran los Beckham y Madonna.

La propia Colette había sido modelo, aunque de segunda fila, y el matrimonio con un agente de Bolsa puso fin a su carrera. Pero Nerissa y ella seguían manteniendo una firme amistad. Mix se encontraba en el gimnasio/vestidor colocando una cinta nueva en la máquina de correr, en aquella ocasión se trataba de una tarea legítima. No podía haber nada de lo otro porque en la casa había un cocinero contratado para prepararles la comida a Colette y Nerissa. Las dos mujeres entraron en el dormitorio porque Colette quería enseñar a su amiga una nueva creación que había adquirido por una suma astronómica en una *boutique* de Notting Hill. Sus susurros y risitas llegaron a oídos de Mix. No estaba seguro, pero le pareció oír que Nerissa advertía a Colette que tuviera cuidado al desnudarse porque «el hombre» estaba en el cuarto de al lado, en el gimnasio.

Mix ya estaba bastante familiarizado con los gustos y costumbres de Colette para saber que a ella no le importaría que en el gimnasio hubiera cincuenta hombres mirándola boquiabiertos a través de la puerta de cristal, le gustaría, pero la actitud recatada de Nerissa le resultó admirable. Últimamente no te topabas con algo así con mucha frecuencia. Hasta entonces sólo la había visto en las fotografías que miraba en la prensa del corazón. Su voz era tan bonita y su risa tan argentina que resolvió verla. Utilizó una técnica que empleaba siempre que necesitaba hablar con la señora de la casa y, después de carraspear con fuerza, la llamó:

—¿Está ahí, señora Gilbert-Bamber?

Le respondió una risita de Colette, de modo que no perdió más tiempo y se dirigió al dormitorio. Colette sólo llevaba un sujetador y un tanga de color rojo escarlata, pero él ya la había visto con menos ropa aún. Tal como diría él mismo, le resbalaba. Además, la amiga de Colette acaparaba toda su atención. Decir que era la mujer más hermosa que había visto en su vida era quedarse corto. Inmediatamente tuvo la sensación de que, para resultar atractivas, todas las mujeres debían tener el cabello largo y negro, los ojos grandes y dorados y la piel del mismo color que un capuchino. Aparte de todo esto, de su altura y de su porte elegante, Mix vio un cariñoso encanto en su rostro, en lugar de la altivez que habría esperado encontrar y entonces, cuando ella sonrió y le dijo «Hola», estuvo perdido.

Después de aquello empezó a reunir en su álbum de recortes todas las fotografías suyas que veía. Incluso encontró postales con su retrato en una tienda para turistas de Shepherd's Bush. Cuando tenía lugar el estreno de una película, él aguardaba a las puertas del cine en la acera, en ocasiones durante horas, para poder verla fugazmente apeándose de un automóvil. Una vez consiguió situarse en primera fila de los admiradores y se vio ampliamente recompensado. La ayudaron a salir del vehículo, ella se echó la estola blanca de piel en torno al vestido suelto y diáfano de color amarillo que llevaba y al verlo (¿al reconocerlo?) lo obsequió con una sonrisa radiante.

En una de las fantasías de Mix, se encontraban los dos sentados en un club, solos en su mesa, mirándose a los ojos. Se les acercaba un cámara, luego otro. Nerissa sonreía a los fotógrafos y luego a él. Le susurraba: «Bésame», y él lo hacía.

Era el achuchón más maravilloso que había tenido nunca y los flashes que destellaban a su alrededor y los ánimos de los cámaras lo hacían aún mejor si cabe. Al día siguiente su beso estaba en todos los periódicos y los titulares que imaginaba lo emocionaban. «Nerissa y su nueva pareja» y «Nerissa sella su nuevo amor con un beso». A él lo llamarían «Michael Cellini, el distinguido criminólogo».

Sin embargo, nunca la veía en carne y hueso, esa carne dorada que tan delicadamente cubría unos huesos largos, aunque había esperado varias veces frente a su casa de Campdem Hill Square por si alcanzaba a verla en una ventana. Colette le había dicho dónde vivía, pero lo había hecho a regañadientes y él le había preguntado si Nerissa tenía máquinas para hacer ejercicio en su casa.

—Ella va al gimnasio.

—¿A qué gimnasio va? —le preguntó mientras le mordía suavemente el cuello tal como a ella le gustaba.

—Me imagino que al más cercano. ¿Por qué quieres saberlo?

—Sólo tenía curiosidad —respondió.

Tenía que seguirla, lo sabía, aunque eso podía parecer acoso, algo que Mix no quería relacionar con Nerissa. En cuanto la hubiera seguido y averiguara de qué gimnasio se trataba, se haría socio. No estaba tan en forma como debería estar en su trabajo, así pues, ¿por qué no podía ir al gimnasio de Nerissa como a cualquier otro?

Llevaba nueve años trabajando para Fiterama, los primeros ocho y poco más en su sucursal de Birmingham. Cuando llegó a Londres y empezó a buscar un lugar donde vivir, alquiló una habitación en Tufnell Park durante un tiempo. Hilldrop Crescent, que se encontraba allí mismo al doblar la esquina, era otro lugar que le fascinaba. A éste no le habían cambiado el nombre aun cuando allí vivió el doctor Crippen, que mató a su esposa y ocultó sus pedazos debajo del suelo. Mix nunca había leído nada sobre Crippen, su crimen había ocurrido mucho tiempo atrás, antes de la Primera Guerra Mundial, y prácticamente ya había pasado a la historia. Pero entonces vio un programa de televisión sobre la captura de delincuentes gracias al telégrafo y se enteró de que Crippen fue el primero al que atraparon de esta forma. También se enteró de dónde había vivido. Esto que para otra persona podría resultar desagradable, o sencillamente carecer de interés, entusiasmaba a Mix, que fue a echar un vistazo. La decepción que sintió al encontrarse con que la casa ya no estaba y en su lugar habían construido edificios nuevos fue precursora de la amargura mucho más intensa que le provocó la destrucción de Rillington Place.

Fue al ver la película cuando empezó todo. En aquel entonces Mix todavía vivía en casa y la vio en el viejo televisor en blanco y negro de su madre. Aunque no era muy dado a la lectura, había encontrado el libro de la película, o así lo creyó entonces, en un puesto de libros viejos. Se quedó sorprendido cuando miró las fotografías y vio que John Reginald Halliday Christie se parecía mucho más a él que a Attenborough. Claro que él era mucho más joven y no llevaba gafas. Se obligó a mirarse en el espejo el tiempo suficiente para estar seguro del parecido. De un modo curioso, eso parecía unirlo más al asesino en serie y fue a partir de entonces que mentalmente empezó a referirse a él como a Reggie, en lugar de Christie. Al fin y al cabo, ¿qué había hecho que fuera tan terrible? Librar al mundo de una panda de mujeres inútiles, furcias y putas callejeras en su mayoría.

Reggie. El nombre sonaba bien. Tenía algo afectuoso y cordial. A Mix no le sorprendió descubrir en su lectura que Reggie caía bien a la gente y que eran muchos los que lo admiraban y respetaban. Habían reconocido en él a un hombre poderoso. Ésa era una de las cosas que a Mix le gustaban de él, que era un hombre fuerte. Habría sido un buen padre, no habría tolerado tonterías de sus hijos, pero tampoco les hubiera pegado. No era la manera de hacer de Reggie. Fugazmente, tal como ocurría cada día, Mix pensó en Javy. En su opinión, no debería permitirse que las mujeres dieran padrastros a sus hijos.

Durante el trayecto de vuelta a casa en coche desde el domicilio de Colette volvió a pensar en lo que le había dicho la vieja Chawcer. Mix aún no había salido de su asombro. Ella había estado en casa de Reggie. Había conocido a Reggie. A su edad, a Mix le daba la impresión de que Reggie había vivido en una época remota, en la historia, francamente, pero se dio cuenta de que para la vieja Chawcer no era así. La mujer debía de tener ochenta y tantos años y en la época en que Reggie había vivido en Rillington Place aún era joven, debía de ser una niña. Pues bien, tal como decían todos los libros y sabía todo aquel que estaba interesado, Reggie había atraído a sus víctimas a su casa con el pretexto de que practicaba abortos. Por lo tanto, ella debió de haber acudido a él con eso en mente. ¿Qué si no?

Como él era joven en el siglo XXI, Mix pensaba que las cosas siempre habían sido tal como eran entonces. En lo concerniente a encuentros sexuales, la juventud de la vieja Chawcer debió de parecerse mucho a la suya, con romances, relaciones de una sola noche y tanto sexo como se pudiera conseguir. La vieja Chawcer habría tenido un descuido, habría olvidado tomarse la píldora, como les solía ocurrir, y se habría visto metida en un lío. Lo poco que Mix sabía sobre leyes se limitaba a la responsabilidad de los fabricantes de máquinas de hacer ejercicio sobre la seguridad de sus productos. Desconocía las leyes que legalizaban el aborto, suponiendo que cuando la vieja Chawcer era joven no pudieras acudir al hospital para hacerlo. Era lógico. Si hubiese sido posible, Reggie se hubiera quedado sin negocio.

La gran pregunta era: si la mujer había estado allí, en manos de Reggie, ¿por qué seguía viva cincuenta años después? Tal vez nunca llegara a saberlo, pero ansiaba averiguarlo.

En su piso reinaba un silencio casi absoluto. Todas sus ventanas daban a techos de tejado plano, a trozos a dos aguas y al jardín abandonado en la parte de atrás. Allí todos los jardines eran una jungla, excepto uno que tenía un aspecto muy pulcro con el césped podado y arriates con rosales. Casi todas las noches, después de anochecer, lo cual sucedía tarde, veía dos ojos brillantes como llamas verdes mirándolo desde el tupido follaje de la hiedra que trepaba incontrolada por la pared y el enrejado. Mix se figuraba que la vieja Chawcer se acostaba temprano. Como la casa se alzaba sola no se oía ningún ruido de los vecinos. Si dormías en la parte delantera, puede que a veces te despertaran el vocerío, el griterío y las ráfagas de música de los coches, eso que Mix había oído que alguien denominaba los nuevos clamores de Londres. Él estaba en la parte trasera; donde estaba no había muchas cosas que pudieran molestar. Como hijo de su tiempo que era, además de haber crecido en una ruidosa urbanización de viviendas subvencionadas, de vez en cuando hubiera agradecido alguna señal audible de vida exterior. Allí las horas silenciosas transcurrían como si el tiempo y el mundo se hubieran olvidado completamente de ti. Salvo por la Westway, que como un enorme ciempiés gris marchaba por el oeste de Londres con su centenar de patas de cemento en tanto que su incesante carga móvil emitía sonidos marinos.

Abrió la nevera. Mix era una persona obsesivamente ordenada y creía haber dejado su Latigazo justo en el centro del estante de en medio, a cinco centímetros del borde. No era propio de él haberlo puesto a mano izquierda, pegado a una tableta de chocolate del supermercado Tesco. Dio unos sorbos a su bebida con aire pensativo. Debió de ser por haber salido con prisas, ésa era la explicación.

Consumida la mitad de la bebida, se quedó de pie frente a la foto de Nerissa y le dijo, no a la foto, sino a ella:

—Te quiero. Te adoro —alzó el vaso y bebió a su salud—. Ya sabes que te adoro.

# 3

La casa de Gwendolen Chawcer en Saint Blaise Avenue había sido construida en 1860 por su abuelo, el padre de su padre. En aquel entonces Notting Hill era una zona rural con muchos espacios abiertos y edificios nuevos y se suponía que era un lugar saludable para vivir. Para la Westway faltaban todavía otros cien años. La primera sección del metro de Londres, el Metropolitan Railway desde Baker Street hasta Hammersmith se construiría al cabo de tres años, pero el emplazamiento de la calle que más adelante se llamaría Rillington Place era campo abierto. El padre de Gwendolen, el profesor, nació en Saint Blaise House en la década de los noventa de ese siglo y ella también, en la década de los veinte del siguiente.

El vecindario fue perdiendo cada vez más categoría. Como era barato, los inmigrantes se mudaron allí en la década de los cincuenta y vivían en los barrios venidos a menos de North Kensington y Kensal Town, en Powis Square y Golborne Road, y fue un hombre originario del Caribe quien encontró el primer cadáver del caso Christie cuando estaba echando abajo una pared del piso al que se había mudado. Durante las siguientes dos décadas vivieron allí *hippies* y gente de ideología semejante. Ladbroke Grove formaba una parte tan habitual en sus vidas que cariñosamente lo llamaron «la arboleda». En sus pisos y habitaciones de alquiler cultivaban marihuana en armarios con luz ultravioleta en su interior. Vestían ropa de estopilla y nació el concepto de Aldea Global.

La señorita Chawcer no sabía nada de todo esto. Esas cosas fluían en torno a ella. Nació en Saint Blaise House, no tuvo hermanos ni hermanas y fue educada en casa por el profesor Chawcer, que ocupaba una cátedra de filología en la Universidad de Londres. El profesor se había opuesto desde el principio a que su hija tuviera trabajo alguno e, invariablemente, todo aquello que el profesor desaprobaba no sucedía, del mismo modo en que lo que aprobaba sí ocurría. Alguien tenía que cuidar de él. La criada se había marchado para casarse y lo normal era que Gwendolen pasara a ocupar su lugar.

La vida que llevaba era extraña pero segura, tal como debe ser una vida carente de miedo, de esperanza, de amor, de cambios o de preocupaciones económicas. La casa era muy grande, tres pisos con innumerables habitaciones que daban a vestíbulos cuadrados o a pasillos largos y una enorme y magnífica escalera formada por cuatro tramos. Cuando ya parecía seguro que Gwendolen no iba a contraer matrimonio, su padre hizo reformar tres habitaciones del piso superior en un piso independiente para ella con su propio vestíbulo, dos habitaciones y una cocina. La ausencia de cuarto de baño no tenía nada que ver con el hecho de que fuera reacia a instalarse allí. ¿Qué sentido tenía estar allí arriba cuando su padre siempre se encontraba abajo en el salón y, al parecer, siempre hambriento de sus comidas o sediento de una taza de té? Su renuencia a irse al piso de arriba empezó en aquel punto. Sólo subía si había perdido algo y ya no sabía dónde más buscar.

El resto de la casa no se había vuelto a pintar y no se había modernizado ninguna otra habitación. Se había instalado electricidad, pero no en todas partes, y en la década de los ochenta se renovó la instalación eléctrica porque la existente resultaba peligrosa. Las paredes se habían enlucido para tapar los agujeros por donde se habían sacado los cables viejos e instalado los nuevos, pero no se había pintado ni empapelado nada. Gwendolen se decía a sí misma que no se le daba muy bien limpiar. La limpieza la aburría. Sin embargo, cuando se sentaba a leer en algún sitio era de lo más feliz. Había leído miles de libros, pues no le veía sentido a hacer ninguna otra cosa a menos que no hubiese más remedio. Para comprar comida se mantuvo fiel a las viejas tiendas tanto como pudo y, cuando desaparecieron el colmado, la carnicería y la pescadería, fue a los nuevos supermercados sin darse cuenta de que el cambio la había afectado. Le gustaba mucho lo que comía y su dieta había cambiado muy poco desde que era niña, salvo por el hecho de que, como no tenía a nadie que cocinara para ella, rara vez tomaba comidas calientes.

Todas las tardes, después de comer, se tumbaba a descansar y leía hasta quedarse dormida. Tenía una radio, pero no tenía televisor. La casa estaba llena de libros, obras académicas y novelas antiguas, viejos ejemplares de *National Geographic* y *Punch* encuadernados, enciclopedias que habían quedado obsoletas hacía ya mucho tiempo, diccionarios publicados en 1906, colecciones como *The Bedside Esquire* y *The Mammoth Book of Thrillers, Ghosts and Mysteries*. Los había leído casi todos y algunos los había releído. Se relacionaba con personas que había conocido a través de la Asociación de Vecinos de Saint Blaise y Latimer y que decían ser amigos suyos. Para una hija única que nunca ha asistido a la escuela, este tipo de relaciones resultaban difíciles. Había ido de vacaciones con el profesor, incluso a países extranjeros, y gracias a él hablaba bien el francés y el italiano, aunque no tenía oportunidad de usar ninguno de los dos idiomas, excepto para leer a Montaigne y a D'Annunzio, pero nunca había tenido novio. Aunque había ido al teatro y al cine, nunca había estado en un restaurante elegante ni en un club, un baile o una fiesta. En ocasiones pensaba que, al igual que la Lucy de Wordsworth, «vivió entre los parajes nunca hollados», pero lo decía más bien con alivio que con tristeza.

El profesor murió a la edad de noventa y cuatro años. Pasó los últimos años de su vida sin poder andar y con incontinencia, pero su mente siguió siendo poderosa y sus exigencias no mermaron. Gwendolen cuidó de él con la ayuda esporádica de un enfermero del distrito y, de manera más esporádica aún, la de un cuidador privado. Ella no se quejaba nunca. Jamás daba muestras de cansancio. Le cambiaba el pañal para la incontinencia, le deshacía la cama y en lo único que pensaba mientras tanto era en acabar cuanto antes para poder retomar su libro. Le llevaba las comidas y retiraba más tarde la bandeja con la misma actitud. Por lo visto, la había educado con el único propósito de que se encargara de la casa por él cuando fuera un cincuentón, lo cuidara cuando fuera viejo y leyera para que se portara bien.

A lo largo de su vida había habido momentos en que la había mirado con fría imparcialidad y había reconocido para sí mismo que era una mujer bonita. Él nunca había encontrado otro motivo para que un hombre se enamorara y contrajera matrimonio, o para que al menos deseara casarse, que el de que la mujer que eligiera fuera hermosa. La inteligencia, el ingenio, el encanto, la bondad, un talento especial o la amabilidad, ninguna de estas cosas influyó para nada en su elección ni, que él supiera, en la elección que tomaban otros hombres inteligentes. Él se había casado con una mujer sólo por su belleza, y cuando vio esa misma belleza en su hija se inquietó. Podría ser que algún hombre la viera también y se llevara a su hija de su lado. Nadie lo hizo. ¿Cómo podía haberla conocido ningún hombre cuando él no invitaba a su casa a nadie más que al médico y ella no iba a ninguna parte sin que su padre lo supiera y la vigilara?

Pero finalmente él murió. La dejó en una posición desahogada y le legó la casa que entonces, en los años ochenta, era una mansión desvencijada medio enterrada entre nuevas calles sin salida u otras flanqueadas por antiguas caballerizas convertidas en residencias, fábricas pequeñas, viviendas subvencionadas por las autoridades locales, tiendas de comestibles, hileras de casas degradadas y planes para ensanchar las calles. Por aquel entonces Gwendolen era una mujer alta y delgada de sesenta y seis años cuyo perfil propio de la *belle époque* se parecía cada vez más a un cascanueces, pues su delicada nariz griega apuntaba notablemente a un mentón prominente. Su rostro, que había sido de tez muy fina y blanca, con un leve rubor en la parte alta de los pómulos, estaba cubierto de arrugas. En ocasiones este tipo de piel se compara con la piel de una manzana que se ha dejado demasiado tiempo en una habitación cálida. El color azul de sus ojos se había convertido en un gris pastel y su cabello antes rubio, si bien todavía abundante, ahora era completamente blanco.

Las dos mujeres mayores que se denominaban sus amigas, que llevaban las uñas rojas, el pelo teñido y se vestían imitando la moda vigente, en ocasiones decían que la señorita Chawcer tenía una forma de vestir victoriana. Lo cual ponía de manifiesto hasta qué punto habían olvidado su propia juventud, pues parte del guardarropa de Gwendolen podía haberse situado en 1936 y parte en 1953. Muchos de sus abrigos y vestidos eran de esa época y le hubieran podido pagar mucho dinero por ellos en las tiendas de Notting Hill Gate donde este tipo de cosas se valoraban mucho, como la ropa de 1953 que había comprado para el doctor Reeves. Pero él se marchó y se casó con otra persona. En su día había sido una ropa de muy buena calidad y estaba tan bien cuidada que nunca se desgastaba. Gwendolen Chawcer era un anacronismo viviente.

No había cuidado tan bien de la casa como de su padre. Para ser justos, al cabo de uno o dos años de la muerte del profesor, Gwendolen había decidido que había que darle una buena mano de pintura y en algunos lugares incluso hacer algunos arreglos. Pero siempre fue más bien lenta a la hora de tomar decisiones, y cuando llegó al punto de buscar un albañil, se encontró con que no podía permitírselo. Como nunca había pagado el Seguro Nacional y nadie había hecho ninguna contribución en su nombre, la pensión que recibía era muy pequeña. El rendimiento del dinero que su padre había dejado se reducía cada año.

Una de sus amigas, Olive Fordyce, le sugirió que buscara un inquilino para una parte del piso de arriba. Al principio la idea aterrorizó a Gwendolen, pero con el tiempo se fue convenciendo de ello, aunque por ella misma nunca hubiera tomado ninguna medida al respecto. Fue la señora Fordyce quien encontró el anuncio de Michael Cellini en el *Evening Standard*, quien concertó la entrevista y quien lo mandó a Saint Blaise House.

Gwendolen, la hablante de italiano, se dirigió a él como señor Chellini, pero él, nieto de un prisionero de guerra italiano, siempre se había llamado Sellini. Ella se negó a rectificar; sabía qué era correcto y qué no, aunque él no tuviera ni idea. Él hubiera preferido que hubieran sido Mix y Gwen, pues vivía en un mundo en el que todas las personas se tuteaban, y así lo había sugerido.

—Creo que no, señor Cellini —fue lo único que respondió ella.

El hecho de llamarla por su nombre de pila probablemente la hubiese matado, y en cuanto a lo de Gwen, sólo Olive Fordyce, para gran desagrado de Gwendolen, utilizaba este diminutivo. Ella no lo llamaba su inquilino, ni siquiera «el hombre que tiene alquilado el piso», sino su huésped. Cuando él la mencionaba, que era pocas veces, la llamaba «la vieja bruja», pero en general se llevaban bien, en buena parte porque la casa era tan grande que rara vez coincidían. Claro que todavía era pronto para decirlo. Sólo llevaba quince días viviendo allí.

En uno de sus muy raros encuentros él le había contado que era ingeniero. Para la señorita Chawcer, un ingeniero era un hombre que construía presas y puentes en territorios distantes, pero el señor Cellini le explicó que su trabajo consistía en instalar y reparar equipos de entrenamiento deportivo.

Ella tuvo que preguntarle qué significaba eso y, sin expresarse demasiado bien, él se vio obligado a decirle que vería máquinas similares en la sección de deportes de cualquiera de los grandes almacenes de Londres. Los grandes almacenes Harrods eran los únicos de Londres que Gwendolen visitaba alguna vez y en la siguiente ocasión fue a ver las máquinas de hacer ejercicio. Entró en un mundo que no comprendía, pues no veía ningún motivo para subirse a ninguno de esos aparatos y a duras penas creía lo que le había dicho Cellini. ¿Podría ser que «se la hubiera dado con queso», para utilizar un raro ejemplo de los coloquialismos entrecomillados del profesor?

De vez en cuando, aunque no con mucha frecuencia, Gwendolen recorría la casa con un plumero y un cepillo mecánico para las alfombras. Empujaba dicho utensilio con desgana y nunca vaciaba el recipiente donde se recogía el polvo. La aspiradora, adquirida en 1951, se había estropeado hacía veinte años y no la había mandado a reparar. Estaba en el sótano entre rollos de alfombras viejas, el ala de una mesa de comedor, cajas de cartón aplastadas, un gramófono de los años treinta, un violín desencordado de procedencia desconocida y la cesta de la bicicleta que el profesor había utilizado para ir y volver de Bloomsbury. El cepillo mecánico depositaba la suciedad al mismo ritmo con que la recogía. Cuando llegaba a su dormitorio, arrastrando el cepillo escaleras arriba tras ella, Gwendolen ya se había hartado de todo aquello y quería volver a lo que estuviera leyendo entonces, ya fuera Trollope o, una vez más, Balzac. No podía molestarse en volver a bajar el cepillo mecánico, de modo que lo dejaba en un rincón de su dormitorio con el trapo sucio colgado del mango y a veces se quedaba allí semanas enteras.

Aquel mismo día, a eso de las cuatro, Gwendolen esperaba a Olive Fordyce y a su sobrina a tomar el té. A la sobrina no la conocía, pero Olive decía que sería cruel no dejarle ver dónde vivía Gwendolen, puesto que las casas viejas la volvían «absolutamente loca». Se pondría contentísima sólo con pasar una hora en Saint Blaise House. Gwendolen no estaba haciendo nada especial, aparte de releer *Le Père Goriot*. Dentro deun minuto saldría a comprar repostería en la tienda hindú de laesquina y tal vez un paquete de galletas Custard Cream.

La época en la que esto no habría sido suficiente había quedado atrás hacía ya mucho. Hacía años que Gwendolen no horneaba ni cocinaba nada más que, digamos, unos huevos revueltos, pero en otro tiempo era ella quien hacía todos los pasteles que se comían en esa casa, todas las empanadas, galletas de avena y pastelillos de crema. Recordaba especialmente un tipo de brazo de gitano con el bizcocho de un pálido color amarillo crema, mermelada de frambuesa y ligeramente espolvoreado con azúcar en polvo. El profesor no toleraba que se comprara repostería. Y la hora del té era la favorita de los tres. Cuando invitabas a la gente a tu casa, si es que lo hacías, era para tomar el té. Cuando la señora Chawcer se puso muy enferma, cuando moría lenta y dolorosamente, al médico que la visitaba con regularidad siempre le pedían que se quedara a tomar el té. Con su madre en el piso de arriba y el profesor dando una conferencia en alguna parte, Gwendolen se encontró a solas con el doctor Reeves.

Se convenció de que enamorarse de él, y él de ella, era el acontecimiento más importante de su vida. Él era más joven, pero no mucho, Gwendolen creía que no lo suficiente como para que su madre pudiera no aceptarlo por motivos de la edad. La señora Chawcer desaprobaba los matrimonios en los que el hombre tuviera más de dos años menos que la mujer. El doctor Reeves tenía un aspecto juvenil, un cabello rizado y moreno, unos ojos oscuros pero ardientes y una expresión entusiasta. Aunque era un hombre delgado, comía una enorme cantidad de bollitos calientes con nata y mermelada de fresa casera, torta Dundee y palos de nata de Gwendolen, en tanto que ella mordisqueaba delicadamente una galleta maría. La señora Chawcer decía que a los hombres no les gustaba ver que una chica engullía…, aunque casi había dejado de decirlo ahora que su hija pasaba de los treinta. Antes del té, entre bocado y bocado y al terminar, el doctor Reeves hablaba. Hablaba de su profesión y sus ambiciones, del lugar en el que vivían, de la guerra de Corea, del telón de acero y de los tiempos cambiantes. Gwendolen también hablaba de estas cosas, como nunca antes había hablado con nadie, y a veces de que esperaba experimentar más de la vida, hacer amigos, viajar, ver mundo. Y siempre hablaban de su madre moribunda, de que no viviría mucho tiempo más y de lo que ocurriría después.

Se sabe que la letra de médico es ilegible. Gwendolen examinaba las recetas que el doctor prescribía para la señora

Chawcer intentando descifrar su nombre de pila. Al principio creyó que era Jonathan, después Barnabas. Lo siguiente que leyó fue Swithun. Con astucia, desvió la conversación hacia el tema de los nombres y de la mucha o poca importancia que éstos tenían para las personas que los llevaban. A ella le gustaba su nombre, siempre que nadie la llamara Gwen. ¿Nadie? ¿Quiénes eran esas personas que podrían emplear un diminutivo sin que ella lo supiera? Sus padres eran los únicos que no la llamaban señorita Chawcer. De todo esto no le dijo nada al doctor Reeves, sino que escuchó con avidez su intervención.

Y al final salió:

—Stephen es de ese tipo de nombres que siempre quedan bien. Actualmente está de moda. Por primera vez, en realidad. De modo que quizás, algún día, las gentes supondrán que tengo treinta años menos.

Siempre decía «gentes» en lugar de «gente» y «suponer» cuando quería decir «creer». A Gwendolen le encantaban estas idiosincrasias. Se alegró mucho al averiguar su nombre. A veces, en la soledad de su dormitorio, pronunciaba para sí misma combinaciones interesantes: Gwendolen Reeves, señora de Stephen Reeves, G. M. Reeves. Si fuera norteamericana, podría llamarse Gwendolen Chawcer Reeves, y en algunas partes de Europa, señora del doctor Stephen Reeves. Para utilizar el lenguaje del servicio, él la estaba cortejando. Gwendolen estaba segura de ello. ¿Cuál sería el siguiente paso? Una invitación para ir a alguna parte, diría seguramente su madre. ¿Quiere venir conmigo al teatro, señorita Chawcer? ¿Alguna vez va al cine, señorita Chawcer? ¿Puedo llamarla Gwendolen?

Su madre ya no decía nada. Se hallaba en estado comatoso por la morfina. Stephen Reeves acudía regularmente y siempre se quedaba a tomar el té con Gwendolen. Una tarde la llamó Gwendolen y le pidió que lo llamara Stephen. Normalmente el profesor llegaba a casa para vigilar a su hija cuando ellos estaban terminando sus porciones de bizcocho Victoria, y Gwendolen se fijó en que el doctor Reeves volvía a llamarla señorita Chawcer cuando su padre estaba presente.

Dio un leve suspiro. De eso hacía medio siglo y ahora no era al doctor Reeves a quien esperaba para tomar el té, sino a Olive y a su sobrina. Gwendolen no las había invitado a venir ese día, ni siquiera se le habría ocurrido. Se habían invitado ellas mismas. Si en aquel momento no hubiese estado tan cansada, y más harta aún de la compañía de Olive, hubiera dicho que no. Descando haberlo hecho, subió al dormitorio que había sido de su madre y donde ésta había muerto, de hecho, pero no la misma habitación en la que había probado todas esas combinaciones de nombres, y se puso un vestido de terciopelo azul con un añadido de encaje en el escote, lo que antes se llamaba un «entredós», aunque ya no. Añadió unas perlas y un broche con la forma de un fénix renaciendo de sus cenizas y se colocó el anillo de compromiso de su madre en la mano derecha. Lo llevaba todos los días y por la noche lo guardaba en el joyero de plata y cristal de espejo grabado que también había sido de su progenitora.

La sobrina no vino. En su lugar, Olive trajo a su perro, un pequeño caniche blanco que parecía andar de puntillas como una bailarina. Gwendolen se sintió molesta, aunque no le sorprendió demasiado. Ya lo había hecho otras veces. El perro tenía un juguete como si de un niño pequeño se tratara, sólo que el suyo era un hueso de plástico blanco que parecía de verdad. Olive se comió dos pedazos de brazo de gitano y una gran cantidad de galletas y habló sobre la hija de su sobrina en tanto que Gwendolen pensaba que era una suerte que ésta no hubiera venido o tendría a dos personas hablándole de ese dechado de virtudes, de sus logros, su riqueza, su preciosa casa y su devoción por sus padres. Pero resultaba que ya le habían estropeado el día. Tendría que haber estado sola, para pensar en Stephen, para recordar... ¿Y tal vez para hacer planes?

Olive llevaba un traje pantalón de color verde esmeralda y un montón de joyas de oro de imitación, cosa que Gwendolen, para sus adentros, calificó de *kitsch*. Olive estaba demasiado gorda y era demasiado vieja para llevar pantalones o cualquier prenda de ese color. Estaba orgullosa de sus uñas largas y se las había pintado del mismo tono escarlata que su lápiz de labios. Gwendolen observó esos labios y uñas con la mirada crítica y burlona propia de una joven. A menudo se preguntaba por qué tenía amigas cuando más bien le desagradaban y no quería su compañía.

—Con catorce años mi sobrina nieta ya medía un metro y setenta y siete centímetros de estatura —dijo Olive—. Entonces mi esposo aún vivía. «Si sigues creciendo, no vas a encontrar novio», le dijo. «Los chicos no querrán salir con una joven más alta que ellos.» ¿Y qué crees que ocurrió? Pues que, cuando tenía diecisiete años y medía más de metro ochenta, conoció a ese agente de Bolsa. Él había querido ser actor, pero no lo querían porque medía casi dos metros, demasiado alto para el teatro, de manera que se metió en el corretaje de valores y ganó un fortunón. Hacían una pareja estupenda. Él quería casarse, pero ella tenía que pensar en su carrera.

—¡Qué interesante! —comentó Gwendolen en tanto que pensaba en el doctor Reeves, quien una vez le dijo que era una joven muy agradable y que le tenía muchísimo cariño.

—Hoy en día las chicas no tienen que casarse como hicimos nosotras. —Parecía haber olvidado la soltería de Gwendolen y siguió hablando con despreocupación—. No tienen la sensación de haberse quedado para vestir santos. El matrimonio ya no da prestigio. Sé que es un poco atrevido decirlo, pero si volviera a ser joven no me casaría. ¿Y tú?

—Yo no me casé nunca —respondió Gwendolen en tono severo.

—No, es verdad —dijo Olive como si su amiga pudiera haber tenido alguna duda al respecto—. Tal vez hiciste lo adecuado desde un principio.

«No obstante, yo me hubiera casado con Stephen Reeves si me lo hubiera pedido —pensó Gwendolen cuando Olive ya se había ido y estaba retirando los platos del té—. Hubiéramos sido felices, yo lo hubiera hecho feliz y me habría alejado de mi padre.» Pero él no se lo pidió. En cuanto el doctor le hubo expresado su cariño, su padre pareció haberse propuesto estar siempre allí, aunque no podía haberlo oído. Cuando su madre murió, Stephen firmó el certificado de defunción y dijo que si querían incinerar a la señora Chawcer necesitarían la firma de un segundo médico, por lo que le pediría a su socio que se diera una vuelta.

No dijo que había disfrutado de todas aquellas veladas que habían pasado juntos tomando el té, ni que las echaría de menos y a ella también. Por lo tanto, ella supo que regresaría. Probablemente existiera alguna norma en la etiqueta médica que prohibía a un médico de medicina general pedir salir a los familiares de un paciente para festejar. Pensaba volver, esperaría hasta después del funeral. O tal vez su intención era asistir al mismo. Gwendolen atravesó una racha de sufrimiento porque se le había olvidado invitarlo al funeral. Puede que eso también constara en el reglamento de la etiqueta médica. A su padre no podía preguntárselo. Se suponía que ambos estaban demasiado apenados como para preguntarse una cosa parecida.

El doctor Reeves no asistió al funeral. Se celebró en la iglesia de San Marcos y, aparte de Gwendolen y de su padre, sólo estuvieron presentes otras tres personas: una vieja prima de la señora Chawcer, la criada que tenían en aquel entonces y que acudió porque era una persona religiosa y el anciano que vivía al lado en Saint Blaise Avenue. Puesto que no había asistido al funeral, Gwendolen tenía la seguridad de que Stephen Reeves aparecería por su casa cualquier día. Lo estaba aplazando un poco por respeto hacia la fallecida y los dolientes. Durante aquella semana, Gwendolen invirtió más tiempo, molestias y dinero que nunca en su aspecto, más de lo que había hecho tanto antes como después. Fue a que le cortaran el pelo y la peinaran, se compró dos vestidos nuevos, uno gris y otro azul marino y experimentó con el maquillaje. Todas las demás mujeres se maquillaban mucho, sobre todo los labios y los párpados. Por primera vez en su vida se pintó los labios de un rojo vivo hasta que su padre le preguntó si había estado besando un coche de bomberos.

El doctor Reeves no regresó nunca.

# 4

Mix estaba en Campden Hill Square por tercera vez aquella semana, sentado en su automóvil con las ventanillas cerradas y el motor en marcha para que funcionara el aire acondicionado. Era un día caluroso y cada minuto que pasaba hacía más calor. Se sentía como un acechador y eso no le gustaba demasiado, en parte porque le hacía pensar en Javy. Cuando tenía doce años, Javy lo había sorprendido con un par de binóculos que pertenecían a su hermano mayor y le había dado una paliza por mirón. Fue inútil decir que no estaba mirando a la vecina, sino una moto nueva de alguien que estaba aparcada junto al bordillo.

«Olvídalo —se dijo—, sácatelo de la cabeza.» Siempre decía lo mismo cuando empezaba a pensar en su madre, en Javy y en la vida en casa, pero lo cierto es que nunca lo olvidaba. Podría haber pasado el rato leyendo *Las víctimas de Christie* mientras esperaba, pero entonces quizá se enfrascara en la lectura y no la viera. Debía de hacer una media hora que estaba allí, aguardando a que saliera, vigilando la puerta principal de su casa o desviando la mirada hacia el Jaguar dorado aparcado en su entrada. Ya la había visto en anteriores visitas, por supuesto, pero siempre había ido acompañada de algún hombre, o vestida con uno de esos vestidos semitransparentes que tanto le gustaban debajo de un chal de piel o de una chaqueta vaquera bordada con lentejuelas, o si no con unos vaqueros ceñidos y tacones de aguja que únicamente le permitían dar unos pasos menudos y afectados. En esas ocasiones ella se metió en la limusina que conducía un chófer.

No tardaría en aparecer un guardia de aparcamiento que lo obligaría a seguir circulando. Le hubiera venido bien tener algún cliente en Campden Hill Square, pero no tenía ninguno. A juzgar por los jóvenes bronceados y de músculos firmes que llamaron a varias de aquellas casas, la mayoría de los residentes contaba con entrenadores personales. Se estaba preguntando si tenía algún sentido quedarse allí, puesto que tenía que hacer varias llamadas antes de la hora de comer cuando una mujer que salió a pasear al perro golpeó la ventanilla del coche. Llevaba un cigarrillo en la mano y el perro, no mucho más grande que un peluche Beanie Baby, llevaba un collar rojo del que pendía una placa de identificación de estrás. Allí todos eran ricos.

—¿Sabes una cosa? —le dijo con una voz parecida a la de Colette Gilbert-Bamber—, está muy mal que te quedes aquí sentado con el motor en marcha. Estás contaminando el ambiente.

—¿Y qué me dices de tu cigarrillo? —La combinación de estar allí esperando y la voz de la mujer lo enojaron—. ¿Por qué no te vas a paseo con ese juguete que llevas de la correa?

La mujer dijo algo sobre cómo se atrevía y se alejó arrojando la ceniza al suelo. Cuando ya estaba a punto de abandonar, Nerissa salió por la puerta principal de su casa y se metió en su propio coche. Iba vestida con un jersey rosado sin mangas y unos vaqueros blancos y llevaba el pelo recogido en lo alto con una cinta de seda rosa. Mix pensó que estaba más preciosa que nunca, incluso con esas gafas de sol negras y grandes que le tapaban media cara. El estilo informal la favorecía. Aunque ¿acaso había algún tipo de moda que no lo hiciera?

Era fundamental seguirla, aun cuando eso implicara llegar tarde a la cita que tenía a las doce en Addison Road. Llamaría a la mujer y le diría que lo habían retrasado. Nerissa se metió en Notting Hill Gate y torció en dirección a Portobello Road, pero la evitó y tomó Westbourne Grove. Por una vez había muy poco tráfico, nada que separara su vehículo del de ella o que los entorpeciera. Las obras que se estaban realizando en la calzada de la parte alta obligaron a ambos a reducir la velocidad y Mix vio que ella sacaba la cabeza por la ventanilla para intentar ver qué ocurría. Pero al final cruzaron las barreras y dejaron atrás los conos. Más repentinamente de lo que él se esperaba, pues no puso el intermitente, Nerissa torció por una calle lateral, estacionó en una zona de pago, echó las monedas en el parquímetro y se dirigió corriendo a una puerta con el número 13 de Charing Terrace y en la que se anunciaba con grandes letras cromadas: Gimnasio Spa Shoshana. Para entonces, mientras la seguía con la mirada, Mix había provocado una cola de tráfico. Finalmente, el coro de bocinazos y gritos de furia por parte de los demás conductores lo obligó a moverse.

Llegó diez minutos tarde a casa de la mujer de Addison Road. Durante todo el camino hacia la parte trasera de aquella casona y por las escaleras que bajaban al sótano la mujer lo sermoneó sobre la puntualidad como si fuera su jefa y no su clienta. Mix estuvo a punto de decirle que, en su opinión, la causa de los daños en la máquina escaladora era el desuso y no el desgaste, cosa que no le sorprendía dadas sus dimensiones. Sin embargo, no lo hizo. La mujer tenía encargada una máquina elíptica en Fiterama Accessories y si se mostraba grosero podría ser que anulara el pedido.

Nada de eso importaba ahora que había averiguado a qué gimnasio iba Nerissa. Aunque lo del número era una lástima. Entre sus demás creencias y miedos ocultos, Mix era supersticioso, sobre todo en lo referente a pasar por debajo de escaleras y con el número trece. Siempre que podía evitaba tener nada que ver con ello. No sabía cuándo había empezado su fobia o lo que fuera eso, aunque sí era cierto que Javy, con quien su madre había contraído matrimonio el decimotercer día del mes, cumplía años el trece de abril. Era muy probable que aquel día que le pegó una paliza tan grande que casi lo mata fuera trece, pero entonces Mix era demasiado pequeño para recordarlo o incluso para saberlo.

El Club Cockatoodle del Soho estaba demasiado caldeado, olía a distintas clases de humo y a curry verde tailandés y no era un lugar muy limpio. En cualquier caso, eso fue lo que dijo la chica que Steph, la novia de Ed, había traído consigo para Mix. Ed era otro técnico de Fiterama amigo de Mix y Steph era su pareja, con la que vivía. La otra chica no dejaba de pasar el dedo por las patas de la silla y por debajo de las mesas para luego sostenerlo en alto y que todos lo vieran.

—Me recuerdas a mi abuela —dijo Steph.

—Los lugares en los que la gente come deberían estar limpios.

—¡Comer, dice! Estaría muy bien poder hacerlo. Ya hace tres cuartos de hora bien buenos que pedimos esas gambas.

La otra chica, que se llamaba Lara, y que padecía fiebre del heno o alguna otra cosa que hacía que se sorbiera mucho la nariz, se puso de nuevo a sacar el polvo de debajo de la mesa con el dedo. Steph encendió un cigarrillo. Mix, a quien no le gustaba que se fumara, calculó que era el octavo desde que habían entrado. Tenían puesta música *hip-hop* a un volumen demasiado elevado para poder conversar con normalidad y tenías que gritar para hacerte oír. Mix no sabía cómo se las arreglaba Steph con sus pulmones dañados, se imaginó todas las vellosidades latentes ahí adentro. En aquel preciso instante apareció la camarera con gambas al curry para las chicas y pastel de carne con puré de patatas para ellos. El dedo explorador de Lara tocó la rodilla de Mix y la chica lo retiró como si se hubiese pinchado.

Intercambiaron una mirada resentida. Entre el ruido, aquella chica espantosa y que el pastel de carne olía como si le hubiera caído curry encima, a Mix le entraron ganas de irse a casa. No es que fuera muy mayor, pero sí demasiado viejo para todo aquello. Lara dijo que una camarera así vestida era un insulto a todas las mujeres.

—¿Por qué? Es una chica preciosa. Me encanta su falda.

—Sí, claro, era de esperar. A eso me refiero. Más que una falda es un cinturón, si quieres saber mi opinión.

—No quiero saberla —gritó Ed a voz en cuello—. En cuanto a los insultos, sólo estoy mirando, no me la voy a tirar.

—Eso es lo que tú querrías.

—Oh, vamos, cállate —dijo Steph, que tomó a Ed de la mano con afecto.

Ninguno de ellos se lo estaba pasando demasiado bien. Aun así, se quedaron. Ed compró una botella de champán de Moravia e intentó bailar con Steph, pero la pista era diminuta y estaba tan llena de gente que no solamente resultaba imposible moverse, sino incluso mantenerse derecho. Lara empezó a estornudar y tuvo que utilizar la servilleta como pañuelo. No se marcharon hasta las dos. Todos tenían la sensación de que, si se iban a casa más temprano, el cielo se les vendría encima. Mix se embarcó en una de sus fantasías, esta vez vengativa, en la que acompañaba a Lara en coche, pero en lugar de llevarla a su casa en Palmers Green (que, para un tipo que vivía en Notting Dale, suponía un buen trecho a esas horas de la noche), se imaginó que la llevaba hasta Victoria Park o London Fields, la sacaba del coche de un empujón y la dejaba allí para que volviera a casa sola. Eso si no era víctima de los maníacos homicidas que supuestamente frecuentaban esos lugares. Pensó que Reggie sí se hubiera ocupado de ella.

Circularon en dirección de Hornsey en silencio mientras Mix se imaginaba a Reggie atrayéndola a Rillington Place con la excusa de que le curaría la fiebre del heno con un inhalador que lo que haría en realidad sería gasearla. Haría que se sentara en su hamaca y le haría respirar el cloroformo...

—¿Por qué has sido tan horrible? —le preguntó después de que él le hubiera dirigido un frío «Buenas noches» mientras le abría la puerta del acompañante. Mix no respondió, sino que desvió la mirada. Ella entró por la puerta principal del número trece (seguro que era ese número) y cerró dando un portazo. Lo más probable era que en aquel edificio hubiera otros diez ocupantes como mínimo y los habría despertado a todos. Cuando se instaló en el asiento del conductor, Mix tuvo la sensación de que el lugar aún retumbaba.

La noche era fría y los coches aparcados ahí afuera tenían los parabrisas cubiertos de hielo. Mix no conocía muy bien aquella zona, pasó de largo la calle por la que tenía que girar y, después de conducir durante lo que le parecieron horas, se encontró en la parte posterior de la estación de King's Cross. Daba igual. Tomaría Marylebone Road y el paso elevado. Allí había movimiento día y noche. El tráfico nunca cesaba. Sin embargo, las calles laterales estaban desiertas y las farolas, que deberían haberlas animado, les daban un aspecto más inhóspito y menos seguro que la oscuridad.

Tuvo que subir y bajar por Saint Blaise Avenue y subir de nuevo antes de encontrar un sitio en el aparcamiento para residentes en el que dejar el coche. Si lo dejaba en la línea amarilla, tendría que salir antes de las ocho y media de la mañana para moverlo. A esas horas de la noche la calle estaba llena de vehículos y vacía de gente. Era tal la oscuridad entre los pilares del pórtico que tardó un rato en encontrar la cerradura y meter la llave en ella.

Cruzó el vestíbulo y vio su imagen en el espejo como si fuera la de un extraño, irreconocible en la penumbra. Todas las luces de la escalera y los descansillos tenían temporizador y se apagaban solas, según sus cálculos, al cabo de unos quince segundos. Las bombillas de las lámparas colgantes del vestíbulo y la escalera eran de un voltaje muy bajo y unos grandes pozos de negrura se abrían frente a las curvas y recodos. Mix empezó a subir maldiciendo la longitud de la escalera. Estaba muy cansado y no sabía por qué. Tal vez tuviera que ver con el estrés emocional de localizar a Nerissa y averiguar adónde iba, o quizá fuera debido a esa tal Lara que tan opuesta era a ella. Le pesaban las piernas y empezaron a dolerle los músculos de las pantorrillas. Al cabo de dos tramos, en el primer descansillo, allí donde dormía la señorita Chawcer al otro lado de una gran puerta de roble situada en un profundo hueco, las luces se atenuaban aún más y se apagaban más rápido. Era imposible distinguir la parte superior del siguiente tramo de escaleras. Desde allí, el piso de arriba se hallaba sumido en una densa sombra negra.

La casa era tan grande y los techos tan altos que el ambiente resultaba escalofriante incluso en un día luminoso. Por la noche, las flores y frutas talladas en la madera se convertían en gárgolas y, en aquel silencio, a Mix le parecía oír suaves suspiros provenientes de los rincones más oscuros. Mientras subía despacio porque, como de costumbre, ya estaba sin aliento, recordó, tal como suele ocurrir en estas situaciones, que creía a medias en los fantasmas. Él había dicho con frecuencia, refiriéndose a alguna casa vieja en particular, que no creía en fantasmas, pero que por nada del mundo pasaría una noche allí. Le resultaba difícil romper con la costumbre que había adquirido de contar los peldaños del tramo superior como si eso pudiera cambiar el resultado a doce o a catorce. Parecía hacerlo automáticamente después de pulsar el interruptor situado al pie. Había llegado sólo a tres cuando, bajo el débil brillo de la luz, creyó ver una figura arriba. Era un hombre más bien alto y en las gafas que llevaba sobre su nariz aguileña se reflejaban los colores de la ventana Isabella.

El sonido que acudió a su boca salió de ella como un gemido débil, de los que emites en una pesadilla cuando piensas que estás gritando fuerte. Al mismo tiempo cerró los ojos con fuerza. Permaneció allí con una mano extendida hasta que el interior de sus párpados se ensombreció y supo que la luz había vuelto a apagarse. Dio un paso atrás, pulsó otra vez el interruptor, abrió los ojos y miró. La figura había desaparecido. Eso si es que había llegado a estar allí, si no la había imaginado.

Aun así, necesitó hacer acopio de todo su coraje para subir las escaleras, pasar por el lugar donde había estado la figura y cruzar las motas de luz de Isabella para entrar en su piso.

Hacía una mañana radiante y la luz del sol disipó los terrores nocturnos. Era sábado, por lo que Mix no iba a levantarse hasta tarde. Se quedó tumbado en la cama en el calor sofocante de su dormitorio, excesivamente caldeado, observando una bandada de palomas, una única garza volando bajo, un avión que dejaba una estela parecida a una cuerda de nube por el cielo azul. Entonces pudo decirse a sí mismo que la figura de las escaleras fue una alucinación o algo causado por esa vidriera de colores. La bebida y la oscuridad hacían que la mente te jugara malas pasadas. Él había bebido bastante y el hecho de que la casa en la que vivía la chica fuera el número trece fue el colmo.

Al levantarse para hacerse un té con la idea de llevárselo de vuelta a la cama vio a *Otto* abajo, una silueta de color chocolate oscuro sentada en uno de los muros que se desmoronaban, contra los cuales se apoyaban unos árboles antiguos y en el que había un viejo enrejado medio caído. En la jungla casi idéntica que había al otro lado de aquel jardín, dos gallinas de Guinea con unas crinolinas de plumaje gris iban de aquí para allá entre los tallos de hierbajos muertos y las zarzas. *Otto* se pasaba horas mirando aquellas gallinas de Guinea, tramando cómo atraparlas y comérselas. Mix lo había observado a menudo y, aunque no le gustaba el gato, en cierto modo tenía la esperanza de presenciar la caza y muerte de la presa. Casi seguro que era ilegal tener aquellas aves, pero las autoridades locales desconocían su existencia y ningún vecino informó nunca de ello.

Sacó sus álbumes de recortes de Nerissa de un cajón y se los llevó a la cama con él. Aquella mañana soleada sería estupenda para tomar una fotografía de su casa y quizás otra del gimnasio. Y cabría la posibilidad de volver a verla. Mientras pasaba las páginas de su colección de fotografías y recortes, se sumergió en una fantasía de cómo podía conocerla. Conocerla de verdad y recordarle su encuentro previo. Una fiesta sería el tipo de ocasión que necesitaba, una fiesta a la que ella asistiera y a la que él pudiera conseguir que lo invitaran. Lo fue invadiendo el temor insistente de que ella pudiera haberlo visto frente a su casa y supiera que la había seguido hasta el gimnasio. Debía tener más cuidado.

¿Podría convencer a Colette Gilbert-Bamber para que diera una fiesta? Y lo que es más, si la celebraba, ¿podría persuadirla para que lo invitara a él? El marido, a quien no conocía, era una incógnita. Mix nunca había visto una fotografía suya. Quizás odiara las fiestas o sólo le gustaran las formales, llenas de ejecutivos que bebían vino seco y agua mineral con gas mientras comentaban la tendencia a la baja del mercado. Aun cuando la fiesta tuviera lugar, ¿tendría valor para pedirle a Nerissa que saliera con él? Tendría que llevarla a algún sitio fabuloso, pero ya había empezado a ahorrar para eso y en cuanto lo hubieran visto salir con ella… o al cabo de, digamos, unas tres veces, tendría el futuro asegurado, empezarían a lloverle ofertas para ir a la televisión, solicitudes para entrevistas, invitaciones para asistir a estrenos…

Tenía que estar preparado. Llamaría al gimnasio esa misma mañana y solicitaría hacerse socio. ¿Y si averiguaba quién era el gurú de Nerissa, su clarividente o lo que fuera? Mix sabía que tenía uno. Había salido publicado en los periódicos. Eso sería más fácil que una fiesta. Al lugar de trabajo de un gurú no haría falta que lo invitaran, podía ir sin más, siempre que pagara, claro está. Había maneras de averiguar cuándo tenía Nerissa sus citas y entonces concertar la suya de algún modo para que antecediera o precediera a la de ella. Además, no todo sería fingido, sólo sería una estratagema. A Mix no le importaría ir a ver a algún adivino. Averiguar si en realidad existían los fantasmas, los espíritus o lo que fuera, o si el hecho de verlos era siempre cosa de la imaginación. Un gurú o médium podría explicárselo.

Mix terminó de beber el té, cerró el álbum de recortes y se obligó a acercarse al espejo de pie, que era alargado y con el marco de acero inoxidable. Cerró los ojos y volvió a abrirlos. Ahí lo tenía…, detrás de él no había nada ni nadie, ¡qué idea más disparatada! Al verse desnudo, reconoció que la cosa se podía mejorar. Teniendo en cuenta a qué se dedicaba y lo que ambicionaba, debería tener una figura perfecta, abdominales esculpidos, caderas estrechas y el trasero pequeño y duro. Antes ya había sido así… y resolvió que volvería a serlo. La culpa era de todas esas patatas fritas y barritas de chocolate que comía. Su cara estaba bien. Colette y otras mujeres lo encontraban atractivo con sus facciones regulares y los ojos azules de mirada firme y honesta. Sabía que le admiraban su magnífica mata de cabello castaño claro con reflejos rubios, pero su piel no tendría que estar tan pálida. Nerissa estaría acostumbrada a hombres de físico perfecto y bronceado magnífico. El gimnasio y el salón de bronceado de la esquina eran la respuesta. No podía verse la espalda, pero sabía que las cicatrices ya habían desaparecido de todos modos. Era una lástima, la verdad. Seguía alimentando una fantasía que había empezado cuando aún le sangraba la espalda, la de enseñarle a alguien (a la policía o a los servicios sociales) lo que Javy le había hecho y ver cómo lo esposaban y se lo llevaban a la cárcel. O eso, o matarlo.

Durante cinco años Mix había sido el niño mimado de su madre. Era su único hijo y el padre los había abandonado cuando él tenía seis meses. Ella tenía tan sólo dieciocho años y quería a su hijito con pasión, pero no de manera perdurable o exclusiva porque cuando Mix tenía cinco años conoció a James Victor Calthorpe, se quedó embarazada y se casó con él. Javy, como lo llamaba todo el mundo, era un hombre grandote, moreno y guapo. Al principio no hacía mucho caso de Mix, excepto para pegarle, y al niño le parecía que su madre lo quería tanto como siempre. Entonces nació el bebé, una niña de ojos y cabellos oscuros a la que llamaron Shannon. Mix no recordaba haber tenido muchos sentimientos hacia el bebé ni haber visto que su madre le prestara más atención que a él, pero el psiquiatra al que le hicieron ir cuando fue mayor le dijo que su problema era ése. Le contrariaba que su madre le hubiese retirado su amor para transferirlo a Shannon. Fue por este motivo por el que intentó matar al bebé.

Mix no recordaba nada al respecto, no recordaba haber cogido la botella de *ketchup* y haber golpeado a la niña con ella. O no haberla golpeado exactamente. Haber tirado la botella dentro de la cuna y haber fallado. No recordaba que Javy hubiera entrado en la habitación, pero sí que recordaba la paliza que le propinó. Y su madre allí de pie mirándolo sin hacer nada para detenerlo. Había utilizado el cinturón de cuero con el que se sujetaba los vaqueros. Le levantó la camiseta a Mix por encima de la cabeza y le azotó la espalda hasta que sangró.

Aquello no volvió a suceder, aunque Javy seguía pegándole cada vez que no acataba la disciplina. Salvo por el hecho de que el psiquiatra le hablara de ello, Mix sólo sabía que había intentado matar a Shannon porque Javy se lo repetía constantemente. Se llevaba bastante bien con su hermana pequeña y con el pequeño Terry, que nació un año después, pero si alguna vez Javy lo veía discutiendo con Shannon o quitándole algún juguete, volvía a repetir esa historia y a decir que Mix había intentado matarla.

—De no ser por mí, que detuve a ese crío asesino, ahora estarías muerta —le decía a su hija. Y a su hijo pequeño—: Tendrás que vigilarle, te matará en cuanto te despistes.

En ocasiones Mix pensaba que matar a tu padrastro por venganza sería una manera de hacerse famoso. Sin embargo, Javy los había abandonado cuando él tenía catorce años. La madre de Mix lloró, sollozó y se puso histérica hasta que él se hartó de todo aquello y le pegó un bofetón.

—¡Yo sí te voy a dar un motivo para hacerte llorar! —le había gritado presa de la furia—. ¡Quedarte de brazos cruzados mirando cómo me pegaba!

Lo mandaron al psiquiatra por haber golpeado a su madre. Un maltratador en ciernes, fue la descripción que oyó por casualidad de boca de un asistente social. Su madre seguía viva, aún no había cumplido los cincuenta, pero Mix no había vuelto a verla.

Era sábado, de modo que en Westbourne Park Road se podría estacionar más o menos en cualquier parte en la que pudiera encontrar un hueco. Resultó que lo hizo en el mismo estacionamiento que había utilizado Nerissa. Mix estaba tan perdidamente enamorado que eso le hizo muchísima ilusión, lo mismo que le ocurriría si tocara algo que hubiera tocado ella o si leyera algún letrero que hubiese leído ella horas antes. Se dirigió a la puerta y llamó al botón inferior de una serie de timbres. La puerta emitió un zumbido y se abrió a un vestíbulo poco atractivo que olía a incienso y en el que había una escalera estrecha y empinada y un flamante ascensor todo de acero y cristal como el espejo que tenía en casa. Éste lo llevó un par de pisos hacia arriba, donde, para alivio de Mix, todo era del mismo estilo, un brillante diseño funcional de líneas elegantes. Había varias puertas que daban al pasillo y en cuyos rótulos se leía *Reflexología, masaje y podología*. El gimnasio estaba lleno de jóvenes que se ejercitaban en cintas de correr y bicicletas estáticas. A través de un gran ventanal vio chicas en biquini y hombres con el aspecto que él quería tener, sumergidos o sentados en el borde de un amplio *jacuzzi* burbujeante. Una chica delgada y morena vestida con unas mallas y una bata blanca abierta encima le preguntó qué quería. Mix había tenido una idea. Explicó a qué se dedicaba y preguntó si necesitaban a alguien para ocuparse del mantenimiento y la revisión de las máquinas. Su empresa consideraría hacerse cargo de dicho trabajo en el gimnasio Shoshana.

—Es curioso que diga eso —comentó la chica—, porque el tipo que iba a hacerlo nos dejó plantados ayer mismo.

—Creo que nosotros podríamos encargarnos —dijo Mix. Le preguntó qué les cobraban los que los habían plantado. La respuesta le agradó. Podía dar un presupuesto más bajo. Empezó a pensar con osadía en asumir el trabajo personalmente, lo cual iba en contra de las normas de la empresa, pero ¿por qué iban a enterarse?

—Tendré que preguntárselo a Madam Shoshana. —La joven tenía una voz vacilante y unos ojos brillantes y nerviosos como los de un ratón—. ¿Querría llamarme por teléfono más tarde?

—Lo haré, no hay problema. ¿Cómo te llamas?

—Danila.

—Es un nombre muy curioso —comentó él.

La chica parecía tener unos dieciséis años.

—Soy de Bosnia. Pero llevo viviendo aquí desde que era pequeña.

—De Bosnia, ¡vaya! —Allí había habido una guerra, pensó vagamente, tiempo atrás, en la década de los noventa.

—Por un momento temí que quisiera hacerse socio —dijo Danila—. Tenemos una lista de espera larga interminable. La mayoría no vienen más de cuatro veces seguidas, es lo habitual, cuatro veces, pero están registrados, ¿no? Son socios.

A Mix sólo le interesaba una de sus socias.

—Te llamaré más tarde —dijo.

¿Y si Nerissa se encontraba allí en aquel momento? Recorrió sin prisas el pasillo entre las máquinas. Unos pequeños televisores colgaban a la altura de la cabeza frente a cada una de ellas y en todos se veía o bien concursos de la tele, o bien dibujos animados muy antiguos de Tom y Jerry. La mayoría de los usuarios estaban viendo los dibujos mientras pedaleaban o corrían. Nerissa no estaba allí. No le hubiera hecho falta mirar con atención. Ella destacaba entre los demás como un ángel en el infierno o una rosa en una cloaca. Esas piernas largas, ese cuerpo de gacela y ese cabello negro como el azabache debían de causar sensación en aquel lugar.

Mientras consideraba la posibilidad de ir a ver una película y después a tomar una copa con Ed en el Kensington Park Hotel, el pub que Reggie había frecuentado y al que llamaba KPH, pensó en la figura con la que había alucinado en las escaleras. ¿Y si no fuera una alucinación, sino un fantasma de verdad? ¿Y si hubiera sido Reggie? Es decir, su fantasma. Su espíritu, condenado a rondar los alrededores del lugar en el que había vivido. Mix sabía que en realidad Reggie no se parecía a Richard Attenborough; ni tampoco a él, ahora que lo pensaba. Su aspecto habría sido totalmente distinto, más alto y delgado y mayor. En sus libros aparecían muchas fotografías. Mix se asustó mucho cuando intentó evocar una imagen del hombre de las escaleras. Además, no podía hacerlo. Sólo sabía que era un hombre, que no era muy joven y que tal vez llevara gafas. Sí, podía ser que lo de las gafas se lo hubiera inventado, ¿no? Podrían haber estado sólo en su mente.

Puede que Reggie hubiera estado en Saint Blaise House en vida. ¿Por qué no? La señorita Chawcer se le había escapado, pero podría ser que él hubiese acudido allí a por ella. Mix, que conocía meticulosamente los detalles de la vida de Reggie después de su llegada a Notting Hill, se la imaginó yendo a Rillington Place, tal y como era entonces, para un aborto, pero luego le entró miedo y se marchó corriendo. Tuvo suerte de librarse. ¿Acaso Reggie había intentado persuadirla para que le permitiera hacerlo en su propia casa? No, porque tenía que deshacerse del cadáver. Fue allí para conseguir que volviera...

¿Existían los fantasmas? Y de ser así, ¿era el espíritu del asesino el que había visto? ¿Por qué había regresado? ¿Y por qué estaba allí y no en Rillington Place, que había sido la tumba de tantas mujeres muertas? Resultaba bastante evidente por qué no había vuelto. No reconocería el lugar después de lo que le habían hecho, la casa victoriana de tres plantas y todas las demás como ella arrasadas. Todas esas hileras de casas adosadas, los árboles y el ambiente «jovial» le habrían quitado las ganas de volver nunca más. Podía haber ido al lugar de Oxford Gardens donde su primera víctima, Ruth Fuerst, había tenido una habitación. El hueso de la pierna que habían encontrado apoyado en la verja del jardín de Reggie era suyo. O a casa de su segunda víctima, Muriel Eady, que había vivido en Putney. Sin embargo, Saint Blaise House se encontraba más cerca y «no había cambiado». Eso debió de gustarle, una casa tal y como había sido en los años cuarenta y cincuenta. Allí se sentiría cómodo y, además, aún tenía asuntos inacabados de los que ocuparse.

Ahora ella era vieja, pero él no. Él tenía la misma edad que cuando lo habían ahorcado y siempre sería así. ¿Acaso no era lo más probable que hubiera regresado a buscar a la vieja Chawcer y llevársela con él al lugar de dondequiera que viniera? «No pienses así, para ya —se dijo Mix mientras subía las cincuenta y dos escaleras—, o te vas a morir de miedo.»

# 5

En su casa de Campden Hill Square, Nerissa Nash se estaba preparando para ir a cenar a casa de sus padres. Si hubiera ido a ver sólo a su madre, cuando su padre estuviera en el trabajo, por ejemplo, se habría puesto unos vaqueros, unas botas y un jersey viejo debajo de su abrigo de piel de borrego. Pero a su padre le gustaba verla elegante porque se enorgullecía mucho de ella.

Aunque Nerissa no tenía ni idea de esto, ellos no entendían ni remotamente su estilo de vida. Si bien no todo el mundo podía llevarlo, ella suponía que cualquiera querría. Se hallaba delimitado por el cuerpo y el rostro, el pelo (mucho en la cabeza y nada en ninguna otra parte), ropa, cosméticos, artículos de belleza, homeopatía, sesiones de ejercicios, masaje, agua mineral con gas, lechuga, suplementos vitamínicos, medicina alternativa, astrología y predicciones, la imagen y actividades de otros famosos, su madre, su padre y sus hermanos. De música, sabía muy poco; de pintura, libros, ópera, ballet, avances científicos y política, no sabía nada y no tenía interés en nada de todo ello. Al tomar parte en los desfiles de modas, había visitado todas las capitales importantes del mundo y de ellas sólo había visto los estudios y probadores de los diseñadores, el interior de los clubs y gimnasios, las instalaciones de los masajistas y su propia cara en los espejos de los cosmetólogos. Era sumamente feliz, salvo que le faltaba una cosa en la vida.

Por cuestión de genética, de sus dos progenitores había heredado un temperamento alegre, la facultad de disfrutar de los placeres sencillos y un carácter bondadoso. La gente decía de Nerissa que haría cualquier cosa para ayudar a un amigo. Disfrutaba de casi todo lo que hacía. Le resultaba particularmente agradable estar sentada frente a su enorme tocador con una capa blanca de tela de algodón cubriendo su vestido suelto de seda y su larga cabellera sujeta atrás mientras se maquillaba. En el reproductor de CD, Johnny Cash cantaba su canción favorita, que le encantaba porque era la que su papá prefería sobre todas las demás, la que hablaba de la reina de las adolescentes, la chica más bonita que habían visto, la que amaba el chico que vivía al lado, el que trabajaba en la confitería. Nerissa se identificaba con esta exitosa belleza en casi todos los aspectos.

A su padre le gustaba que llevara el cabello suelto, de modo que se lo dejó así. Si hubiera hecho frío, se hubiera puesto su nuevo abrigo de piel de imitación que estaba hecha para que pareciera ser de zorro ártico. Ella no quería pieles de verdad, amaba demasiado a los animales. Se estremecía sólo con pensarlo. Pero no, lo mejor sería ponerse algo fino y sedoso. Dejó caer la capa al suelo y sin darse cuenta se llevó por delante la tapa de un tarro y tres pendientes del tocador. ¿Qué podía llevarles a sus padres? Tendría que haber comprado algo, pero había pasado casi todo el día trabajando fuera y no encontró el momento de hacerlo. Daba igual. Al sacar dos botellas de champán del mueble bar se cayó un tarro con palillos que se esparcieron por todas partes. Luego cogió esa caja enorme de bombones que le había regalado Rodney, lo cual era todo un detalle por su parte, pero ¿acaso estaba loco al pensar que ella iba a mirar siquiera el chocolate?

Nerissa iba dejando tras de sí un rastro de cosas desparramadas por toda la casa. Hasta las flores se salían de los jarrones. Las revistas se deslizaban del revistero, los pañuelos de papel se amontonaban sobre las superficies y debajo de las mesas, las lámparas se volcaban, los vasos se rompían y las pequeñas joyas relucían desde el pelo de la moqueta y las repisas de las ventanas. Lynette, que venía a limpiar, estaba tan bien pagada que no le importaba. Iba por la casa recogiéndolo todo, admirando un anillo aquí, un frasco de perfume allá, y si estaba en casa, Nerissa se lo regalaba.

Estaba lloviendo, esa lluvia veraniega fuerte y ruidosa. Nerissa se puso la gabardina blanca brillante encima del vestido y subió al coche de un salto con el champán y los bombones y dejó el paraguas mojado (blanco con una imagen del paseo marítimo de Niza) en el asiento trasero. Se detuvo en Holland Park en una doble línea amarilla para comprar flores para su madre, orquídeas, lirios de agua, rosas y unas cosas verdes muy curiosas que el florista no supo identificar. Como de costumbre, tenía la suerte de su parte. Todos los guardias de aparcamiento estaban metidos en algún sitio viendo la serie *Casualty* por televisión. Iba a llegar tarde (¿y cuándo no llegaba tarde?), pero a su padre no le importaría. A él le gustaba cenar más cerca de las nueve que de las ocho.

Sus padres vivían en Acton, en una calle de casas adosadas de imitación estilo Tudor, y la suya tenía un dormitorio adicional encima del garaje. Nerissa y sus hermanos habían crecido allí, habían asistido a las escuelas de la zona, visitado el cine del barrio y comprado en las tiendas vecinas. Sus dos hermanos eran mayores que Nerissa y ambos estaban ya casados. Cuando ella empezó a ganar mucho dinero, quiso comprar una casa para sus padres cerca de la suya, tal vez una casita elegante en Pottery Lane, que estaba muy de moda, pero ellos no quisieron ni oír hablar del tema. A ellos les gustaba Acton. Les gustaban sus vecinos, el barrio y su enorme jardín. Todos sus amigos vivían cerca de allí y ellos iban a quedarse. Además, su padre había hecho tres estanques en el jardín, uno delante y dos en la parte de atrás, y los había llenado de peces de colores. ¿Acaso en Pottery Lane podría tener tres estanques, o uno siquiera? Y esta noche los pececitos estaban muy activos, disfrutaban de la lluvia.

Fue su padre quien fue a abrir la puerta. Nerissa lo rodeó con los brazos, luego abrazó a su madre y entregó sus obsequios. Como siempre, éstos fueron recibidos efusivamente. Ella no probaba el alcohol y sólo bebía agua embotellada, pero entonces aceptó con mucho gusto una taza de té de Yorkshire. Podías acabar muy harta de que siempre te endilgaran agua adondequiera que fueras. Su madre siempre anunciaba la cena del mismo modo, y lo decía con un acento francés atroz. Si se hubiese desviado de esta práctica, Nerissa se hubiera preguntado qué le pasaba.

—*Mademoiselle est servie.*

Sólo comía así cuando iba a casa de sus padres. El resto del tiempo picaba unas uvas y unas galletas de arroz japonesas en casa o comía ensalada verde en los restaurantes. A veces pensaba que era un milagro que sus tripas pudieran sobrellevar el choque de digerir una sopa espesa, panecillos con mantequilla, carne asada con patatas, pudin y coles de Bruselas sin efectos adversos. Su madre creía que ésa era su dieta habitual.

—Mi hija puede comer tanto como quiera —decía a sus amigas—. Nunca engorda ni un gramo.

Cuando llegaron a la fase de la carlota de manzana y el pastel Alaska, Nerissa le preguntó a su madre sobre sus vecinos. Tenían una gran amistad con esa familia, casi como si fueran primos.

—Están bien, creo —dijo su madre—. Hace días que no los veo mucho. Sé que Sheila tiene un nuevo trabajo… Ah, y que a Bill le han dado el alta en el hospital.

—Eso está muy bien —Nerissa se anduvo con pies de plomo—. ¿Y el hijo? ¿Aún vive en casa?

—¿Darel? —intervino su papá—. Es un chico muy educado. Sigue viviendo en casa, pero Sheila me contó que va a comprarse un piso en Docklands. El muchacho dice que ya es hora de marcharse.

Nerissa no sabía si para ella era una buena o una mala noticia. Siempre que cenaba con sus padres esperaba que Darel Jones acudiera a su puerta para pedir un par de bolsitas de té o para devolver un libro prestado. Nunca lo hizo, aunque, según decía su madre, los Jones y ellos estaban constantemente «entrando y saliendo de sus respectivas casas». Pensó en él en la casa de al lado, mirando la televisión con sus padres, o tal vez hubiera salido con una chica. La segunda opción era la más probable para un joven muy atractivo y encantador de veintiocho años. Suspiró y acto seguido sonrió para evitar que sus padres se dieran cuenta.

A Gwendolen rara vez la inquietaba la culpabilidad. En su opinión, ella llevaba, y siempre había llevado, una vida intachable de integridad absoluta. Ella consideraba que el hecho de entrar en el piso de un inquilino en su ausencia y explorarlo era un derecho del casero, y si además disfrutaba con ello, pues tanto mejor. El único inconveniente era que tenía que descansar y respirar profundamente entre tramo y tramo de escalera.

¡Menudo era bebiendo! Desde la última vez que había estado allí arriba habían ido a parar a la caja de reciclaje una botella de ginebra vacía, una que había contenido vodka y cuatro botellas de vino. Resultaba evidente que no comía mucho en casa, puesto que la nevera volvía a estar prácticamente vacía y olía a antiséptico. Encima de la mesa de centro había un libro grande encuadernado en cuero. Como no podía pasar junto a un libro sin abrirlo, Gwendolen abrió aquél. Allí no había más que fotografías de una chica de color con faldas muy cortas o trajes de baño. Quizá fuera eso lo que llamaban pornografía; la verdad es que nunca lo había sabido.

Junto al libro había un ejemplar del *Daily Telegraph* del día anterior. A Gwendolen le gustaba bastante el *Telegraph* y también lo compraría si no fuera tan ruinosamente caro. Le desconcertó que Cellini lo hubiese comprado. Sin duda los tabloides eran más de su estilo y la mujer no se habría sorprendido de saber que ese ejemplar se lo habían regalado. Ed había visto un artículo en él sobre máquinas de hacer ejercicio que mencionaba especialmente a Fiterama y se lo había pasado.

De la misma forma en que Gwendolen no podía pasar junto a un libro sin abrirlo, le resultaba imposible ver la letra impresa sin leerla. Por encima, claro está. Leyó la primera plana ignorando el artículo sobre las máquinas de ejercicio, luego pasó a la página siguiente y, aunque se las arregló bastante bien, lamentó no haber traído consigo la lupa. Cuando llegó a los nacimientos, bodas y defunciones, dejó el periódico y se fue a la puerta a escuchar. Él casi nunca regresaba en mitad del día, pero no estaba de más ser precavida. ¡Qué ordenado que estaba todo! Le hacía gracia pensar que, de ellos dos, se diría que la anciana era él, con su limpieza y sus manías, en tanto que a ella todo el mundo la vería como una persona cultivada, fina y cortés, más parecida a un hombre, en realidad.

No le interesaban mucho las bodas y los nacimientos, nunca le habían interesado, pero paseó la mirada (en realidad, la forzó y aguzó) por la columna de los decesos. La gente ya no tenía aguante y cada día morían muchas personas más jóvenes que ella. Anderson, Arbuthnot, Beresford, Brewster, Brown, Carstairs… Una vez había conocido a una tal señora Carstairs que vivía más abajo en aquella misma calle, pero no era ella; ella se llamaba Diana, no Madeleine. Davis, Edwards, Egan, Fitch, Graham, Kureishi. Había tres Nolan, lo cual era muy extraño puesto que no era un apellido muy común. Palmer, Pritchard, Rawlings, Reeves… ¡Reeves!

¡Qué coincidencia tan extraordinaria! Era la primera vez que leía el *Telegraph* desde hacía meses y va y se encuentra el anuncio de la muerte de su esposa. Porque se trataba de su esposa, desde luego.

. . .

El 15 de junio falleció en su casa Eileen Margaret, de 78 años, amada esposa del doctor Stephen Reeves de Woodstock, Oxon. El funeral se celebrará el 21 de junio en la iglesia de San Beda, Woodstock. No se aceptan flores. Sí donaciones para la investigación contra el cáncer.

Le resultaba terriblemente difícil leer aquella letra tan pequeña, pero no había ninguna duda al respecto. ¿Se daría cuenta él si le recortaba el periódico? Podría ser; no obstante, ¿qué iba a hacer si se daba cuenta? Ahora tenía que encontrar las tijeras. Las suyas puede que estuvieran en el botiquín del cuarto de baño o en el horno que, como rara vez lo utilizaba, le resultaba un armario muy útil, o en alguna parte en la librería, pero una anciana como él guardaría las suyas bien colocadas en un cajón junto a otros artilugios como pelapatatas o abridores. Seguro que de estos últimos tenía varios.

Gwendolen fisgoneó por la cocina de Mix prestando una atención especial al microondas cuya función era un misterio para ella. ¿Qué salía de allí dentro, tostadas o música? Podría incluso tratarse de una lavadora muy pequeña. Encontró las tijeras en el lugar exacto en el que se figuró que estarían y cortó el anuncio del fallecimiento de la esposa del doctor. Abajo podría estudiarlo cuando le viniera bien con la ayuda de su lupa.

Bajó justo a tiempo. Cuando descendía por el último tramo de escaleras, él entró por la puerta principal.

—Buenas tardes, señor Cellini.

—¡Hola! —dijo Mix, pensando en el embarazo de la mujer y que hubiera acudido a Reggie para que la ayudara—. ¿Qué tal está? ¿Bien?

Cuando telefoneó al gimnasio, la chica llamada Danila le dijo que Madam Shoshana estaba de acuerdo en que se ocupara del mantenimiento de las máquinas. Quizá querría acercarse cualquier momento y traer el contrato. Mix improvisó un contrato con una cabecera en la que se leía «Mix Maintenance» y de la cual estaba muy orgulloso, e imprimió dos copias.

En lugar de moderarse con el paso del tiempo, su miedo fue acrecentándose a medida que transcurrían los días. No había vuelto a ver la figura en las escaleras, aunque a veces creía oír ruidos que no debería percibir, pisadas en el largo pasillo, un curioso crujido como si alguien sacara o metiera papel arrugado de unas bolsas y en una ocasión el sonido de música, aunque eso podía haber sido de la calle. Por la noche tenía que armarse de valor para entrar. Y esas escaleras que siempre había odiado eran lo peor de todo.

Al llegar a Saint Blaise House se obligó a meter la llave en la cerradura y entrar al vestíbulo, que se iluminó con la tenue luz artificial. «Intenta no pensar en ello —se dijo mientras empezaba a subir—, piensa en Nerissa y en ponerte en forma como a ella le gustaría que estuvieras… ¿Por qué no te compras una bicicleta para hacer ejercicio? En Fiterama te la dejarían a precio de coste. Ve a caminar, haz pesas.» Siempre estaba explicando a sus clientes el maravilloso beneficio físico que obtendrían utilizando las máquinas. «Explícatelo a ti mismo —pensó—. E intenta alegrarte por estas escaleras. Subirlas también es un buen ejercicio.»

Esto funcionó como una especie de terapia hasta que llegó al rellano al pie del tramo embaldosado. La débil luz que se filtraba a través de las ramas de un árbol, del follaje y de la suciedad del cristal, atravesaba la ventana Isabella y las motas de color rozaron a Mix cuando subió. La luz se posaba en el suelo de lo alto como un dibujo hecho a tiza, difuminado y absolutamente inmóvil en aquella noche sin viento. Dos pasillos largos y oscuros se extendían alejándose del descansillo, vacíos y silenciosos, con todas sus puertas cerradas. Mix volvió a encender la luz, miró con temor hacia el pasillo de la izquierda y entonces apareció el gato por una de las puertas que se abrió y cerró sola. Vio los ojos verdes y brillantes del animal, que caminó hacia él con aire despreocupado, le bufó al pasar y enfiló hacia las escaleras.

¿Quién o qué había abierto la puerta? Mix se metió rápidamente en su piso buscando a tientas el interruptor de la luz que al final logró encender. Aquel resplandor repentino hizo que soltara el aire con un largo suspiro de alivio. Había oído hablar de gatos que aprenden a abrir las puertas y, aunque las del piso tenían pomos, no manijas, quizá las de ahí afuera eran distintas. Pero no iba a salir a mirarlo, eso seguro. La puerta en cuestión debía de tener manija y *Otto*, que era inteligente, si bien malvado, había aprendido a ponerse de pie sobre las patas traseras y a aplicar la presión necesaria con su zarpa. ¿Quién la había cerrado? Las puertas se cierran por sí solas, se dijo. Ocurre continuamente.

Una película alegre en televisión, un musical de Hollywood no demasiado antiguo, una taza de chocolate caliente con unas gotas de whisky y tres galletas Maryland acabaron por tranquilizarlo. De todos modos, cuando empezara con la dieta saludable, tendría que dejar de comer y beber ese tipo de cosas. En el piso hacía calor, pero no demasiado, unos veintisiete grados. Era la temperatura que a él le gustaba. El calor, la comida dulce que llenaba, un colchón grueso y mullido, haraganear y no hacer nada…; ¿por qué todas las cosas buenas eran perjudiciales?

El gato y sus ojos quedaron desterrados de su pensamiento mientras duró el musical. No oyó nada en el piso de arriba ni al otro lado de la puerta de entrada, y cuando apagó el televisor, el silencio sólo quedó roto por el rumor del tráfico de la Westway.

Se sentía mejor. Se felicitó por su capacidad de recuperación. No obstante, cuando estuvo en la cama y apagó la lámpara de la mesilla, pensó otra vez en el gato y la puerta y, aunque no podía ver nada, mantuvo los ojos cerrados para protegerse de la oscuridad.

# 6

Se despertó a la mañana siguiente consciente de que la noche anterior había tenido miedo y por un momento tuvo que pensar por qué. No obstante, el miedo y su recuerdo empezaron a disiparse cuando vio la luz del sol y oyó jugar a los niños en el jardín de al lado de la casa del hombre de las gallinas de Guinea. Seguro que *Otto* había abierto la puerta él solo y luego ésta debió de cerrarse tras él. Se levantó, se dio una ducha y, diciéndose que era un buen comienzo para un programa de ejercicios, se fue a dar un paseo. Pero antes de salir recorrió con bastante cautela el pasillo hacia la puerta de la habitación de la que debía de haber salido el gato. En efecto, allí las puertas tenían manijas. Se marchó injustificadamente aliviado, más bien como si acabara de recibir una noticia magnífica, en lugar del simple hecho de averiguar lo que ya sabía cierto.

Y ahora a pasear. A sacudirse las telarañas en más de un sentido, dejar que la luz del sol y la energía entraran en su vida. Cerca del convento había una gran iglesia católica y, cuando estaba a punto de seguir su marcha y pasar de largo, se detuvo un momento para observar a la gente que asistía a misa. Había mucha gente, más de la que hubiese creído probable. Le vino a la mente una especie de pesar y cierta nostalgia. Aquellas personas no tendrían sus problemas, sus dudas y temores. Ellos tenían su religión, tenían algo a lo que recurrir, algo o alguien que les brindaba consuelo. Si veían un fantasma u oían pisadas y puertas que se cerraban, ellos llamarían a su dios o pronunciarían el conjuro adecuado. En los relatos normalmente funcionaba. Él había experimentado la religión cuando era pequeño y su abuela estaba viva para llevarlo a la iglesia. Pero de eso hacía mucho tiempo y ahora todo aquello había desaparecido. No había pensado en ello desde entonces y no se creía ni una palabra de todo eso. Si entrara allí dentro y junto a ellos le pidiera ayuda a alguien en el cielo, se sentiría tan estúpido que se avergonzaría. Lo mismo podía decirse de pedirle ayuda a su párroco… ¿o era un sacerdote? Mix no se imaginaba cómo se lo explicaría al hombre o qué respondería éste. No podía hacerlo.

El lunes y el martes tuvo mucho trabajo y por una vez se sintió aliviado de tener tanto que hacer. Iban a llevar una nueva cinta de correr a un piso de planta baja en Bayswater y él tenía que instalarla y hacer una demostración. Tras dar media docena de pasos en esa cosa ya estaba sin resuello, a pesar de sus paseos. También había que responder a todas las llamadas pidiendo ayuda con máquinas estropeadas y a los correos electrónicos con quejas o preguntas. La segunda tarde consiguió hacer una visita al Gimnasio Spa Shoshana y le dijo a Danila que iba a realizar una inspección y un plan de mantenimiento. Eso fue para despistarla. Porque en realidad él buscaba a Nerissa. Estuvo a punto de preguntarle a Danila por ella, qué días venía al club, si acudía con regularidad, ese tipo de cosas, pero decidió que parecería raro. Daría la impresión de que el contrato para ocuparse de las máquinas del gimnasio no era más que una estratagema para conocer a la famosa modelo... Y en efecto, así era. Le entregó una copia del contrato y se marchó.

El miércoles por la noche fue al cine Coronet con Ed y Steph y después a tomar una copa al Sun in Splendour. Cuando los dos hombres tuvieron delante un *gin-tonic* cada uno y Steph un vodka con grosella, Mix le preguntó a la chica lo que había estado planeando..., ensayando, en realidad, diciéndoselo todo el día. La manera elaborada, encubierta y evasiva de formular una simple pregunta se perdió y Mix salió con unas pocas palabras sencillas:

—¿Tú crees en los fantasmas, Steph?

La joven no se rió ni se burló.

—Hay más cosas en el cielo y en la tierra... —empezó a decir, pero no recordó el resto de la cita—. Digamos que creo que si en un lugar ha ocurrido una cosa horrible como un asesinato, el muerto o el asesino..., bueno, que podría ser que regresara y volviera a visitar el escenario del crimen. Es por su energía —continuó vagamente—, como que permanece allí y hace que la persona..., bueno, se materialice.

Justo lo que él pensaba. Iba a preguntarle sobre el hecho misterioso de que se abriera y cerrara esa puerta, pero entonces recordó que había sido el gato.

—¿Y tiene que ser el escenario de un crimen? Quiero decir, ¿el lugar donde alguien murió? ¿Podría ser un sitio donde se cometiera otro delito?

—No es una experta, Mix —terció Ed—. No es médium.

Él ignoró el comentario.

—¿Y si fuera un asesino que intentara cometer otro asesinato, pero le saliera mal? ¿Regresaría al lugar donde le salió mal?

—Podría ser que sí —respondió Steph con cierto recelo—. Vamos a ver, ¿está ocurriendo de verdad? ¿Acaso ese lugar tan viejo y extraño en el que vives está encantado o qué?

No se equivocaba al describirlo como un «lugar viejo y extraño», pero a Mix no le gustaba demasiado que otra persona lo llamara así. Le parecía un insulto a su hermoso piso.

—Me parece que podría haber visto… algo —comentó con cautela.

—¿Qué clase de algo? —Ed estaba que se moría de curiosidad.

Steph, la más sensible y, tal vez, intuitiva, interpretó la expresión del rostro de Mix.

—No quiere hablar de ello, Ed. ¿Acaso tú querrías hacerlo? Ya sabes lo que te dijo Ed, Mix. Necesitas ayuda.

—¿Ah, sí?

—Mira, te diré lo que voy a hacer. Te dejaré prestado esto y así podrás ahuyentar a esa cosa si vuelve otra vez. —Se desabrochó la cruz gótica de piedras negras y púrpura que llevaba colgada al cuello de una cadena plateada—. Toma, cógela.

—¡Uy, no, podría perderla!

—Tampoco se acabaría el mundo si la perdieras. Sólo me costó quince libras. Y mi madre dice que no debería llevarla, dice que es… ¿Cuál es la palabra que utiliza, Ed?

—Blasfema —dijo Ed.

—Eso es, blasfema. Mi madre conoce a una médium que dijo que funcionaría. Si la necesitaba. Dijo que cualquier cruz funcionaría.

Mix estudió la cruz. Le pareció fea, estaba muy claro que las piedras eran de cristal y que la plata era níquel. Pero era una cruz y, como tal, quizá sirviera. Si se la arrojaba a Reggie o simplemente si la sujetaba en alto frente a él, podría ser que el fantasma se esfumara como una espiral de humo o como un genio volviendo a meterse en la botella.

Gwendolen había encontrado un hueso de plástico en su dormitorio. Al principio no se le ocurría qué estaba haciendo eso allí o de dónde había salido, pero entonces recordó que el perrito de Olive estuvo jugando con él. Se lo ofreció a *Otto*, que se echó atrás con una expresión de desprecio en el rostro, como si el olor del perro lo repeliera. Envolvió el hueso en una hoja de periódico, lo metió dentro de la lavadora para que estuviera en lugar seguro y aguardó a que Olive telefoneara y se quejara de su pérdida.

Cuando sus ingresos se redujeron, Gwendolen se había vuelto muy prudente con el dinero y no le gustaba gastarlo en llamadas telefónicas innecesarias. Si Olive quería el juguete de su animal, que fuera ella la que telefoneara o pasara a buscarlo. Pero los días transcurrieron y no hubo llamada ni visita. Gwendolen tan sólo utilizaba la lavadora cuando se le había acumulado un montón de ropa sucia. Cuando esto ocurrió, estuvo a punto de lavar el hueso y el periódico porque metió la ropa dentro antes de darse cuenta de que estaban allí. En Ladbroke Grove y Westbourne Grove, donde hacía sus compras comparando minuciosamente los precios antes de tomar una decisión (cada penique contaba), había unas cuantas tiendas pequeñas regentadas por asiáticos además de los más grandes establecimientos de comestibles. Para dirigirse a cualquiera de ellas tenía que pasar por delante del edificio de apartamentos en el que vivía Olive. Se puso su chaqueta buena de seda negra con los diminutos botones forrados que entonces ya tenía unos treinta años y un pequeño sombrero redondo de paja porque el día parecía cálido y salió de casa con el hueso en el fondo de su carro de la compra. Éste estaba forrado con el tartán llamado Black Watch y, como sólo tenía nueve años, seguía siendo bastante elegante.

Pasó por casa de Olive y tocó el timbre del vestíbulo. No obtuvo respuesta. Tampoco la obtuvo el portero cuando ella le pidió que telefoneara a la señora Fordyce del 11 C. El hombre creía haberla visto salir. Gwendolen se enfadó mucho. Era una irresponsabilidad dejar tu basura en casa de otra gente y luego no dar muestras de reconocimiento de la incorrección social que habías cometido. Estuvo tentada de tirar el hueso con su envoltorio en la papelera más cercana, pero la detuvo una molesta duda sobre la validez de hacerlo. Quizá viniera a ser lo mismo que robar.

Después de leer, lo que a Gwendolen le gustaba más de todo lo que hacía era comprar. No por lo que compraba, o por la distribución de las tiendas, ni por la amabilidad del personal, sino únicamente por el hecho de comparar precios y ahorrar dinero. No era tonta y sabía muy bien que las cantidades que se ahorraba en un bote de salsa en polvo por aquí y en un queso Cheddar por allá nunca sobrepasarían los, digamos, veinte peniques al día. Pero reconocía que era un juego al que jugaba y que hacía que la caminata hasta el mercado de

Portobello Road o hasta el supermercado Sainsbury's constituyera más un placer que una tarea. Además, si seguía una ruta determinada, al cruzar Ladbroke Grove pasaba por delante de la casa donde, todos esos años atrás, el doctor Reeves había tenido su consulta. Para entonces su recuerdo ya no le resultaba doloroso y sólo quedaba una nostalgia más bien agradable, eso y una nueva esperanza ocasionada por el anuncio del *Telegraph*.

Al término de la guerra, los Chawcer habían considerado ir a ver al doctor Odess. Fue más o menos en aquella época cuando la señora Chawcer había empezado a mostrar síntomas de su enfermedad. Pero Colville Square se hallaba a un largo trecho de distancia, en tanto que el doctor Reeves estaba en Ladbroke Grove, donde se llegaba sencillamente por Cambridge Gardens. Hasta que no tuvo lugar el juicio y toda la publicidad en la prensa, Gwendolen no descubrió que el doctor Odess había sido el médico de Christie, al que había atendido durante años, así como a su esposa.

Aquella mañana estuvo tentada de subir hasta el mercado. El sol brillaba y todo estaba en flor. El ayuntamiento había colgado cestos de geranios en todas las farolas. «Me pregunto cuánto cuesta todo esto», pensó Gwendolen. A veces, cuando iba al mercado a por la verdura, las manzanas para cocinar y los plátanos (la compota de manzana y los plátanos eran la única fruta que comía Gwendolen), conseguía ahorrar mucho y en ocasiones, al final de la jornada tenía cuarenta peniques más de lo que se esperaba en el monedero. Se detuvo frente a la casa de cuatro pisos con sótano y unas escaleras empinadas que conducían a la puerta principal, allí donde Stephen Reeves había ejercido. Ahora el lugar tenía aspecto de abandono, la pintura se desconchaba y en la ventana en saliente de la fachada que estaba rota habían colocado un parche hecho con una bolsa de plástico de los supermercados Tesco pegada con cinta adhesiva.

Allí dentro había estado la sala de espera donde ella se había sentado a esperar las recetas para su madre. Por aquel entonces los médicos no disponían de luces ni de timbres para indicar que estaban listos para recibir al próximo paciente y a menudo tampoco había ninguna recepcionista o enfermera en el establecimiento. El doctor Reeves solía salir a la sala de espera él mismo, llamaba al paciente por su nombre y le aguantaba la puerta para que entrara. A Gwendolen no le importaba el tiempo que tuviera que esperar para que le entregara la receta porque lo haría en persona y, antes de hacerlo, tal vez acudiera dos o tres veces a la sala de espera para recibir al siguiente paciente. Sabía que lo hacía sólo para poder verla fugazmente y que ella lo viera a él. Siempre sonreía, y la sonrisa que tenía para ella era distinta de la que les dirigía a los demás, era más amplia, más afectuosa y, a veces, más cómplice.

Era como si ambos compartieran un secreto, cosa que de hecho hacían…, el amor que sentían el uno por el otro. A Gwendolen no le había importado tener que marcharse sola de la consulta. Él acudiría a Saint Blaise House al día siguiente o al otro, y entonces estarían solos, tomando el té y hablando sin parar. A efectos prácticos estaban solos en la casa. La última criada, Bertha, hacía tiempo que se había ido y para entonces los trabajadores domésticos querían un sueldo más alto del que podían pagar los Chawcer. La señora Chawcer estaba dormida o inmovilizada en el piso de arriba, por supuesto. El profesor podría llegar a casa alrededor de las cinco, pero rara vez lo hacía antes, pues tenía que abrirse paso en su vieja bicicleta por entre el tráfico cada vez más abundante de Marylebone Road y adentrarse en las complejidades de Bayswater y Notting Hill. En los años cincuenta reinaba la tranquilidad en Saint Blaise House mientras Stephen Reeves y Gwendolen, sentados el uno junto al otro, hablaban y susurraban, arreglaban el mundo y se reían un poco con las manos y las rodillas muy cerca y mirándose a los ojos. A consecuencia de aquellas reuniones y de su creciente intimidad, porque una vez él le dijo que le tenía muchísimo cariño, ella se consideraba unida a él de manera irrevocable. En su mente era como un acuerdo al estilo de «hasta que la muerte nos separe».

Había estado mucho tiempo resentida con él, viéndolo como un traidor, un hombre que la había dejado plantada. Aunque nunca le había dicho que la amaba con estas palabras, las acciones valían mil veces más. Más adelante había considerado la situación más racionalmente y comprendió que sin duda él ya debía de estar enredado con esta tal Eileen antes de conocerla a ella, o antes de llegar a conocerla, y que tal vez le hubieran advertido que interpondrían una demanda por incumplimiento de una promesa. O quizá su padre o su hermano lo hubiesen amenazado con un látigo. Estas cosas pasaban, lo sabía por sus lecturas. Los duelos eran ilegales, por supuesto, y habían quedado desfasados hacía ya mucho tiempo. Pero él debió de encontrarse ineludiblemente involucrado con la mujer con la que había contraído matrimonio, así pues, ¿qué otra cosa podía hacer sino casarse con ella? En cuanto a Gwendolen, ella también estaba unida a él como si fuera su esposa.

Mientras empujaba el carro por Westbourne Grove, pensó que resultaba interesante la cantidad de personas sobre las que últimamente había oído que, tras perder a sus maridos o mujeres en una edad ya avanzada, volvían a su pasado y se casaban con sus novias de juventud. La hermana de Queenie Winthrop era una de ellas, lo mismo que otra mujer miembro de la Asociación de Vecinos de Saint Blaise, una tal señora Coburn-French. Claro que Gwendolen era realista y tenía que afrontar el hecho de que las mujeres perdían a sus esposos con más frecuencia de lo que éstos perdían a sus mujeres. Sin embargo, a veces las mujeres morían primero. Sólo había que fijarse en su padre. No es que él se hubiera casado con una novia perdida hacía tiempo, pero el señor Iqbal, del Hyderabad Emporium, había hecho precisamente eso cuando se encontró frente a la mezquita de Willesden a una señora de su mismo pueblo de la India a la que había conocido cincuenta años atrás. Y ahora Eileen había muerto…

Ahora Stephen Reeves era viudo. ¿Regresaría a buscarla? Si ella se hubiera casado con algún otro hombre y éste hubiera muerto, lo habría buscado. El vínculo que existía entre ellos debía de ser tan perdurable e inamovible para él como lo era para ella. Quizá debiera tomar medidas para encontrarlo…, ¿no? Podría ser que le diera vergüenza, o incluso que se sintiera culpable por lo que le había hecho y tuviera miedo de enfrentarse a ella. Los hombres eran unos cobardes, eso todo el mundo lo sabía. No había más que fijarse en lo aprensivo que se había mostrado el profesor a la hora de hacerse cargo de los cuidados que requería su madre cuando se puso tan enferma.

Si no había pasado ya medio siglo desde que había visto a Stephen por última vez, no tardaría en cumplirse. Actualmente había maneras de encontrar a las personas, maneras mucho más fáciles y seguras que cuando ella era joven. Había una forma de hacerlo con un ordenador. Utilizabas el ordenador y entrabas en una cosa que se llamaba la «red» o la «web» y allí te lo decían. Había lugares (había uno en Ladbroke Grove) llamados Internet cafés. Durante mucho tiempo Gwendolen había pensado que se trataba de establecimientos para tomar un café y comer pasteles, pero Olive, riéndose como una tonta, la había sacado de su error. Si iba a uno de esos sitios, ¿podría encontrar a Stephen Reeves al cabo de cincuenta años?

Pensó en todo esto mientras regresaba andando a casa con la compra. Después de decirle que era una joven muy agradable y que le tenía mucho cariño, ella se sentó en su dormitorio y estuvo practicando a escribir su nombre tal y como sería pronto. Firmaría como *Gwendolen Reeves* o *G. L. Reeves*, pero en las tarjetas de invitación sería la señora de Stephen Reeves. *La señora de Stephen Reeves recibe...* y *El doctor Stephen Reeves y señora agradecen su amable invitación, pero lamentan no poder aceptarla...* Resultó que estas últimas estaban reservadas para Eileen. Ahora eso no debía preocuparla, puesto que Eileen estaba muerta. De algún modo sabía que no había sido un matrimonio feliz a pesar de eso de «amada esposa». Tenía que ponerlo así, como hacía todo el mundo, era la costumbre. Era posible que, cuando Eileen y él discutían, como sin duda hacían con frecuencia, él le dijera que no debería haberse casado nunca con ella.

—Debería haberme casado con Gwendolen —habría dicho él—. Ella fue mi primer amor.

Gwendolen nunca le había expresado sus sentimientos. No habría estado bien que una mujer hiciera eso, pero ahora las cosas parecían muy diferentes. Podría ser que Stephen Reeves no supiera lo que sentía por él, puede que nunca lo hubiese sabido. Tenía que conseguir decírselo de un modo u otro y entonces todo se arreglaría.

# 7

Ya había leído *Las víctimas de Christie*, pero hacía mucho tiempo, unos seis o siete años atrás cuando empezó a coleccionar su biblioteca sobre Reggie. Lo recordaba, por supuesto. Pero aun así le resultó fascinante volver sobre sus pasos por el Notting Hill de aquella época y por la vida de uno de los asesinos en serie más famosos de todos los tiempos.

«John Reginald Halliday Christie se trasladó a vivir a Londres en 1938», leyó Mix mientras desayunaba,

y con él llegó su esposa Ethel. Era un hombre curioso. Debe de haber algo extraño, por no decir espantoso, en cualquier necrófilo. La idea de la necrofilia no solamente resulta repugnante a todo el mundo, sino que además, para satisfacer su deseo, a menos que tenga acceso a un depósito de cadáveres, lo cual es poco probable, el hombre que sufre de esta aberración primero tiene que matar a sus víctimas.

Considerándolo desde la perspectiva del siglo XXI, el matrimonio de Christie no fue feliz. Al cabo de cinco años de la boda, Ethel lo abandonó y se fue a vivir a Sheffield. Su separación duró varios años hasta que Christie le escribió pidiéndole que volviera con él. Después de su reencuentro, Ethel se ausentaba con frecuencia para ir a ver a su familia al norte. Christie había sido proyeccionista de cine, obrero en una fábrica y cartero, empleo éste en relación con el cual fue enviado a prisión por robar giros postales. Volvieron a encarcelarlo por robar el coche de un sacerdote católico que se había hecho amigo suyo y no obstante se presentó voluntario para la Reserva de Emergencia de las Fuerzas Policiales de Londres y fue aceptado el mismo año en que él y su esposa se mudaron a Rillington Place en Notting Hill, al oeste de la ciudad.

Por lo visto, la policía no investigó su pasado o, si lo hicieron, no les pareció lo bastante grave como para descalificarlo, por lo que en 1939 se convirtió en agente especial a jornada completa. Cuatro años después, cuando todavía era policía, conoció a la chica que iba a ser su primera víctima asesinada…

Mix levantó la mirada con renuencia y deslizó un punto de libro entre las páginas. Le había dicho a Danila, la chica del Gimnasio Spa Soshana que llegaría a las diez para hacer el mantenimiento de cinco máquinas, de manera que sería mejor que se marchara. El libro, escrito por un tal Charles Q. Dudley, fue el cuarto o el quinto que había leído sobre el asesino de Rillington Place y los datos que acababa de asimilar ya le eran conocidos. Ya se los esperaba. Lo que él estaba buscando y esperaba encontrar, quizás hacia la mitad del libro, era alguna pista o sugerencia de que a veces Christie visitaba las casas de sus futuras víctimas. ¿Se había fijado en algo así cuando leyó el libro por primera vez? No se acordaba.

Mix se había tomado el día libre a cambio de haber trabajado el domingo anterior. No serviría de nada intentar hacer el trabajo para Shoshana antes o después del suyo porque en dicho horario era muy poco probable que Nerissa estuviera allí. Mix había leído en alguna parte que las modelos se levantaban muy tarde por la mañana en tanto que tenían las noches ocupadas con estrenos de cine, clubs, apariciones públicas y fiestas en casas solariegas de los Home Counties, los condados de los alrededores de Londres. Cuando llegara el feliz momento, fantaseaba Mix, ellos dos dormirían juntos hasta tarde, quizás hasta mediodía o incluso más. Una criada les traería el desayuno, pero no antes de las once, y cuando llegara, sería lo que él había pedido, cóctel *buck's fizz*, tostadas con caviar y huevos a la benedictina.

Volvió a la realidad y admitió que iba a tener problemas para aparcar. Ya lo sabía antes de llegar. Al final encontró un parquímetro y pagó dos horas, pero estaba a un largo trecho del gimnasio. Se dijo que todos aquellos paseos debían de estar mejorando su figura. Llegó a las diez en punto, apartó la mirada del número trece cromado y se metió rápidamente en el ascensor. Echó un vistazo a las chicas y a un par de hombres jóvenes que hacían ejercicio y enseguida vio que Nerissa no se encontraba entre ellos. Probablemente era un poco temprano para ella. Su ojo exigente evaluó a Danila y decidió que si bien era flacucha y parecía asustada, tampoco estaba tan mal. Puede que conocerla mejor le sirviera de ayuda en su búsqueda.

—Madam Shoshana dijo que te pidiera que no toques las máquinas que los clientes estén utilizando. Sólo te digo lo que me dijo ella.

—Puedes confiar en mí —repuso él—. Sé lo que hago.

—Y también dice que no utilices ningún aceite ni nada parecido porque si los clientes se manchan la ropa se ponen hechos un basilisco. Es lo que dijo ella, no yo.

—Sólo utilizo aceite invisible sin grasa —mintió Mix.

Había traído consigo tres cintas nuevas y llaves inglesas para ajustar las piezas. El gimnasio de Shoshana no llevaba mucho tiempo abierto, de modo que no era necesario el mantenimiento, pero Mix mató el rato desmontando las elípticas y comprobando las posiciones de los manillares de las bicicletas estáticas. Saliera lo que saliera de aquello, iba a exprimir a Madame Shoshana por someterlo a esa tediosa tarea. Era una lástima que a Danila le hubieran dicho que no lo perdiera de vista, si no se habría acomodado en un rincón a leer un poco más de *Las víctimas de Christie*.

Danila era muy delgada. Nerissa también, pero su delgadez era distinta. No veías sobresalir sus huesos como era el caso con Danila. Y ésta tenía un rostro como el de un pájaro, con la nariz aguileña y muy poca barbilla. Con todo, tenía unas piernas magníficas y un cabello oscuro y enredado de lo más abundante que Mix no recordaba haber visto jamás en la cabeza de una mujer. Aquel día ya casi había desistido de buscar a Nerissa. Eran las once y cuarto, y si no quería que le pusieran el cepo al coche, que se lo llevara la grúa o lo que fuera que hicieran por allí, tenía que volver antes de las doce menos diez.

Danila estaba sentada detrás de su mostrador bebiendo una taza de café solo.

—¿Por casualidad no habría otro de ésos?

—Podría ser, pero no digas nada, ¿quieres? —Desapareció en algún lugar del interior del local y regresó con un café, una jarrita de leche y edulcorante en unos paquetitos tubulares—. Aquí tienes, Shoshana me mataría si lo supiera. Se supone que no debemos ofrecer café a nadie que no sea del personal.

—Eres un cielo —dijo Mix, y obtuvo una sonrisa como respuesta. «No dejes para mañana lo que puedes hacer hoy», pensó, y sin perder de vista la puerta por si Nerissa entraba precisamente a las doce menos veinte, añadió—: ¿Te apetece ir a tomar una copa? Digamos el miércoles o el jueves si quieres.

La joven se sorprendió. Él hubiera preferido que diera por descontado este tipo de invitaciones, como un deber.

—No me importaría —respondió ella, y entonces lo estropeó diciendo—: ¿Estás seguro?

—Entonces te pasaré a buscar. ¿Dónde vives?

—En Oxford Gardens. —Le dio el número.

—No queda lejos de mi casa —comentó él—. Iremos al KPH —anunció, olvidando que ella no sabría lo que significaban dichas iniciales—. ¿Te parece bien a las ocho?

Mix pensó que no tenía sentido pasar toda la noche con ella. ¿Y si Nerissa pertenecía a esa clase de clientes que Danila había mencionado la última vez que estuvo allí, los que sólo iban al gimnasio cuatro veces y luego perdían interés? No debía impacientarse por el hecho de que Nerissa no hubiera acudido hoy; la chica no iba a ir cada día, por muy entusiasta de la buena forma física que fuera. La próxima semana efectuaría el mantenimiento el miércoles en lugar del martes. Y tal vez se mentalizara y fuera andando. No podía haber más de kilómetro y medio.


Olive había olvidado que se había dejado el hueso de plástico en casa de Gwendolen y lo había buscado por todo el jardín comunitario del edificio e incluso en varias papeleras frente a las tiendas. *Kylie*, el perrito blanco, estaba desesperado. Así pues, el hecho de llamar a Gwendolen no fue para recuperar el hueso, sino para desahogarse con alguien comprensivo.

Gwendolen nunca lo era. Escuchó las penas de su amiga con cierto regocijo. El hueso se lo había enviado a *Kylie* una amiga norteamericana que compartía el amor de Olive por los caniches. A *Kylie* le había encantado desde el principio. Ahora lo había perdido y Olive no tenía ni idea de qué hacer, puesto que allí era imposible comprar un juguete como aquél. Tampoco se atrevía a escribir a su amiga a Baltimore para confesarle su falta de cuidado y pedirle otro.

Gwendolen se echó a reír.

—Se han terminado tus problemas. Está aquí.

—¿El hueso de *Kylie*?

—Te lo dejaste aquí. Pasé por tu casa para dártelo, pero habías salido, por supuesto.

Si a Olive le desagradó ese «por supuesto», no dio muestras de ello. Gwendolen buscó el hueso en su cocina sucia y desordenada y al final lo encontró encima de una pila de periódicos que databan de la época del profesor y debajo de un paquete de bolsas de aspiradora de hacía veinticinco años.

—Acabas de hacer muy feliz a un perrito, Gwen.

—Es un alivio.

Olive no captó el sarcasmo de Gwendolen, estaba tan contenta por haber recuperado el hueso que no lo advirtió. Salió de casa alegremente en dirección a Ridgemount Mansions. Gwendolen, que prefería su propia compañía a la de sus amistades, se alegró cuando la mujer se fue. Durante los últimos días había decidido, con arrojo, intentar averiguar dónde estaba Stephen Reeves entonces y había considerado pedirle ayuda a su inquilino. Él tenía ordenador. Un día que se encontraron por casualidad en el vestíbulo había visto que lo llevaba.

—Pensará que me estoy buscando problemas llevando esto encima —le había comentado—, pero no lo dejaré a la vista sobre un asiento. Irá en el maletero.

Gwendolen no había pensado nada parecido, puesto que no tenía ni idea de qué le estaba diciendo.

—¿Qué es?

Él la miró con recelo, tal como los desconsiderados miran a los mentalmente perturbados.

—Es un PC. —Ella mantuvo su expresión perpleja—. Un ordenador…, ¿sabe? —dijo él, desesperado.

—¿En serio? —Gwendolen encogió sus delgados y ancianos hombros—. Pues será mejor que vaya a hacer lo que sea que tenga que hacer con él.

La información que necesitaba… ¿acaso de un modo u otro se depositaría automáticamente en esa cosa que había dentro de aquel maletín pequeño y plano? ¿La proporcionarían todos los aparatos? ¿O necesitabas alguna especie de máquina unida a ellos? ¿Y dónde estaba la pantalla que había visto que tenían en las tiendas? Era muy consciente de que su ignorancia había resultado ridícula para el señor Cellini y por nada del mundo quería volver a quedar como una idiota. No es que hubiera nada esencialmente estúpido en el hecho de que una persona que había leído por entero a Gibbon y las obras completas de Ruskin no supiera cómo funcionaban esos inventos modernos. De todos modos, prefirió no preguntárselo. También prefirió no preguntárselo a Olive. Si pasaba por Golborne Mansions, tendría que presenciar el éxtasis de *Kylie*, oír la historia del hueso perdido una y otra vez y quizás el dechado de virtudes de la sobrina o la madre de ésta estuvieran allí, cosa que, injustificadamente, siempre le producía pavor.

No perdía nada con visitar uno de esos Internet restaurantes..., no, cafés. Ella era lista, lo sabía. Stephen Reeves la había llamado intelectual e incluso su padre le había dicho varias veces que era muy inteligente para ser una mujer. Por lo tanto, seguro que podría llegar a dominar el manejo de uno de esos ordenadores y conseguir que vertiera su información. Mientras se ponía el sombrero reflexionó sobre el que llevaba Olive, un fedora de un rojo vivo que hacía juego con sus uñas; luego cogió la chaqueta de seda negra y los guantes negros de red porque hacía calor. Se los había regalado su padre cuando cumplió cincuenta y dos años y era increíble lo mucho que le habían durado. Hoy no le hacía falta llevarse el carro.

Era un día de sol radiante. Aquel verano había hecho calor todos los días y la temperatura estaba subiendo. Varios chicos y chicas jóvenes iban por la calle con camisetas de manga corta y sandalias. Había una joven que llevaba la parte superior del biquini y un chico que parecía haberse dejado la camisa en alguna parte porque sólo llevaba un chaleco.

Gwendolen meneó la cabeza preguntándose qué habría dicho su madre si ella hubiera intentado salir a la calle en sujetador.

Nerissa había ido al gimnasio, donde recibió un masaje integral y facial y ahora, de nuevo con las gafas oscuras que se había puesto para ir hasta allí sin que la reconocieran, se dirigía al piso de arriba para ver a Madam Shoshana.

Las escaleras eran estrechas y empinadas. Estaban cubiertas de un linóleo marrón de una época en la que ni la madre de Nerissa había nacido. Los peldaños tenían una moldura metálica en el borde que se había soltado en algunas partes, con lo que cabía la posibilidad de tropezar y el riesgo de sufrir un accidente serio era grande. Subió con mucho cuidado. Una modelo amiga suya se había fracturado la tibia en unas escaleras muy poco seguras y cuando la fractura se soldó, un tobillo le quedó más grueso que el otro. Aunque el ventanuco que había a medio camino estaba abierto de par en par, la escalera apestaba, olía como a col rancia y hamburguesas baratas. El aire hizo ondear una cortina de encaje muy sucia contra el rostro de Nerissa. Ella ya estaba acostumbrada. Subía allí una vez por semana para que le predijeran el futuro.

En la combada puerta de color marrón había un letrero en el que se leía: «Madam Shoshana, adivina. Llamen a la puerta, por favor», y debajo, escrito en bolígrafo de cualquier manera: «(Aunque tenga cita)». Nerissa llamó. Una voz suave e inquietante respondió:

—Adelante.

Nerissa no había entrado nunca en una habitación tan colmada, atestada y abarrotada de cachivaches como aquélla. Casi hacía demasiado calor incluso para ella, y eso que le gustaba el calor. Las cosas extrañas no tan sólo llenaban los estantes y cubrían las superficies, sino que además brotaban del suelo y pendían del techo. Había macetas con plantas artificiales, en su mayoría cipreses, pero también azucenas y pasionarias, que se alzaban por allí como estalagmitas en tanto que del techo pendían, a modo de estalactitas, varas, campanillas, móviles y colgantes de cristal. Lo más raro de todo aquello era la propia Madam Shoshana, una anciana flacucha envuelta en varias capas de tela de muchos tonos, pero todos ellos eran los colores de un cielo tormentoso, índigo y carbón, gris paloma y gris pizarra, violeta y blanco sucio, azul tempestuoso y plata. La cabellera de un blanco amarillento le llegaba a la cintura y los mechones desgreñados le colgaban por encima de los hombros y le bajaban por la espalda enredándose en ciertos sitios con las cadenas de plata y sartas de cristal que llevaba alrededor del cuello. Aunque había creado una gama de cosméticos que vendía en el local a precios inflados, ella nunca llevaba maquillaje y daba la impresión de no lavarse mucho la cara. Nerissa pensaba que sus uñas parecían garras de ave, en absoluto humanas.

Las cortinas de terciopelo estaban corridas y, por alguna razón que sólo Madam Shoshana conocía, prendidas en varios puntos con broches anticuados de diseño celta. Unos cuantos pájaros disecados entre los que predominaba un gran búho blanco se hallaban dispuestos de forma que miraban al suplicante cuando él o ella entraba en la habitación, pero quizá su detalle más inquietante fuera la figura de un hombre parecido a Merlín (o a Gandalf), ataviado con unas vestiduras grises y que, inexplicablemente, sostenía un báculo de Esculapio. Esta figura de cera quedaba a espaldas de Madam Shoshana cuando ésta tomaba asiento frente a su amplia mesa de mármol como si la asesorara sobre la sabiduría antigua, la hechicería, la nigromancia, los pronósticos astrológicos o lo que quiera que ella pudiera requerir. No había más luz que la que proporcionaba una única lámpara de mesa de poca potencia y de diseño un tanto Art Nouveau, hecha de peltre y cristales de colores apagados.

Sobre la mesa de mármol había un círculo formado con cristales de cuarzo rosa, espato de Islandia, cuarzo amatista, esquisto de olivino, basalto y lapislázuli en el centro del cual había un tapete redondo de encaje tejido a ganchillo. La silla de Shoshana era de ébano con incrustaciones de cristales blancos y amarillos por todo el respaldo y los brazos, pero la del cliente era una Windsor de madera sencilla, manchada aquí y allá de una cosa que parecía sangre, pero que probablemente fuera *ketchup*.

—Siéntate.

Nerissa ya conocía la rutina y obedeció. A una orden de Madam Shoshana, colocó las manos sobre el tapete de encaje del círculo de piedras; aquella misma mañana se había hecho la manicura y llevaba las uñas pintadas de un color dorado ligeramente más pálido que el de la piel de sus dedos. Shoshana miró las manos de Nerissa y dejó que su mirada vagara en círculos pasando de un cristal a otro, como un gato que siguiera un punto de luz en movimiento.

—Dime cuál de las piedras sagradas puedes sentir más próxima a tus dedos. ¿Cuáles son las dos piedras que atraes gradualmente?

El hecho de que Nerissa nunca pudiera sentir, y mucho menos ver, que alguno de los cristales se moviera, era mo-

tivo de consternación para la joven. La adivina siempre le
reprochaba que no fuera capaz. Madam Shoshana parecía dar
a entender que era debido a una ausencia de sensibilidad por
su parte, o a la falta de concentración. Convencida de que,
una vez más, fallaría, dijo:

—Creo que son la azul oscuro y la rosa.

—Inténtalo otra vez.

—La azul oscuro y la verde.

Shoshana meneó la cabeza con más pena que furia. Había algunos clientes a los que conocía desde hacía años, pero
nunca los trataba con más amistad o familiaridad de lo que lo
había hecho en su primera visita. Miró a Nerissa como si la
viera por primera vez.

—Hoy están en tu Círculo del Destino el basalto y la
amatista —la voz de Shoshana sonó como si llegara de muy
lejos y de un pasado remoto. Tal como quizá sonaría la de
una momia si pudiera hablar—. Los dos están empujando
con fuerza para romper la barrera de energía que hay entre
ellos y tus dedos. Tienes que relajarte y dejar que vengan.
Vamos, relájate y pídeles que se acerquen a ti.

Nerissa ya había pasado por aquella rutina muchas veces.
Intentaba relajar las manos, pero era muy consciente del búho
blanco y de la figura de cera de vestiduras grises que la miraban,
ella creía que de manera acusatoria. «Vamos, vamos», entonó.
De repente se le ocurrió que eso era exactamente lo que un arro-
gante ex novio suyo solía susurrarle cuando estaban haciendo el
amor y tuvo que morderse el labio para no echarse a reír.

—Concéntrate —dijo Shoshana con severidad.

Nerissa pensó en lo mucho que se asustaría si el basalto y la amatista se movieran de verdad a su antojo. Pero

la única que podía verlo era Madam Shoshana. Empezó a hablar:

—Tu equilibrio profético está muy mal alineado. Las piedras hablan de confusión, duda y temor. Me hablan de un hombre moreno cuyo nombre empieza por de. Él es tu destino, para bien o para mal. Y su destino es vivir junto al agua… Estás apartando las piedras… Vaya, demasiado tarde. Han dejado de hablar. Ya ves cómo se encogen cuando les sale el alma.

A Nerissa le parecía que las piedras estaban igual que antes, pero sabía que era debido a su ceguera espiritual. Shoshana se lo había comentado en ocasiones anteriores. La adivina le había dicho que era demasiado mundana, que no pensaba en otra cosa que no fuera su apariencia, las posesiones y los artefactos. Ella no sabía muy bien cuál era el significado de «artefactos», y aunque quería buscar la palabra en el diccionario, siempre se le olvidaba. Los pájaros disecados y la figura del mago la miraban con desprecio. Nerissa bajó la mirada, humillada.

La sesión había terminado. Su tarea consistía en prestar mucha atención al hombre cuyo nombre empezaba por de y al agua con criaturas nadando en ella, aunque no se trataba de peces. Nerissa se levantó y rebuscó el billetero en el bolso. Madam Shoshana de pie era muy distinta a Madam Shoshana sentada. Se volvía más práctica y comercial, menos consciente del alma y más del bolsillo.

—Cuarenta y cinco libras, por favor, no acepto euros ni tarjetas de crédito —dijo, como si se tratara de un cliente nuevo.

Nerissa caminó pensativamente por Westbourne Grove. Cuando Madam Shoshana dijo que el hombre moreno era su destino, el corazón le había dado un vuelco porque estaba segura de que se refería a Darel Jones. Pero ¿y si no era así? ¿Y si se refería a Rodney Devereux?

Podía habérselo preguntado, pero sabía que no hubiera servido de nada. Shoshana se habría limitado a decir que las piedras ya no le decían más, dando a entender que la culpa era de Nerissa por bloquearlas con su energía. En cuanto a lo del agua, lo que le vino a la cabeza de inmediato fue el restaurante Pacific Rim que a Rodney le encantaba y al que siempre la llevaba, aunque a Nerissa no le gustaba ver nadar los peces por esas enormes peceras con la parte posterior de espejo y al cabo de diez minutos comerse uno de ellos. No sabría decir por qué era distinto de comprar el pescado en el Harrods Food Hall y comérselo después, pero de algún modo lo era.

De todos modos, Shoshana debía de referirse a esto cuando lo dijo justo después de mencionar al hombre con una de por inicial. Claro que ella había dicho explícitamente que no eran peces, pero en aquellas peceras también había otras cosas: caracoles de conchas coloreadas, unas cosas pequeñas que se arrastraban y una criatura que parecía una serpiente de agua. La última vez que fueron allí temió que Rodney se comiera la serpiente y eso le revolvió el estómago. Había estado a punto de decirle que nunca más volvería al Pacific Rim, pero por algún motivo no lo había hecho. Y ahora tendría que ir allí. Era su destino.

Que se sepa, la primera víctima de Christie fue una joven de origen austríaco llamada Ruth Fuerst. Había sido enfermera, pero cuando Christie la conoció en 1943 trabajaba en una fábrica de munición y era prostituta a tiempo parcial. Si la conoció haciendo la ronda cuando era policía o si fue en un café o en un bar, es motivo de dudas, pero él afirmó que ella fue a verle a Rillington Place cuando Ethel Christie se encontraba trabajando en la fábrica de Osram.

Ninguna de las personas involucradas en el caso supo decir si él llegó a visitarla en la habitación que la joven tenía alquilada en el número 41 de Oxford Gardens...

Mix levantó la mirada del libro y mantuvo el dedo sobre la página. ¡Qué cosa tan asombrosa! Aunque había leído todos los libros sobre Christie que había podido conseguir, principalmente rebuscando en las librerías de segunda mano, en ninguno de ellos había figurado exactamente el lugar donde vivía Ruth Fuerst. Pero allí estaba, en la misma calle, a unas pocas casas de distancia de la dirección que Danila le había dado. ¡Ojalá hubiera sido la misma casa!, pensó con una punzada de pesar. ¡Ojalá hubiera tenido la misma habitación! Se imaginó regresando allí con ella, quizá tirándosela en aquel preciso lugar... De todos modos, lo que había descubierto hacía que salir con ella fuera una experiencia muy emocionante.

Continuó leyendo. «Christie mató a Ruth Fuerst un día de mediados de agosto. "Se desvistió —dijo— y quiso que tuviera relaciones sexuales con ella."» En su libro *10 Rillington Place* que Mix tenía entre el resto de su biblioteca, Ludovic Kennedy, al escribir que la relación entre ellos dos se desarrolló paulatinamente, sugiere que sería mucho más probable que la mujer hubiese realizado una sencilla transacción de prostituta a cliente, o que le hubiese brindado sus favores a cambio de que él, en su capacidad de agente especial, no denunciara su ejercicio de la prostitución.

«Durante las relaciones sexuales él la estranguló con un trozo de cuerda. Después la envolvió en su abrigo de piel de leopardo (¡un abrigo de piel en agosto!), la llevó al salón y la colocó debajo de las tablas del suelo junto con el resto de su ropa.

»Aquella misma tarde, Ethel, que había estado ausente en Sheffield con sus familiares, llegó a casa acompañada por su hermano Henry Waddington, quien tenía intención de quedarse a pasar la noche allí. Como en la casa sólo había un dormitorio y estaba ocupado por el señor y la señora Christie, Henry Waddington durmió en el salón, a unos cuantos palmos de distancia del cuerpo temporalmente sepultado de Ruth Fuerst...»

Mix tuvo que dejarlo ahí. Iba a pasar a buscar a Danila a las ocho y quería salir pronto para quedarse un rato frente al número 41 y contemplar la casa en la que había vivido aquella primera víctima. El número 41 de Oxford Gardens se hallaba al otro lado de Ladbroke Grove, un edificio bastante degradado que necesitaba con urgencia una mano de pintura y un acondicionamiento general. No había duda de que actualmente su valor alcanzaría una enorme suma, algo increíble para sus ocupantes del tiempo de la guerra si alguno de ellos siguiera aún con vida. Un gato bastante parecido a *Otto*, si bien éste era mayor y con el hocico gris, subió al muro y se detuvo al ver a Mix mirando. Él lo espantó y le hizo una mueca, pero el animal era astuto y experimentado. Le lanzó una mirada inescrutable y se dirigió lenta y tranquilamente hacia un macizo de arbustos.

¿Alguna vez Reggie había estado allí donde estaba él, luego se había decidido y había recorrido el sendero y llamado al timbre? Puede que hubiera acudido allí en otras ocasiones antes del encuentro fatal. ¿Acaso el autor del libro más conocido sobre Reggie no había sugerido que se conocían desde hacía tiempo? Muy probablemente todas sus relaciones con las víctimas se desarrollaran paulatinamente. Era lógico que alguna vez se hubiese acercado al lugar donde vivían. Al fin y al cabo, por regla general Ethel Christie estaba en casa en Rillington Place y él no siempre podría haberlas conocido en cafeterías o bares.

Mix estaba cada vez más convencido de que Reggie había visitado a Gwendolen en Saint Blaise House. Cuando al principio le alquiló el piso, ella había mencionado de pasada a su madre y a su padre, con quienes había vivido en aquella época lejana, y también había mencionado la muerte de su madre poco después de la guerra. El padre había trabajado de profesor, aunque Mix no sabía lo que enseñaba, y seguro que estaba a menudo fuera de casa. Se imaginaba a Gwendolen dejando entrar a Reggie, llevándolo a la cocina para tomar una taza de té (esnob que era ella) mientras hablaban sobre el aborto, sobre la necesidad que tenía ella de llevarlo a cabo y de la habilidad de él para realizar la operación. Tal vez Gwendolen no pudiera pagar los honorarios que pedía Reggie, pero Mix no recordaba haber leído en ninguna parte que hubiese cobrado alguna vez...

Cuando volvió a la casa en la que vivía Danila dos minutos después de las ocho, se la encontró esperándolo al otro lado de la puerta principal. No se sintió complacido por ello, pues era un indicio demasiado evidente de desesperación.

Hubiera preferido que lo hubiese hecho esperar, aunque hubiera sido media hora. Pero ahora ella estaba allí con él y, como solía decir su abuela, iba de punta en blanco, con unos pantalones de cuero muy ceñidos, una blusa plisada y una chaqueta de piel de leopardo de imitación. Igual que Ruth Fuerst, pensó él, y se preguntó si Fuerst habría tenido ese mismo aspecto, flaca morena y de rasgos marcados. Trató de recordar si alguna vez había visto alguna fotografía suya. Fueron caminando hasta Ladbroke Grove y al Kensington Park Hotel.

Le encantaba el KPH, no porque tuviera nada especial, sino porque Reggie lo había frecuentado todos esos años atrás. Era un lugar histórico. Deberían tener un letrero que indicara a la clientela que una vez fue el local del asesino más infame del oeste de Londres. No obstante, ¿qué podías esperar de una gente tan ignorante como para echar abajo Rillington Place y destruir todo indicio del célebre emplazamiento?

—No eres muy hablador —le dijo Danila ante un vodka con grosella—. A Kayleigh le gustaría saber si se te ha comido la lengua el gato.

Aquello le recordó desagradablemente a *Otto*.

—¿Quién es Kayleigh?

—La chica que hace el turno de tarde en el gimnasio. Es amiga mía. —Al ver que Mix no respondía, ella añadió con entusiasmo (¿o acaso con desesperación?)—: Hoy me han predicho el futuro.

Mix iba a replicar que el tema no le interesaba y que no era más que una sarta de estupideces cuando recordó haber leído que Nerissa frecuentaba a los curanderos, a los adivinos y que tenía un gurú. Además, ahora él también creía a medias en los fantasmas, ¿no?

—Creo que debe de haber algo de cierto en todo eso. Hay muchas cosas que no sabemos, ¿no es verdad? Me refiero a que algunas de ellas resultará que tienen fundamento científico.

—Eso es precisamente lo que yo digo. A mí me lee el futuro Madam Shoshana en el gimnasio. Es la jefa, pero también es adivina, tiene toda clase de títulos.

—¿Y qué te dijo?

—No tienes que reírte. Mi destino está ligado al de un hombre cuyo nombre empieza por ce. Y yo pensé que podría tratarse del tipo que hace las pedicuras en el *spa*. Se llama Charlie, Charlie Owen.

Mix se echó a reír.

—Podría ser yo.

—Tu nombre empieza por eme.

—Mi apellido no.

—Sí, pero es una ese.

—No, no es así. ¡Si lo sabré yo! Se escribe ce, e, elle, i, ene, i.

Ella lo miró a los ojos.

—Estás de broma.

—¿Quieres otra copa? —le preguntó Mix.


En el camino de vuelta a Oxford Gardens, Mix compró dos botellas de vino blanco de California en la vinatería, los restos baratos del cajón de las ofertas. Se lo bebieron en la cama de la chica y después Mix no creyó haberse desenvuelto muy bien. Pero ¿qué importaba eso? Los dos estaban borrachos y ella no era la clase de chica con la que sientes que tienes que hacer un buen papel. Frente a la puerta, el suelo y el techo se mecían como las olas del mar, se alzaban, descendían y se agitaban. Mix se dirigió a la escalera agarrado a la barandilla, tropezó, estuvo a punto de caerse de rodillas y la chaqueta se le subió a la nuca. Se la arregló lo mejor que pudo, empezó a bajar y se cruzó con un hombre que subía y que se apartó, encogiéndose inequívocamente cuando percibió su aliento. Otro inquilino, conjeturó su mente embotada, un tipo de Oriente Próximo de rostro cetrino y bigote negro; todos parecían iguales. Mix no volvió la vista atrás y no vio que el tipo recogía una pequeña tarjeta blanca del rellano frente a la habitación de Danila.

Mix se fue a casa arrastrando los pies en medio de la noche húmeda y bochornosa. Un aire más frío tal vez lo hubiera despejado un poco, pero aquello era como un baño templado. *Otto* volvía a estar en las escaleras, lamiéndose los bigotes como si hubiese estado comiendo algo. Mix encontraba que había algo extraño y quizá desagradable en el hecho de que el gato pasara tanto tiempo allí arriba en las escaleras. Cuando se mudó, esto no ocurría. La antipatía era mutua, por lo tanto no era él lo que atraía al animal. ¿Qué era entonces?

# 8

Nerissa iba a dar una fiesta. Ninguno de sus amigos estaba invitado a ella, ni Rodney Devereux, ni Colette Gilbert-Bamber ni la modelo que había acabado con un tobillo más grueso que el otro, sino únicamente su propia familia. Las únicas personas con las que no tenía parentesco a las que había invitado eran los Jones, los vecinos de sus padres. Envió una de sus hermosas tarjetas color púrpura grabadas con letras doradas al señor Bill Jones y señora, y al señor Darel Jones, y al pie anotó con tinta blanca: «No faltéis. Con cariño, Nerissa».

Le llegó una carta bastante amable, aunque un tanto fría, de parte de Sheila Jones. En ella le comunicaba que no podían asistir y que lo lamentaba, pero no decía por qué no podían. Nerissa no tenía muy buena opinión de su propia inteligencia, pero incluso ella pudo leer entre líneas que la señora Jones pensaba que la fiesta sería demasiado espléndida para ellos, que asistiría demasiada gente elegante, que se expondría demasiada moda y que se hablaría demasiado sobre cosas que ellos no entenderían. Nerissa se llevó una decepción, y no sólo porque la negativa incluía a Darel. Los Jones eran el tipo de personas que a ella le gustaban, francos, sencillos y con los pies en la tierra.

Ojalá supieran la clase de fiesta de la que se trataba en realidad, que la daba para celebrar el cumpleaños de su padre (lo cual había dicho en la invitación) y que asistirían sus hermanos con sus esposas y los siete hijos que tenían entre todos; su primo, que era una estrella en el poderoso sindicato Transport and General Workers' Union; la hermana pequeña de su madre, elegida concejala del municipio de Tower Hamlets; la hermana mayor de su madre, que encontró y se casó con el novio al que no había visto desde hacía toda una vida; la tía de su madre, que vivía en Notting Hill; sus tres sobrinas pequeñitas y su sobrino de tres años; y su abuela, la matriarca nacida en África hacía noventa y dos años.

Eran los Jones los que se lo perdían, se dijo Nerissa con actitud desafiante en tanto que Lynette y ella repartían tazas de té a los que no querían cóctel de champán. No obstante, admitió calladamente que ella también salía perdiendo, y cuando Lynette y el primo del TGWU hubieron retirado algunos muebles y empezó el baile, imaginó lo feliz que habría sido en brazos de Darel, deslizándose con suavidad por el suelo. Para empeorar aún más las cosas, justo cuando su abuela le estaba explicando una historia fascinante sobre su propia madre y un hechicero, sonó el teléfono. Era Rodney. Nerissa se llevó el teléfono al estudio y escuchó con impaciencia mientras él le preguntaba por qué no había sido invitado a la fiesta y si estaba loca agasajando a todos esos parientes.

—Es bien sabido que todo el mundo odia a sus padres —dijo Rodney—. Ya sabes qué dijo ese como se llame: «Te joden la vida, papá y mamá».[2]

---

2. Del poema *This Be The Verse* de Philip Larkin. *(N. de la T.)*

—Pues los míos no lo han hecho. Y quienquiera que dijera eso estaba enfermo.

—¡Por Dios! Escaquéate y te recogeré dentro de cinco minutos.

—No puedo, Rod —respondió Nerissa—. Papá va a cortar la tarta.

Regresó a la fiesta, y como a ninguno de los pequeños les gustaba el pastel de fruta, les dio de comer galletas de chocolate y helado.

—Dentro de un par de años tú también tendrás uno igual —comentó su tía de Tower Hamlets.

—¡Ojalá! —Nerissa pensó en Darel, que habría salido a alguna parte con su novia, sin duda. Quizás incluso se estuviera prometiendo con ella… ahora mismo, mientras ella hablaba—. Pero primero tendré que casarme.

—La mayoría ya no se molestan en hacerlo —terció su tía de Notting Hill…, bueno, su tía abuela, en realidad.

—Yo lo haría —dijo Nerissa mientras le limpiaba la boca a un niño.

Puso a Johnny Cash cantando «I Walk the Line», subió el volumen del reproductor de cedés y fue a bailar con su padre.


Gwendolen se hubiera horrorizado y escandalizado profundamente de haber sabido las fantasías que su inquilino le imputaba sobre su vida pasada. Pero había olvidado la breve conversación que habían mantenido en el vestíbulo sobre el tema de su visita al número 10 de Rillington Place. De haber sabido que Mix Cellini había llegado a creer que ella había conocido a Christie tan bien como lo habían conocido

Ruth Fuerst o Muriel Eady, que había realizado frecuentes visitas a su casa y que él había acudido a Saint Blaise House porque necesitaba un aborto, se hubiese sentido humillada de un modo indescriptible. Cellini había ido aún más allá al concluir que, como Gwendolen seguía viva, al final debía de haber rechazado la oferta de Christie de una operación ilegal porque no podía permitirse el lujo de pagarla y, por lo tanto, debió de tener un hijo. Actualmente sería un hombre o una mujer de mediana edad… ¿Alguna vez pasaba por allí? ¿Acaso él, Mix, había visto alguna vez a esta persona misteriosa? Pero Gwendolen, afortunadamente para ella, no sabía nada de esta actividad febril de la mente de Mix.

Ya había sufrido bastante humillación en su visita al Internet café, donde estuvo un rato sin recibir ayuda de nadie. Y ella estaba completamente en la inopia. No sabía si a los demás, todos ellos personas muy jóvenes y expertas en el uso de ordenadores, les resultaba absurdo su desconcierto, pero tenía la sensación de que así era e interpretó la media sonrisa de un rostro y una cabeza que se volvía como muestras de desprecio divertido. Aunque ya había pagado y odiaba derrochar el dinero, se habría levantado y marchado de allí, abandonando para siempre este medio de búsqueda de Stepeh Reeves. No obstante, en el preciso momento en el que, desesperada, empujó la silla hacia atrás, un joven que acababa de entrar le preguntó si tenía algún problema.

—Me temo que, por lo visto, no puedo hacer que…

—¿Qué es lo que quiere saber? —le preguntó el joven.

¿Qué mal había en contárselo a un desconocido? No volvería a verle. Y él no iba a adivinar la razón por la que buscaba a Stephen Reeves, ¿no? Resolver si confiar en él fue una de las mayores decisiones que Gwendolen había tenido que tomar en su larga vida.

—Quiero averiguar, esto…, el paradero de un tal doctor Stephen Makepeace Reeves. —Tuvo la impresión de que decir la edad de Stephen suscitaría incredulidad en aquel veinteañero, pero no podía evitarlo—. Ahora tendrá ochenta años. Es médico y antes ejercía aquí en Ladbroke Grove…, pero de eso hace muchísimo tiempo, cincuenta años.

Si la persona que se había ofrecido a ayudarla encontró que era una petición extraña, no dio muestras de ello. A pesar de su timidez y el miedo muy real que le daba el ordenador y lo que éste podría hacer, quedó fascinada por la manera rápida y segura con la que el muchacho hacía aparecer una fotografía tras otra en la pantalla; las columnas de texto, los recuadros en letra de imprenta y las cajas de información se sucedían, se desplegaban y pasaban, y en muchos colores distintos. Y entonces, allí estaba: «Stephen Makepeace Reeves, 25 Columbia Road, Woodstock, Oxfordshire», con un número de teléfono y algo que el joven dijo que era una dirección de correo electrónico, y también una especie de biografía suya que decía dónde y cuándo nació, dónde estudió medicina, que se había casado con Eileen Summers y que tuvieron un hijo y una hija. Se había marchado de Notting Hill y se había hecho socio en un consultorio de Oxford, donde había permanecido hasta que se retiró en 1985. Durante los años siguientes había escrito varios libros sobre la vida de un médico en una famosa ciudad universitaria, uno de los cuales había sido el precursor de una serie de televisión.

Desgraciadamente, su esposa Eileen había fallecido hacía poco con setenta y ocho años. Gwendolen soltó un suspiro de alegría y esperó que el joven no lo notara. Lo único que quería entonces era estar sola, pero aún tenía curiosidad y había de saberlo.

—¿Todo el mundo tiene algo así aquí dentro? —señaló con el dedo cerca de la pantalla medio temerosa, medio esperanzada, de que su propia historia pudiese estar oculta en sus profundidades.

—Como esto no. Él tiene una página web, ¿sabe? Por haber escrito esos libros, supongo, y por la serie de televisión.

Gwendolen no tenía ni la más remota idea de lo que le estaba diciendo, pero le dio las gracias y se marchó. Tenía que hacer unas compras, pero no entonces, en aquel momento no podía hacer otra cosa que no fuera pensar, sólo pensar. El automóvil del señor Cellini, que estaba aparcado fuera cuando se había marchado, ya no estaba allí. Se sintió aliviada. Pese a que tenían poco contacto, el hecho de que él estuviera en la casa, aunque fuera allí arriba del todo, en lo que su madre llamaba el ático, afectaba levemente la tranquilidad que ella necesitaba para meditar, recordar y planear.

Estuvo un rato sentada en el salón, donde la atmósfera llena de polvo y el olor de las telas que no se limpiaban desde hacía medio siglo, la humedad, el moho, las desconchaduras y los insectos muertos se combinaban para traerle a la memoria de manera reconfortante una época lejana y feliz. No obstante, algo que no estaba allí medio siglo antes, los chirridos y el runrún del tráfico al otro lado de la ventana, la hizo subir al piso de arriba, a su dormitorio, donde se estaba un poquito mejor.

*Otto* estaba tumbado comiéndose un ratón delante de la chimenea, donde aún quedaban cenizas de un fuego que se encendió en 1975. Nunca le traía ratones a modo de obsequio tal y como harían la mayoría de gatos con sus propietarios, sino que él se los llevaba a sus lugares favoritos, les arrancaba la cabeza a mordiscos y se comía lo que le apetecía del resto. Gwendolen no le prestó más atención de la que le había prestado siempre, aparte de ponerle la comida, desde que el animal había aparecido de la nada en Saint Blaise House hacía un año. Se quitó los zapatos con los pies, se tumbó en la cama y se tapó las piernas con el edredón de seda rosa.

Tal vez fuese a Oxford. Quizás incluso tuviera la osadía de pasar allí un fin de semana. En el Randolph. Su padre se alojaba siempre allí cuando el director de alguna facultad no lo invitaba a quedarse en las habitaciones asignadas para los huéspedes distinguidos. Una vez allí, tomaría un taxi hasta Woodstock, aunque puede que fuera en autobús. Los taxis eran muy caros. O escribiría una carta. Normalmente, en tales circunstancias lo mejor es escribir primero. Por otro lado, ella no tenía experiencia previa de tales circunstancias.

La música de la que había sido vagamente consciente desde que entró en el dormitorio pareció aumentar de volumen poco a poco. No venía de la calle, sino del techo. Así pues, el señor Cellini debía de estar en casa, pese a la ausencia de su automóvil. Quizá lo había llevado a reparar o lo que fuera que la gente hiciera con los coches. Fue hasta la puerta y la abrió, molesta, pero al mismo tiempo un tanto complacida por el hecho de que a su inquilino le gustara la música de verdad al fin y al cabo. Dijera lo que dijera, debía haber sido él quien el otro día había puesto *Lucia*. En esta ocasión era una tocata de Bach.

Si antes de la llegada del señor Cellini alguien le hubiera dicho que toleraría con paciencia e incluso con placer los sonidos provenientes del piso alquilado, Gwendolen no lo hubiese creído. Pero lo cierto era que la música clásica era otra cosa, y no tenía que pagar por la electricidad que se gastaba para oírla. Siempre y cuando no le gustara Prokofiev (ella no soportaba a los compositores rusos), no la perturbaba en absoluto. Volvió a la cama y se imaginó encontrándose cara a cara con Stephen Reeves frente a las puertas del palacio de Blenheim. Él la reconocería de inmediato, le tomaría las manos entre las suyas y le diría que no había cambiado nada. Entonces ella le enseñaría el anillo de compromiso de su madre que llevaba en lugar del que él no le había regalado. Quizá se lo quitara del dedo y se lo pusiera en la mano izquierda. Con este anillo yo te desposo…

Mix se ocupó del siguiente grupo de máquinas en el gimnasio de Shoshana. Era su cuarta visita al local, había terminado lo que estaba empezando a llamar su «jornada laboral» y llegó allí poco antes de las cinco. En las demás ocasiones había elegido la mañana de su día libre, un día a primera hora antes de entrar a trabajar y otro a mediodía, durante su descanso para comer, pero en ninguna de estas visitas había visto a Nerissa. Ahora el próximo servicio de las máquinas sería hasta dentro de seis meses y su única excusa para regresar era para ver a Danila.

Si de Mix hubiera dependido, nunca habría vuelto a fijarse en la chica. Por desgracia, resultaba muy evidente que ella sentía todo lo contrario hacia él. No es que fuera un psicólogo, pero de todas maneras comprendía que era una perdedora, una mujer con poca o ninguna autoestima, una mujer que buscaba a un hombre al que aferrarse, amar y obedecer como haría un perro. Danila creía haber encontrado en él a ese hombre. Aunque de manera vaga, Mix la consideraba una víctima, una persona que, por el hecho de verse a sí misma como insignificante, merecía que la trataran de este modo y por lo tanto no quería gastarse dinero con ella ni llevarla a ningún sitio donde el hecho de verlos juntos pudiera dar la impresión de que salía con él. No se sentía orgulloso del pecho plano de la chica ni de sus piernas flacas, su cara de comadreja y su mirada ávida. La velada en el Kensington Park Hotel fue una cita aislada. Desde entonces él se había limitado a acudir a su casa de Oxford Gardens con un par de botellas y pasar la tarde allí.

Ella lo consideraba su novio. Mix quiso saber si había hablado de él a alguna de sus amistades y ella dijo que en realidad no tenía amigos. Estaba Kayleigh, por supuesto, pero no le había mencionado nada sobre él a la chica. Podría disgustarla. Ella no tenía novio. Danila tan sólo llevaba seis meses en Londres. Antes había trabajado en Shoshana's Beauty Zenana en Lincoln.

—Madam Shoshana quería que me quedara a trabajar hasta tarde, pero le dije que no podía, que iba a ver a mi novio. No le dije que eras tú porque es clienta tuya. Pensé que podría parecer raro.

Mix comprendió que podría dejarla cuando le apeteciera. No habría repercusiones. Mientras tanto, no le importaba tirársela cuando su cuerpo y su mente, y los de ella, entraban en un estado de deseo y relajación gracias al vino tinto dulzón. En ciertos aspectos resultaba una opción mejor que la de Colette Gilbert-Bamber, quien no dejaba de revolverse, retorciéndose, dando mordiscos y gritando instrucciones. Danila yacía pasiva y complaciente, no pedía nada, recibía lo que podía y sonreía cuando el prolongado estremecimiento recorría su cuerpo. Para tratarse de una chica tan huesuda, era sorprendentemente suave al tacto, y cuando la besaba, cosa que hacía de vez en cuando, sus labios finos parecían hincharse y calentarse.

Sin embargo, eso no bastaba para retenerlo, se dijo cuando regresó a Saint Blaise House a medianoche y se tapó los ojos con la bufanda para subir a ciegas el tramo embaldosado por si acaso el fantasma estaba en el pasillo. A Danila no le dijo nada del fantasma pero le preguntó si sabía que Ruth Fuerst había vivido un poco más abajo en esa misma calle.

—¿Quién?

A Mix siempre le sorprendía descubrir que alguien que vivía en Notting Hill no supiera nada sobre Christie y sus asesinatos. Puede que hubieran pasado cincuenta años, pero lo sucedido aún seguía fresco en las mentes de las personas inteligentes. ¿Qué se podía esperar de una chica con tan pocas luces como Danila?

—La primera mujer a la que asesinó Christie. Vivió en el número cuarenta y uno. —Le habló de Reggie mientras estaban tumbados en la cama después de haber tenido relaciones sexuales. Ruth Fuerst, Muriel Eady, muy probablemente Beryl Evans y su hija Geraldine, unas cuantas más y la propia Ethel Christie. Todas ellas estranguladas y enterradas en la casa o en el jardín—. Si yo fuera él y tú una de ellas —dijo Mix—, te hubiera follado una vez muerta.

—Me tomas el pelo.

—No, ni mucho menos. Eso es lo que hacía. Puedes ir a ver dónde vivía si quieres. No se encuentra lejos de aquí, pero está todo cambiado, ya no es lo mismo. —No se ofreció a enseñárselo—. La anciana propietaria de mi piso, o mejor dicho, de la casa en la que está, lo conoció, tenían una relación estrecha, él iba a practicarle un aborto, pero en el último momento ella cambió de idea.

—Me estás poniendo los pelos de punta, Mix.

Él se echó a reír.

—Voy a abrir la otra botella. No te levantes.

Cuando faltaba un cuarto de hora para la medianoche, Mix se vistió y, cual Cenicienta masculina, se preparó para llegar a casa a la hora fijada. Echó un vistazo a la habitación y pensó que aquello era un verdadero basurero; no es que estuviera particularmente sucia, pero sí muy desordenada, y no se veía ni un solo mueble decente. Las cortinas parecían estar confeccionadas con una sábana partida por la mitad.

—La próxima vez puedes venir a mi casa —dijo Mix tras considerar detenidamente las implicaciones y decidir que Saint Blaise House era un lugar seguro y mucho más cómodo. Le divirtió pensar lo impresionada que iba a quedar—. ¿El viernes sobre las ocho?

—¿Puedo ir, en serio? —lo miró con ojos centelleantes.

«Menuda estúpida —pensó—, no tiene ni idea.» En realidad, ella no le gustaba. No, eso no era así. El hecho es que la detestaba y se dio cuenta de por qué. Le recordaba a su madre: la misma debilidad y pasividad, la misma ineptitud... Sólo había que ver el desastre que reinaba en su habitación. Al igual que su madre, no era guapa, ni inteligente ni tenía éxito en nada, no poseía ni un atisbo de orgullo y dejaba que se la follara cualquiera que quisiera hacerlo. Ella le dejó hacerlo la primera vez que salieron juntos. Para que valiera la pena tenerlas, las mujeres tenían que ser difíciles de conseguir. No es que Colette lo fuera, pero ella era una ninfómana, todos los técnicos lo decían. El enojo que Mix sentía hacia su madre se estaba transfiriendo a Danila. Ése era el efecto que causaba en un hombre, pensó, hacía que le entraran ganas de pegarle, lo mismo que ocurría con su madre.

Mix se sintió aliviado al ver que ninguno de los vecinos de Danila estaba por ahí, no había señales del hombre de Oriente Próximo y al salir al frío aire de la noche tuvo que decirse a sí mismo que no se preocupara tanto, que él no era Reggie, no era un asesino temeroso de que lo reconocieran cerca del escenario de un crimen. ¿Y qué mas daba que lo viera alguien? De todas formas, al cabo de cinco minutos ya ni se acordarían. Abstraído, empezó a toquetear la cruz que llevaba en el bolsillo. Se encontró con que últimamente lo hacía cada vez más, sobre todo cuando estaba en contacto con el número trece, al pasar por delante del número trece de Oxford Gardens, por ejemplo, o al ocuparse de la cinta de correr número trece en el gimnasio de Shoshana.

Al día siguiente pensó que lo que más merecía su atención era llegar a conocer a Nerissa. De momento no había hecho ningún progreso. Su próximo movimiento podría ser inscribirse en la lista de espera para hacerse socio del gimnasio. Le resultaría muy sencillo conseguir que Danila lo subiera de posición en la lista, que lo pusiera el primero, o incluso que lo dejara entrar saltándose la lista directamente. Entonces podría ir allí cuando quisiera. Y eso le haría bien.

Tenía que reconocer que no había conseguido prácticamente nada con sus paseos ni reduciendo la comida basura. Hacía tan sólo media hora, cuando dejó a Colette, se había comprado una barrita Cadbury de fruta y frutos secos y una bolsa de patatas fritas, que habían desaparecido misteriosamente mientras permanecía sentado en el coche pensando.

El viernes se lo preguntaría a Danila. Corrección: el viernes se lo diría, le diría lo que quería y que lo hiciera. Si acudía al gimnasio todos los días durante una semana, seguro que acabaría viendo a Nerissa, y en cuanto la hubiese visto... Mix se dijo que tenía mucha seguridad en su relación con las mujeres y comprendió que era gracias a esta seguridad que lograba conseguir las que él quería. En general. Para ser del todo sincero consigo mismo, admitiría que cuando se trataba de alguien a quien deseaba mucho no tenía tanto éxito. ¿Y eso por qué? Debía recordarlo, y cuando hubiera conocido a Nerissa, ir despacio, con cautela. No había duda de que la deseaba más de lo que había deseado nunca a nadie. Por sí misma, claro está, pero también por la notoriedad que le reportaría.

Se hartó de toda aquella introspección y mientras conducía hacia el domicilio donde tenía que realizar su siguiente servicio dejó vagar su imaginación y se sumió en una fantasía en la que acompañaba a Nerissa a algún acto fastuoso, digamos la ceremonia de entrega de los premios Bafta, donde colocaban una alfombra roja en la acera para que las estrellas caminaran por ella al apearse de sus vehículos. Ella llevaría un precioso vestido trasparente y sus diamantes y él un esmoquin que le sentaría maravillosamente bien a su nueva y delgada figura. Mix nunca había pensado mucho en el matrimonio. Sólo sabía que no era para él, al menos de momento, o quizá cuando se fuera acercando a los cuarenta. Pero ahora… Si jugaba bien sus cartas, ¿por qué no iba a casarse con Nerissa? Si iba a casarse algún día, ¿quién iba a resultar más conveniente que ella? ¿Y quién resultaría más conveniente ahora mismo?

Se decidió por una carta. Aunque hacía ya muchos años que no escribía ni recibía ninguna, Gwendolen consideraba que redactaba bien. Leer cualquier escrito que compusiera resultaría un verdadero placer y éste despertaría en el destinatario una sensación de los buenos tiempos pasados cuando la gente sabía deletrear, escribía en buen inglés sin errores gramaticales y eran capaces de construir una frase. En una misiva que le había enviado una empresa que pretendía suministrarle el gas aparecía la frase: «Tendrá de recibir nuestra comunicación». Por supuesto, ella había contestado con palabras hirientes sobre el indudable y rápido fracaso de cualquier empresa lo bastante insensata como para contratar a analfabetos, pero no había obtenido ninguna respuesta.

En aquellos momentos estaba escribiendo a Stephen Reeves y la tarea le resultaba difícil. Por primera vez en su vida lamentó no tener un televisor para poder haber visto sus programas sobre un médico rural. ¡Menuda sorpresa se hubiese llevado al ver aparecer su nombre en la pantalla! De haber sabido que iban a transmitir la serie, podría haber ido a la tienda de televisores de Westbourne Grove y quedarse a mirarla a través del escaparate. La cuestión era que no podía decirle, tal como a ella le hubiera gustado, que había visto sus programas y que le habían encantado. *Ver tus historias que cobraban vida en la pequeña pantalla me llevó...* (no, me indujo; no, ¿me alentó?), *me impelió a escribirte al cabo de tantos años. Aunque albergaba ciertas dudas en cuanto a la identidad del autor, visité tu página web, en la cual...* Si mencionaba la página web, él se daría cuenta de que había evolucionado con los tiempos. Entonces Gwendolen recordó que, por descontado, no había visto la serie y no tenía televisor, por lo que debía volver a empezar.

*Me enteré por un conocido de tu incursión en el campo de la televisión y esto me movió a...* El joven del Internet café contaría como un conocido, ¿no? Por nada del mundo quería empezar diciendo falsedades. *Me movió a reanudar una antigua amistad...* ¿Era demasiado atrevido? La mayoría de la gente diría que cincuenta años eran una larga ruptura de cualquier amistad. *Me movió a ponerme en contacto contigo.* Tendría que decir por qué. Tendría que decir que quería verle. Gwendolen arrugó su quinto intento, desconsolada. Tal vez fuera mejor concentrarse sin el papel y la pluma y decidir cuáles iban a ser sus palabras antes de empezar a escribirlas.


Darel Jones llevaba el asunto de su mudanza a un piso de los Docklands con una tierna consideración hacia sus padres. Durante su época de instituto y universidad y sus estudios de posgrado, había vivido en casa y ahora, a la edad de veintiocho años, con un nuevo empleo mucho mejor pagado, era hora de marcharse. Como sabía que debía hacerlo antes de cumplir los treinta, en cuanto alcanzó la mayoría de edad había procurado lavarse y plancharse él mismo la ropa, comer fuera cuatro veces a la semana, visitar a sus novias en sus viviendas en lugar de traerlas a su casa para pasar la noche y, en general, ser independiente. De este modo cruzó una delgada línea, pues su madre hubiera hecho todas sus tareas encantada, hubiese recibido a las chicas gustosamente y se hubiera obligado a no aplicar el doble rasero, felicitándolo para sus adentros por su elección en tanto que los condenaba a ambos por su falta de castidad. Había pasado por lo menos dos noches a la semana con sus padres, había salido con ellos, habían ido al cine, se había mostrado encantador con sus amigos y agradecía escrupulosamente a su madre las pequeñas cosas que hacía por él. Ahora se iba a vivir solo al otro extremo de Londres.

Ninguno de sus dos progenitores había pronunciado una sola objeción, pero la víspera del día de su mudanza, con el mobiliario nuevo ya instalado y su ropa en dos maletas que aguardaban en el salón a que las metiera en el coche, vio que una lágrima se deslizaba por la mejilla de su madre.

—Vamos, mamá. ¡Anímate! Imagínate que me fuera a Australia como el hijo de tu amiga, la señora como se llame.

—Yo no he dicho ni una palabra —repuso Sheila Jones a la defensiva.

—Las lágrimas hablan por sí solas.

—¿Cómo vas a ponerte cuando se case? —Su esposo le pasó su pañuelo, un movimiento que había realizado un promedio de una vez por semana durante sus treinta años de matrimonio.

—Espero que lo haga. Sé que me encantará su esposa.

Darel no estaba tan seguro de ello.

—Aún falta mucho para eso —dijo—. Escuchad, quiero que me digáis los dos que vendréis a cenar el sábado. Para entonces ya estaré instalado.

Sheila empezó a animarse.

—Tom y Hazel quieren que pasemos todos por su casa esta noche para tomar una copa de despedida. Dije que lo haríamos. Estará Nerissa.

Darel lo consideró, pero no demasiado.

—Id vosotros —dijo—. Podéis despediros de mi parte.

—No, no vamos a ir sin ti. No tiene sentido. Además, nos perderíamos las valiosas últimas horas contigo.

Si no hubiera dicho que esa modelo estaría allí, puede que Darel hubiera accedido. Nerissa Nash (¿por qué no podía haber mantenido el interesante apellido de su padre?) era muy hermosa, cualquier hombre lo admitiría, y, según decía su padre, una chica estupenda. Sin embargo, Darel no se fiaba de todo ese mundo de los famosos. Sólo lo conocía por lo que había leído en los periódicos. Como normalmente su lectura preferida era el *Financial Times,* no es que tuviera demasiada idea, pero había ciertas palabras emotivas que evocaban ese mundo y que despertaban su desagrado: club, moda, estrella, aparición pública, diseñador y, por supuesto, la propia palabra «famoso» se encontraban entre ellas. Una persona que perteneciera a esta supuesta élite debía de ser una cabeza hueca, ignorante, sosa y superficial. Este tipo de personas iban encaminadas a unas vidas infelices y vacías, a relaciones fallidas, familias disfuncionales, hijos alienados y una renuencia desesperada a hacerse mayores.

«Pedantes», decía con frecuencia para sus adentros, y siempre decidía tener una actitud menos censuradora. El hecho era que no tenía ningún deseo de profundizar su relación con Nerissa Nash más allá de responder con un «Buenas noches» a su «Hola» y alzar la mano para dirigirle un moderado saludo si la veía a cierta distancia.

## 9

Hasta que no sonó el timbre de la puerta Mix no recordó que iba a venir Danila. Había olvidado comprar algún vino barato y ahora tendría que darle ese Merlot bastante bueno que había comprado para consumirlo a solas el domingo por la noche. Como creía que iba a pasar la noche sin compañía en casa, se hallaba absorto en el tercer capítulo de *Las víctimas de Christie*:

> Muriel Eady, una mujer de 31 años que vivía en Putney y trabajaba en Ultra Radio Works en Park Royal. Al dejar la policía por motivos que se desconocen, Christie también había ido a trabajar allí. Se hicieron amigos, en la medida en la que Christie era capaz de entablar amistad, y en varias ocasiones ella y su prometido salieron con Christie y señora.
>
> Muriel Eady sufría de rinitis crónica y Christie afirmó que podía curarla con la ayuda de un aparato inhalador de su propia invención. Cuando su esposa se marchó, una vez más, a pasar unos días de vacaciones con su hermano en Sheffield, él invitó a Muriel a su casa, le ofreció una taza de

té y le enseñó lo que él decía que era el aparato en cuestión. Sin embargo, aunque éste contenía bálsamo del fraile, sin que Muriel lo supiera, también dejaba entrar un tubo que por el extremo estaba conectado a un conducto de gas...

Fue en este punto cuando se vio emplazado a ir a abrir la puerta. La vieja Chawcer no había visto ninguna necesidad de tener un portero automático, ni siquiera un timbre separado para el piso de arriba, de modo que en las contadas ocasiones en las que alguien llamaba a su puerta, Mix tenía que bajar los cincuenta y dos escalones y volver a subirlos otra vez. La vieja Chawcer nunca respondía al timbre a no ser que esperara una visita, un acontecimiento que por la noche era menos habitual, por lo que estaba prácticamente seguro de que no iría a abrirle la puerta a Danila. Porque, cuando pisó el primer peldaño de la escalera embaldosada, ya había recordado quién debía de ser la persona que llamaba.

El timbre sonó otras dos veces antes de que Mix llegara. No tenía que haberse preocupado por el vino porque ella había traído dos botellas, una de Riesling y otra de ginebra. Esto debería haberlo complacido, pero no lo hizo. En su opinión, las mujeres no debían contribuir al entretenimiento nocturno, ninguna mujer que se respetara lo haría, esperaría que fuera el hombre quien pagara. Danila llevaba su mata de cabello oscuro más alborotada y voluminosa que nunca... Mix pensó que era ridículo, que hacía que su pequeña cara se viera diminuta. Su siguiente movimiento empeoró aún más las cosas. Después de dejar las botellas en la mesa del vestíbulo, lanzó los brazos en torno al cuello de Mix y lo besó.

—Siempre me alegra mucho verte. Estaba deseando que llegara este momento.

Él no dijo nada, pero la condujo hacia la escalera. *Otto* estaba tumbado frente a la puerta del dormitorio de la señorita Chawcer, ocupado en un lavado integral.

—¡Ay, qué gatito más dulce! —El grito de Danila hizo que *Otto* se pusiera de pie con un sobresalto y arqueara el lomo—. ¿Es tuyo? ¡No me digas que no es una auténtica monada! —Cometió el error de alargar la mano hacia la cabeza de *Otto*, que retrocedió, le bufó y le lanzó un zarpazo antes de echar a correr escaleras arriba—. ¡Vaya, lo he asustado!

—Vamos —dijo Mix.

Cuando estaban en el rellano frente a la puerta de Mix, ella le preguntó por qué estaba tan oscuro y dijo que la vidriera de colores le daba escalofríos, pero el enojo de Mix se suavizó y pasó a ser una leve irritación cuando la joven empezó a admirar su piso. Danila caminó por su salón y pasó junto al retrato de Nerissa Nash dirigiéndole tan sólo una mirada que a continuación volvió hacia Mix, pero todo lo demás le encantó. ¡Ah, qué persianas! ¡Ay, los cojines, los muebles, los adornos, las pantallas de las lámparas! ¡Qué televisor más alucinante! Esa preciosa figura de una chica en mármol gris. ¿Quién era?

—Una diosa. Psique, me dijeron cuando la compré —respondió. Sirvió un buen trago de ginebra para cada uno con tónica que sacó de la nevera y hielo del congelador. No tenía limón.

—Así pues, ¿te gusta el apartamento?

—Es fabuloso. ¡Lo que pensarás de mi piso tan cutre!

—Me he tomado muchas molestias para tenerlo así.

—No lo dudo. ¿Por qué lees sobre asesinatos horribles cuando tienes un lugar tan encantador como éste? —Había cogido el libro que él había dejado boca abajo sobre el brazo del sofá de paño gris—. ¡Puaj! Es horrible: «Ella estaba inconsciente y la violó mientras la estrangulaba», leyó en voz alta.

—Dame eso —Mix le arrebató el libro—. Ahora ya me has perdido el punto.

—Lo siento. Es que…

—Está bien, no importa. Tráete la bebida al dormitorio.

Cuando viera los muebles y los cuadros, tendrían que volver a pasar por todo el numerito de las exclamaciones y los gritítos ahogados. Lo mejor sería acabar cuanto antes para ocuparse del asunto por el que ella había venido. Mix se volvió a llenar el vaso mientras la chica recorría el dormitorio con la misma especie de éxtasis que había mostrado en el salón. Dio unos sorbos. La ginebra que había traído Danila era Bombay, esa tan buena de la botella azul, eso tenía que reconocérselo. Regresó tranquilamente y fingió sorpresa al verla vestida igual que hacía dos minutos.

—Pensaba que ya estarías en cueros.

—Él —se acercó a él—. Mix, ¿siempre tenemos que empezar a hacerlo en cuanto llego? ¿No podemos hablar un rato?

Mix se quedó sorprendido. Era la primera vez que ella mostraba iniciativa, como si tuviera alguna clase de derecho a expresar una opinión sobre el orden de los acontecimientos. Cayó en la cuenta de lo que ocurría. A ojos de la chica, él ahora era su novio y estaba empezando a darlo por sentado. No tardaría en empezar a decirle lo que tenía que hacer en lugar de preguntárselo.

—¿De qué quieres hablar? —replicó él.

—No lo sé. De cosas. De la compra de los muebles para este piso, de tu trabajo, del mío, de tu precioso gato.

—¡Ese dichoso gato no es mío! —exclamó casi gritando.

—No hace falta que alces la voz.

Ella se quitó la ropa, pero no del modo que Mix hubiera preferido, no como una bailarina de *striptease* ofreciendo una excitante actuación. Danila se desvistió como lo hubiese hecho estando sola, colocando las prendas exteriores sobre el respaldo de una silla, dándole la espalda para quitarse el *panty* y el tanga. ¡Qué manía les tenía a las medias *panty*! ¿Y acaso ella no sabía que llevarlas con un tanga era de risa? Se dejó el sujetador puesto hasta el último momento, avergonzada de sus pechos diminutos. «No volveré a verla, encontraré otro modo de conocer a Nerissa», pensó Mix.

Danila se acercó a la cama, pero él la detuvo.

—Espera un momento. —No iba a hacerlo encima de su colcha de satén color marfil; la retiró y la plegó —. Listo —dijo.

Ella le dirigió una mirada servil, pero que al mismo tiempo tenía también algo de perplejidad. Mix se quitó los zapatos y los pantalones, pero se dejó puesta la camiseta y los calcetines. Un hombre no tenía que desnudarse, eso era cosa de la mujer. Una ira latente contra ella, una fría furia que no podía explicar del todo impidieron que se tomara ninguna molestia y lo que ocurrió entonces podría haberse llamado violación, salvo porque Danila no se resistió. Mix se separó de la chica para terminarse la copa.

Al cabo de cinco minutos Danila ya volvía a estar dando vueltas por el piso. Mix oyó que decía:

—¿Por qué la tienes aquí colgada?

No había duda en cuanto a qué se refería. No obstante, para asegurarse plenamente de su convicción, dijo:

—¿Te refieres a Nerissa Nash?

—¿Te has encaprichado con ella?

Mix se levantó. En algún lugar de su interior existía una veta mojigata que tal vez fuera un legado de la infancia que pasó entre los Adventistas del Séptimo Día. Claro que su desaprobación dependía en buena medida de la persona en cuestión. No sabía por qué, pero estaba bien cuando se trataba de Colette y hubiera estado más que bien, fantástico, si hubiese sido Nerissa, pero en el caso de Danila parecía connotar desafío, un dar las cosas por sentado y a él por seguro, y un hacerse valer. Una mujer como ella sabía perfectamente que no se andaba desnuda por el piso de un hombre, que era lo que estaba haciendo, a menos que tuvieras una buena razón para considerarlo tuyo y un interés de propietario por su casa. Mix sacó su bata del armario y cubrió con ella a Danila.

La joven la recibió a regañadientes. Se enfurruñaba cuando la regañaban, lo mismo que hacía la madre de Mix. De pie frente a la fotografía, la señaló y apoyó un dedo sobre el cristal.

—Prácticamente no lleva nada encima. Supongo que no pasa nada.

Sin preocuparse por el dolor que sus palabras pudieran causar, Mix dijo:

—Es preciosa.

Danila no respondió, se quedó con la mirada fija y con el dedo allí donde lo había colocado. Si ya no era muy alta, pareció encogerse un poco y los antebrazos, que la bata dejaba al descubierto, se le pusieron de carne de gallina. Mix sintió que lo embargaba el rencor. Mediante su silencio y su dolor palpable, Danila hizo que se sintiera incómodo.

—¿Quieres otra copa? —le preguntó entre dientes.

—Todavía no.

Mix abrió la botella de vino. Si seguía con la ginebra no podría volver a hacerlo, y el único propósito de que ella estuviera allí era conseguir hacerlo dos o tres veces. Pensó que con Nerissa sería infatigable. Recordó que la visita de Danila tenía otro propósito. Tenía que preguntarle sobre la lista de socios. Preguntárselo no, decírselo, se corrigió con la copa rebosante de vino en la mano.

—Mira, sobre lo de poder hacerse socio del gimnasio, había pensado...

Ella se dio la vuelta lentamente y Mix vio señales de lágrimas en su rostro. Danila hizo caso omiso de lo que él había empezado a decir.

—La he visto —anunció.

—¿A quién has visto?

—A ella. A Nerissa Nash.

No era así como él quería que fueran las cosas, en absoluto. Si le decía lo que esperaba que hiciera con la lista, entonces, en aquel momento, ella entendería enseguida que lo único que Mix quería era hacerse socio del gimnasio para conocer a Nerissa. Tendría que volver a aplazar su petición.

Eligió sus palabras con cuidado.

—¿Dónde la viste? Querrás decir en una foto, ¿no?

—No, en persona. Acude a Madam Shoshana para la tirada de piedras.

Sin tener ni idea de lo que la joven le estaba diciendo y como si fuera a asombrarle una respuesta afirmativa, Mix preguntó:

—¿No será socia?

—¿Nerissa? ¡No, qué va! Con esa figura que tiene debe de ir a algún gimnasio del West End, me parece, en Mayfair. Yo había ido a ver a Madam Shoshana para mi tirada (me hace descuento) y me la encontré cuando subía por las escaleras. Era un miércoles, en el mes de julio. Estuvo muy simpática, me dijo hola y comentó que hacía un día estupendo, hizo que te alegraras de estar vivo.

Mix se quedó atónito. Era incapaz de hablar. Había desperdiciado semanas acudiendo a ese sitio, se había entretenido inútilmente con unas máquinas que no necesitaban atención, había malgastado sus noches con ese cardo de mujer y había gastado en ella un dinero que le costaba mucho ganar. Al cabello ingeniosamente cardado y enmarañado de la joven le había ocurrido lo que siempre le pasaba durante sus revolcones, que acababa cayendo en forma de greñas lacias. La furia que invadió a Mix ante la sorpresa de descubrir el verdadero motivo por el cual Nerissa había visitado el local del gimnasio había llegado al punto de ebullición y fue dirigida contra esa chica estúpida, ignorante y fea, de piel blanca como el arroz y pecho huesudo. Nerissa ni siquiera era socia del gimnasio de Shoshana. Había ido allí a ver a una adivina y sin duda se trataba de una visita excepcional.

Danila, que no era en absoluto consciente de la ira de Mix, comentó:

—Pero, claro, de cerca no es la supermodelo de tu foto. Su piel es un poco rugosa…, aunque, bueno, al ser tan oscura, es lógico. Me parece que quienquiera que tomara esta fotografía se afanó mucho con el aerógrafo en…

Mix no oyó el final de la frase. Lo embargó un odio que se sumó a su furia. ¡Cómo se atrevía a criticar a la mujer más hermosa del mundo! El insulto chirrió como si le raspara la mente. Alargó la mano para coger un objeto, cualquier cosa, e infundirle su ira. Su mano se cerró en torno a la Psique de mármol y una vez más le pareció oír a Javy acusándole de haber atacado a Shannon, y ver a su madre allí sin hacer nada.

¿A quién estaba a punto de destruir con aquella arma? ¿A Javy? ¿A su madre? ¿A esa rastrera?

—¿Qué estás haciendo?

Ya no volvió a hablar, sólo gritó y emitió unos sonidos guturales mientras él la golpeaba repetidamente en la cabeza con la Psique. Mix pensaba que la sangre fluía con suavidad, pero la de esa chica lo roció con unos chorros de color escarlata. Sus ojos permanecieron fijos en él con una expresión de horror y asombro. Mix le asestó un último golpe en la frente para cerrar esos ojos que lo miraban.

Ella fue deslizándose por la fotografía hasta que cayó al suelo de espaldas. Mix soltó la Psique sobre las tablas pulimentadas del suelo. Dio la impresión de que la figura hacía un ruido enorme al caer y él pensó que ello alertaría a una multitud que irrumpiría en la habitación. Pero no vino nadie, por supuesto que no vino nadie. Reinó en cambio una quietud absoluta, el silencio de un vasto desierto o de una casa vacía junto al mar con las olas rompiendo suavemente en la playa. La Psique rodó un poco por el suelo, en un sentido y luego en otro, hasta que se detuvo. El único movimiento era el de la sangre que resbalaba lentamente por el cristal.

# 10

Mix se dirigió lentamente hacia la ventana, separó las láminas en lugar de levantar la persiana y miró abajo. Las luces de la parte trasera de las casas de la calle de atrás iluminaban los jardines. Por allí no se veía a nadie. No se percibía movimiento alguno, ni el de un ser humano, ni el de un gato, ni el de un pájaro. Una pálida luna creciente se había alzado en un cielo veteado de nubes. Fue a escuchar tras la puerta de entrada. Afuera todo estaba igualmente tranquilo y silencioso.

—Nadie sabe nada de esto —dijo en voz alta—. No saben qué ha ocurrido, nadie lo sabe aparte de mí. —Y entonces, como si alguien lo hubiera acusado y se estuviera defendiendo, añadió—: No quería hacerlo, pero ella se lo buscó. Ocurrió sin más.

Su reacción fue encerrarse en el dormitorio donde no pudiera ver lo que había hecho y esconderse. Estuvo un rato sentado en la cama con la cabeza apoyada en las manos, aunque con la puerta todavía abierta. El timbre del teléfono le dio el susto más grande de su vida. Dio un respingo tan violento que temió haberse roto un hueso. «Hice mal y la gente lo sabe. Alguien ha llamado a la policía —pensó—. La habrán oído gritar y a mí soltar la figura.» El teléfono dejó de sonar, pero al cabo de unos segundos empezó de nuevo. Esta vez tenía que responder y lo hizo con voz ronca y temblorosa.

—Da la impresión de que tú también te has contagiado —dijo Ed.

—Estoy bien.

—Ya. Bueno, pues yo no. Me parece que tengo un virus, así que, ¿podrías hacer dos de mis visitas mañana? Son las importantes. —Ed le dijo el nombre de los clientes y le dio sus números de teléfono. O al menos es lo que Mix supuso que estaba haciendo. No pudo asimilarlo—. Sé que es sábado, pero no te llevará mucho tiempo, más bien lo que quieren es quedarse tranquilos.

—De acuerdo. Lo que tú digas.

—Genial. Otra cosa, Mix, el miércoles Steph y yo vamos a prometernos. Para entonces ya me habré recuperado. Las copas corren de mi cuenta en el Sun a las ocho y media, de modo que pásate por allí.

Mix colgó el teléfono. Volvió poco a poco al salón a tientas, con los ojos cerrados. Antes de abrirlos se le ocurrió la idea de que podría ser que lo hubiese soñado todo, que sólo fuera una pesadilla espantosa. En el suelo no habría nada. Ella se habría marchado a casa. Fue a ciegas hacia un sillón, se sentó en él con la vista al frente y lo primero que vio al abrir los ojos fue la sangre en el cristal. Ya se estaba secando. Algunos de los finos hilos no habían llegado al suelo, sino que se habían coagulado formando líneas y glóbulos de un carmesí negruzco. Lo que creyó que era un suspiro se convirtió en un sollozo y un prolongado estremecimiento recorrió su cuerpo.

¿Se había sentido así Reggie? ¿O acaso él era más fuerte y firme? Mix no quería reconocer algo así. La chica se lo había buscado..., cosa que también parecía poder decirse de algunas de las víctimas de Reggie. Sabía que tenía que hacer algo. No podía dejarla allí. Aunque le llevara toda la noche, debía limpiarlo todo y decidir qué hacer con la cosa del suelo. Sus ojos, que él había intentado cerrar, permanecían abiertos bajo la herida de la frente, mirándole. Mix sacó una servilleta de hilo gris de un cajón y le tapó la cara con ella. Después de hacerlo la cosa mejoró.

Aún iba desnudo, salvo por los calzoncillos, que se habían manchado un poco de sangre. Se los quitó, los tiró al suelo y se puso unos vaqueros y una sudadera negra. La chica había caído fuera del borde de la alfombra, de modo que casi toda la sangre impregnaba la pálida madera lustrada, las paredes y el cristal del retrato. Había sido una buena idea gastarse una fortuna en ponerle un cristal. El hecho de que fuera capaz de pensar así le reconfortó. Se estaba recuperando. Lo primero que tenía que hacer era envolver el cuerpo y moverlo. ¿Qué iba a hacer después? Qué iba a hacer con el cadáver, quería decir. ¿Llevárselo a alguna parte en el maletero del coche, a un parque o a un edificio en obras y arrojarlo allí? Cuando lo encontraran, no sabrían que lo había hecho él. Nadie sabía que se veían de vez en cuando.

Encontró una sábana que le serviría. Cuando se mudó a Saint Blaise House, se había comprado toda la ropa de cama nueva, pero le quedaban algunas cosas de la época que pasó en Tufnell Park. ¡Anda que no habían cambiado sus gustos desde que compraba sábanas rojas! De todos modos, el rojo iría bien para su propósito porque la sangre no se notaría. Enrolló el cuerpo con la sábana intentando mirar lo menos posible. La joven era muy ligera y frágil y Mix se preguntó si no habría sido anoréxica. Tal vez. Sabía muy poco sobre ella, no le había interesado.

En cuanto hubo arrastrado el bulto hasta su estrecho vestíbulo, fue a buscar un cubo, detergente y trapos de la cocina y se puso a limpiar. Empezó por el retrato y cuando éste volvió a estar impecable y reluciente Mix se sintió muchísimo mejor. Tenía miedo de que la sangre, que era mucha, hubiera penetrado por el cristal y el marco y manchado la foto de Nerissa, pero no se había colado ni una sola gota. Se le ocurrió que Psique se parecía mucho a Nerissa, quien podría haber servido de modelo. Lavó la estatuilla en el fregadero de la cocina bajo el agua corriente, primero con agua caliente y luego fría, y la sangre se fue desprendiendo de su cabeza y sus pechos, un agua que primero salió roja, luego rosada y luego transparente.

Sólo se había manchado el borde de la alfombra. Lo frotó con el cepillo, lo aclaró, volvió a frotar, lo secó y le pareció que ya no quedaban restos. No tuvo ningún problema en sacar la sangre de las tablas de madera pulimentada porque como estaban cubiertas por una gruesa capa de barniz las manchas se deslizaban sobre ellas. ¡Ojalá la pared de detrás hubiera sido una de las de color verde oscuro! Probablemente tendría que repintarla; lo haría el domingo con la lata de dos litros de pintura del tono llamado Cumulus que aún tenía.

Cuando hubo terminado, vaciado el cuarto cubo de agua enrojecida por el fregadero y metido la ropa en la lavadora, se sentó con un vaso grande de ginebra Bombay. Le supo maravillosamente bien, como si no hubiera tomado una copa desde hacía meses. Una cosa era segura: el cuerpo no podía quedarse allí. Y si intentaba dejarlo en Holland Park, por ejemplo, no podría hacerlo sin que lo viera alguien. El problema era que, en la primera y única ocasión que salieron juntos, había unas cuantas personas que podrían haberlos visto en el KPH. Ella dijo que no se lo había contado a nadie, pero ¿cómo podía creerla? Había reconocido haberle dicho a Madam Shoshana que tenía novio, aunque no mencionara su nombre. Luego estaba la camarera del KPH. Podría acordarse. Puede que la señorita Chawcer no hubiera respondido al timbre aquella noche, pero si alguien se lo preguntaba, recordaría que había sonado. Incluso podría ser que hubiese visto a Danila por la ventana. No, no podía deshacerse del cuerpo sin más.

Su mirada se posó en el libro *Las víctimas de Christie* que ella o él habían dejado caer sobre la mesa de centro. Pensó que Reggie había tenido que hacer frente a la misma dificultad. Lo habían visto por ahí con Ruth Fuerst, había comido con Muriel Eady en el comedor de Ultra Works y había salido con ella y con su novio. Él no se atrevió a arriesgarse a dejar que encontraran sus cadáveres, no fuera que lo relacionaran con las muertes. Había que hacer algo más seguro, aunque más audaz. Mix consultó el libro. Aunque los vecinos veían lo que hacía, aunque charlaban con él y él con ellos, Reggie se las había arreglado para cavar una fosa en su jardín para Fuerst y metió el cadáver en ella después de oscurecer. A Muriel Eady también la enterró a poca distancia de la primera tumba.

En la siguiente página de ilustraciones Mix se encontró con una fotografía del jardín. Un círculo blanco señalaba el lugar donde se había encontrado el hueso de la pierna y una cruz indicaba el emplazamiento de la tumba de Muriel Eady. Si no se hubieran puesto las señales allí, no había nada que revelara dónde estaba la fosa. Antes de enterrarlos, todos los cadáveres de las mujeres a las que había matado habían permanecido escondidos temporalmente bajo las tablas del suelo o en el lavadero. Mix se preguntó si él podría disponer de alguna de esas dos cosas… ¿Allí había lavadero? Había un sótano, eso seguro…, pero quizá fuera posible, aunque difícil, meterse en el jardín. No obstante, él vivía en una casa infinitamente más grande que aquella en la que Reggie vivió y que, en realidad, era la mitad de una casita adosada.

Cerró el libro, se metió las llaves en el bolsillo y al salir por su puerta principal se fijó en que eran las once y media. La vieja bruja tenía un oído asombroso para su edad, pero estaría durmiendo dos pisos más abajo. Mix se quedó en el rellano superior, escuchando.

Se volvió hacia la izquierda y enfiló el pasillo. Cabía la posibilidad de que viera al fantasma, por supuesto, pero se estaba esforzando con resolución para no aceptar que había un fantasma. Se lo había imaginado. El gato había abierto esa puerta él solito. Para mayor seguridad cerró la mano sobre la cruz que llevaba en el bolsillo de los vaqueros. La luz que había encendido se apagó rápidamente como siempre hacía, pero él llevaba una linterna. En medio de la oscuridad abrió la primera puerta de la izquierda y se encontró en una habitación que debía de haber sido adyacente a su salón. El resplandor de la linterna era muy débil, pero como allí no había cortina en la ventana, no estaba oscuro, sino levemente iluminado por los patios traseros de las casas cuyas luces seguían encendidas y por el tenue brillo de la luna.

De todos modos, él hubiera preferido que hubiera más luz. No veía ningún interruptor en ninguna de las paredes, y cuando miró hacia donde deberían haber estado colgando el cable y el portalámparas, vio que de allí sólo pendía un extraño objeto con dos cuerdas metálicas suspendidas. Si algo podía haberlo distraído del asunto que tenía entre manos, eso lo hizo. Dirigió la luz de la linterna hacia arriba. Tardó unos momentos en darse cuenta de que aquello que estaba mirando era la camisa de una lámpara de gas. Una vez había visto un programa de televisión sobre la electrificación de Londres durante los años veinte y treinta para sustituir el gas. Había algunas casas en Portland Road, no muy lejos de allí, que en la década de los sesenta aún tenían luz de gas.

La habitación contenía una cama y una cómoda alta con un espejo encima de ella. Mix calculó que quienquiera que quisiera mirarse en ese espejo tendría que haber medido casi dos metros para alcanzarlo. Una estantería se combaba con el peso de los gruesos tomos que la atiborraban y que, pegados entre sí o unos encima de otros, casi cubrían por completo una pared. Volvió a salir al pasillo y entró en la habitación de enfrente, donde la intensa luz amarillenta de Saint Blaise Avenue que penetraba en ella le mostró que allí tampoco habían reemplazado el sistema por electricidad.

Tuvo la sensación de haber retrocedido en el tiempo, antes de Reggie y todos sus actos, antes de la tecnología moderna y de todo lo que facilitaba la vida. Se estremeció. ¿Y si hubiera retrocedido de verdad en el tiempo y le resultara imposible regresar? ¿Y si todo fuera un sueño, el asesinato, la sangre, el gas y la oscuridad? Pero eso ya lo había considerado antes y sabía que no lo era.

La atmósfera era bochornosa. Había hecho otro día de calor. En aquella planta superior las únicas ventanas que se abrían alguna vez eran las de su piso. Aunque allí arriba reinaba un ambiente enrarecido y polvoriento y no entraba el aire fresco, el lugar estaba habitado por un enjambre de moscas que caminaban por el cristal de la ventana en la oscuridad. Mix dio media vuelta, pasó frente a la puerta de su piso y siguió por el pasillo a mano derecha. En la primera habitación de la derecha había luz eléctrica, pero no había bombilla. Allí el resplandor de las farolas de la calle tenía que atravesar las cortinas. Las descorrió, al parecer con demasiada brusquedad porque cayeron fragmentos de tela y polvo sobre el alféizar. Aquella habitación estaba amueblada en parte con una cama de hierro, la armazón de una tumbona, un tocador y una silla de respaldo vertical con una pata rota y apoyada sobre un tarro de mermelada. La tumbona volvió a recordarle a Reggie. Al menos a una de sus últimas víctimas, Kathleen Maloney; la había puesto en una tumbona con un asiento improvisado de cuerda entretejida para administrarle gas en la cocina de su casa.

En el suelo había un periódico doblado. «Este ejemplar del *Sun* será viejísimo —pensó Mix—, probablemente lo dejaron aquí en la década de los cincuenta.» Sin embargo, cuando lo recogió y, bajo la luz amarillenta, distinguió la fecha, vio que sólo era del último mes de octubre. Lo más terrible era la fecha, el 13. La vieja bruja debía de haber subido allí y se olvidó el periódico. ¿Quién hubiera imaginado que leía el *Sun*? Mix pensó que la vieja habría dejado el diario de esa fecha para asustarlo. Debía de ser eso.

La habitación de enfrente, situada al otro lado de la pared en la que colgaba la fotografía de Nerissa y en la que había asesinado a Danila, también contaba con electricidad, carecía también de bombilla y en ella el ambiente estaba igual de cargado. Estaba vacía, salvo por una cama sin colchón. Descorrió las finas cortinas. Lo único que podía distinguir afuera era lo mismo que podía ver desde las ventanas de su piso, los tejados de la casa de al lado, los árboles puntiagudos y arbustos achaparrados que el anciano tenía plantados en macetas en el techo de una cochera, una chimenea enorme con una docena de salidas de humo y el techo de cristal roto de un invernadero abandonado. Pensó que todo aquello facilitaría el acceso a la habitación de al lado. Cualquiera podría trepar y entrar. Pero cuando probó la puerta se la encontró cerrada, y cuando se agachó e intentó mirar por el ojo de la cerradura, no vio ninguna llave. Al menos Chawcer había cerrado la puerta. Había tomado precauciones contra los ladrones, aunque fueran un tanto endebles. Era asombroso que el ambiente no la asfixiara.

Quedaba una habitación más. Ésta estaba del todo vacía, hasta el punto de haber sido despojada de lo que antes hubiera contenido. Había una barra para las cortinas, pero no había cortinas. Antes hubo algún tipo de alfombra clavada al suelo y en algunos sitios pegada a él, pero la habían arrancado dejando los agujeros de los clavos y zonas con aspecto pegajoso. La mujer subía allí de vez en cuando, eso Mix ya lo sabía, pero no entraba en las habitaciones que tenían luz de gas. La primera en la que había entrado él, la que lo había sorprendido por los medios por los que había sido iluminada, ésa iba a ser la última morada de Danila.

Christie había depositado el cadáver de Ruth Fuerst debajo de las tablas del suelo. Mix recordaba que hacía años, siendo él adolescente, una de las tuberías de la casa de Coventry en la que vivía con su madre se había congelado. Ella dijo que tenía lumbago y que no podía hacer nada, fue una de las veces que Javy la había dejado (siempre acababa regresando, hasta la última vez), de modo que Mix había subido al cuarto de baño en el que hacía un frío glacial y, siguiendo las instrucciones de su madre, sacó tres de las tablas del suelo. Primero había tenido que arrancar las baldosas. Aquello sería mucho más fácil, allí no tenía que levantar nada más que las tablas, que además eran muy viejas.

Las únicas herramientas de las que disponía entonces eran las que utilizaba para el mantenimiento de las máquinas de hacer ejercicio. Entró en su piso, donde estuvo a punto de tropezar con el cuerpo que había dejado en el pequeño vestíbulo y, con los dedos sudorosos, rebuscó en la bolsa donde guardaba su juego de herramientas. Una llave inglesa, un martillo, destornilladores... Tendría que arreglárselas con la llave inglesa más grande y, si era necesario, estropearía el destornillador utilizándolo para sacar las tablas haciendo palanca. Regresó al rellano, dejó la puerta de su piso abierta y se quedó un momento escuchando la casa. Le daba la sensación de que, si bien siempre estaba en calma, aquel silencio era extraño. Siendo las doce y media de la noche, haría horas que la vieja bruja estaría durmiendo, por supuesto, pero ¿dónde estaba el gato? Casi siempre pasaba sus noches en algún lugar de la escalera. ¿Y por qué no había aparecido Reggie?

Pues porque se había protegido con la cruz o porque se lo había imaginado, se dijo a sí mismo con severidad. Sin embargo, esa imaginación exasperante seguía funcionando y entonces creó la figura con sus gafas relucientes de pie a su lado, observando lo que hacía, hasta que cerró los ojos para no verla. Con la respiración agitada, se metió de nuevo en su piso iluminado. Otra copa. Cerró la puerta y se sirvió la copa de ginebra más generosa de toda la noche, se sentó en el suelo al lado del cadáver y se la bebió sola y sin hielo. El alcohol ardió en su interior, y cuando se puso de pie, hizo que se tambaleara.

No obstante, después de efectuar otro reconocimiento y otra escucha en lo alto de las escaleras, sacó el cuerpo a rastras. Tiró del bulto envuelto en tela roja por el pasillo y lo metió en la primera habitación de la izquierda. Cerró la puerta sin hacer ruido y encendió la linterna. Alguien dijo que en Londres la oscuridad nunca reinaba del todo y entraba suficiente luz (gracias a Dios por el hombre de las gallinas de Guinea que parecía dejar las luces encendidas hasta altas horas) para permitirle ver los clavos que sujetaban las tablas del suelo en su sitio. Éstos salieron fácilmente con la ayuda del destornillador y el mango plano de la llave inglesa. Debajo había un espacio entre las vigas que, por lo que pudo ver, tendría unos treinta centímetros de profundidad, aunque lo cruzaban unos cables y unas viejas tuberías de plomo. Cuando sacó las manos las tenía cubiertas de un denso polvo grisáceo, aunque resultaba un misterio cómo podía meterse allí dentro.

La luz de la linterna despertó a las moscas, que empezaron a danzar en torno a su haz resplandeciente. La intención de Mix era echar un último vistazo al cuerpo antes de meterlo en el hueco que había abierto, pero en aquellos momentos había olvidado por qué y no fue capaz de destapar de nuevo ese rostro y volver a ver esa herida. El cuerpo era ligero como una pluma y se deslizó en el agujero que Mix había hecho sin apenas un sonido. Encajó tan bien como si fuese una tumba a medida. Sólo tardó un momento en volver a colocar las tablas. Una mosca se paseó por su mano e intentó matarla de un manotazo con una furia desproporcionada. Dada la hora que era, no se atrevió a utilizar el martillo para volver a colocar los clavos. Ya lo haría por la mañana, cuando ni a la vieja ni a cualquier otra persona le extrañara que diera unos cuantos golpes, diría que estaba colgando un cuadro.

Sintió un escalofrío y tuvo la sensación de que Reggie estaba detrás de él, observando sus movimientos, quizás inclinado y pegado a su espalda, atisbando por encima de su hombro, y en aquella ocasión se asustó y se quedó paralizado de miedo. Reggie le caía bien, lo admiraba sinceramente y le daba mucha pena que hubiera tenido una muerte tan horrible, pero aun así estaba aterrorizado. Era lo que te ocurría cuando la persona que admirabas era el muerto que había regresado. Si se daba la vuelta y veía a Reggie, se moriría de miedo, su corazón no resistiría el terror. Mix cerró los ojos y, acuclillado, empezó a balancearse y a gimotear suavemente. Si hubiera notado una mano en el hombro, también se hubiera muerto del susto; si además la cosa respirara y se oyera su aliento, el corazón se le hubiera quebrado y partido en dos.

Agarró la cruz. Allí no había nada. Por supuesto que no, nunca lo había habido. Todos los sonidos, el suspiro, la puerta que se abrió, todo ello era una ilusión provocada por aquel entorno propio de una película de terror, por la desagradable y espeluznante atmósfera de aquella casa. El simple hecho de regresar a su piso le supuso un enorme alivio. Entonces agradeció el silencio, la condición correcta de aquel lugar a aquella hora. Y las sensaciones corporales que tenía eran un sabor amargo en la boca, una creciente náusea y el inicio de un martilleo en la cabeza. Sabía que no era muy sensato beber nada más, pero lo hizo, llenó el mismo vaso que había contenido la ginebra con el dulce y barato vino Riesling que había traído la chica. Cuando cayó en la cuenta, fue a trompicones al dormitorio donde su ropa aún estaba tal y como ella la había dejado cuando provocó su irritación colocándola pulcramente sobre la silla.

Reggie había envuelto el cuerpo de Ruth Fuerst con su propio abrigo y enterrado el resto de su ropa con el cadáver. Él tendría que haber hecho lo mismo. Se dejó caer pesadamente en la cama y con ojos vidriosos se fijó en que faltaban veinte minutos para las dos; sabía que no podía volver allí esa noche, no podía volver a sacar esas tablas y volverlas a colocar. Por la mañana se llevaría la ropa en una bolsa y la dejaría en un contenedor de basura, o en varios. No, tenía una idea mejor. La metería en uno de esos contenedores donde lo recaudado con su venta iba a parar a enfermos de parálisis cerebral o algo parecido.

Y ahora dormiría…

# 11

Aquel día era el aniversario de la primera vez que había entrado en el salón para tomar el té con ella. Hacía medio siglo. Vio que había trazado un círculo en rojo en torno a esa fecha en el calendario de la revista *Beautiful Britain* que había colgado en la pared de la cocina encima del calendario de gatitos del año pasado y el de flores tropicales del año anterior. Gwendolen había guardado los calendarios de todos los años desde 1945. Se amontonaron en el gancho de la cocina y cuando ya no hubo espacio para poner más, los del fondo se guardaron en algún cajón de alguna parte. En alguna parte. Entre libros o ropa vieja, o encima o debajo de otras cosas. Los únicos de cuyo paradero estaba segura eran los que iban de 1949 a 1953.

Había encontrado el calendario de 1953 y ahora lo guardaba en el salón por razones obvias. En él constaban todas las fechas en las que había tomado el té con Stephen Reeves. Lo había encontrado el año pasado por casualidad cuando buscaba el aviso que había llegado de algún departamento gubernamental donde le hablaban de un pago de doscientas libras para combustible que iban a recibir los pensionistas. Y allí, a su lado, estaba el calendario de la Venecia de Canaletto. El simple hecho de verlo de nuevo hizo que el corazón le latiera con fuerza. Por supuesto que no había olvidado ni una sola de las veladas que pasaron juntos, pero, al verlo allí apuntado («Té con el doctor Reeves»), de alguna forma se convirtió en real, como si de no ser así pudiera haberlo soñado. Bajo el encabezamiento de un miércoles del mes de febrero, en un inusual comentario, había escrito: «Lamentablemente, no tenemos ni a Bertha ni a ninguna sucesora que nos traiga el té».

Por muy protegida y tranquila que hubiese sido la vida de Gwendolen, quizá todo lo serena que podía ser una vida, ésta había incluido unos pocos ápices de emoción. De vez en cuando pensaba en todas esas cosas, pero en ninguna con tanto asombro como su visita a la casa de Christie. De eso también hacía más de cincuenta años ya, pues ella tendría entonces poco más de treinta. La criada que traía el agua caliente y tal vez vaciaba los orinales llevaba dos años con ellos. La joven tenía diecisiete años y se llamaba Bertha. Gwendolen no recordaba su apellido, si es que lo había sabido alguna vez. El profesor nunca se percataba de nada que tuviera que ver con los demás y la señora Chawcer tampoco pensaba demasiado en nada que no fuera su trabajo para los católicos apostólicos y no tenía tiempo para los problemas del servicio, pero Gwendolen observó el cambio en la figura de la muchacha. Pasaba con ella mucho más tiempo que los demás ocupantes de la casa.

—Estás empezando a ponerte robusta, Bertha —le dijo utilizando una de las palabras predilectas del vocabulario de los esqueléticos Chawcer aplicadas a los demás. Gwendolen era demasiado inocente e ignorante como para sospechar la verdad, y cuando Bertha se la confesó, quedó profundamente impresionada.

—Pero… no puedes estar en estado, Bertha. Sólo tienes diecisiete años y no puedes haber… —Gwendolen no fue capaz de continuar hablando.

—En cuanto a eso, señorita, podía desde los once años, pero nunca estuve embarazada hasta ahora. No irá a decírselo a la señora o a su padre, ¿verdad?

Fue una promesa que a Gwendolen no le costó nada hacer. Hubiera preferido morir antes que hablar de esas cosas con el profesor. Por lo que a su madre concernía, no había podido olvidar la vez que, con mucha vergüenza y retraimiento, le había hablado en un susurro a la señora Chawcer de un anciano que se había exhibido ante ella y ésta le había dicho que no volviera a pronunciar nunca más semejantes palabras y que se lavara la boca con jabón.

—¿Qué vas a hacer con el bebé?

—No habrá bebé, señorita. Tengo el nombre y dirección de una persona que se deshará de él por mí.

Gwendolen no estaría en peor situación si se hallara en un país desconocido habitado por hombres y mujeres que hacían cosas prohibidas y que hablaban un lenguaje de palabras que nunca debían pronunciarse, una tierra de misterio, incomodidad, fealdad y peligro. Lamentó mucho haberle preguntado a Bertha por qué estaba engordando. En ningún momento se le ocurrió sentir compasión por aquella joven que trabajaba diez horas al día para ellos y que cobraba muy poco para realizar tareas que hacían estremecer a los de su clase con sólo pensar en ellas. Nunca le entró en la cabeza ponerse en la piel de Bertha e imaginar la desgracia que sobrevendría a una madre soltera o el horror de ver que engordaba tanto que ya no era posible seguir ocultándolo. Sentía curiosidad, muy a su pesar, pero tenía miedo y le preocupaba verse involucrada.

—Entonces todo irá bien —dijo alegremente.

—Señorita, ¿puedo pedirle una cosa?

—Claro —repuso Gwendolen con una sonrisa.

—Cuando vaya a verle, ¿me acompañará?

A Gwendolen le pareció una impertinencia. A ella la habían educado para esperar deferencia por parte del servicio y de cualquiera de «clase baja», por supuesto. No obstante, su timidez y el miedo a lo diferente y a las cosas que no había experimentado no eran absolutos. Para ella la curiosidad era una cosa novedosa, pero sentía que se abría camino hasta su mente y aguardaba allí, trémula. Podría ver un poco más de ese nuevo país que, de forma inaudita, le abría sus fronteras. En lugar de responder a Bertha con un: «¿Sabes con quién estás hablando?», dijo en un tono bastante dócil, pero con el corazón acelerado:

—Sí, si quieres.

Era una calle sórdida, con la vieja chimenea de una fundición de hierro al fondo y cerca de la cual pasaba el tramo del Metropolitan Railway que iba de Ladbroke Grove a Latimer Road por el exterior. El hombre al que habían ido a ver vivía en el número 10. La casa olía a sucio y estaba sucia. La cocina estaba amueblada con dos tumbonas. Christie podría haber tenido unos cuarenta y tantos años o pasar de los cincuenta; resultaba difícil calcularle la edad. Era un hombre alto de constitución delgada y rostro aguileño que llevaba unas gafas gruesas y que pareció consternado al ver a Gwendolen, quien, posteriormente, comprendió por qué. Por supuesto que lo entendió. Él no quería que nadie más supiera que Bertha había estado allí. No quiso tomar asiento. La criada se sentó en una de las sillas y Christie en la otra. Tal vez ella suscitara su enojo o tal vez el hombre sólo trataba con sus clientes en privado, la cuestión es que inmediatamente dijo que quería ver a Bertha a solas. Dijo que su esposa estaría presente para hacer de acompañante. Gwendolen no vio ni oyó a la esposa en ningún momento. Christie explicó que lo que iban a hacer era fijar una cita para el examen y el «tratamiento», pero la señorita Chawcer tenía que marcharse. Todo lo que aconteciera entre él y su paciente debía ser confidencial.

—No tardaré, señorita —terció Bertha—. Si me espera al final de la calle, será cuestión de un minuto.

Otra impertinencia, pero Gwendolen esperó. Varios transeúntes se la quedaron mirando mientras ella aguardaba allí con el rostro esmeradamente maquillado, el cabello con permanente de tirabuzones y su vestido azul de talle ajustado y falda de vuelo. Un hombre le dirigió un silbido de admiración y sus mejillas encendidas por el rubor denotaron la incomodidad de Gwendolen. Al fin llegó Bertha. No fue cuestión de un minuto, sino que había tardado al menos diez. Bertha había fijado su cita para su siguiente día libre, dentro de una semana.

—Yo no voy a contárselo a nadie, señorita, y usted tampoco debe hacerlo.

Pero Christie la había asustado. Aunque la señora Christie no estaba presente, le había hecho ciertas cosas extrañas e íntimas, le había pedido que abriera la boca para poder examinarle la garganta con una varilla con un espejo en el extremo y que se levantara la falda hasta medio muslo.

—Tengo que volver, señorita, ¿no le parece? No puedo tener un bebé a menos que esté casada.

Gwendolen tenía la sensación de que debía haberle preguntado sobre el padre de la criatura, quién era y dónde estaba, si sabía lo del niño y, de ser así, si había alguna posibilidad de que se casara con Bertha. Le resultaba demasiado embarazoso, demasiado indecente. En casa, en la atmósfera tranquila y civilizada de Saint Blaise House, sentada cómodamente en el sofá entre cojines, estaba leyendo a Proust y había llegado al volumen 7. En el mundo de Proust nadie tenía hijos. Se retiró a su propio mundo.

Bertha no volvió a casa de Christie. Tenía demasiado miedo. Cuando Gwendolen leyó lo de sus asesinatos en los periódicos, los de las jóvenes que acudían a su domicilio para que les practicara un aborto o en busca de un remedio para el catarro, el de su esposa, y quizá también el de la mujer y la niña del piso de arriba, ya era 1953 y hacía mucho tiempo que Bertha se había marchado. Se fue antes de que naciera el niño y alguien se casó con ella, aunque Gwendolen nunca supo si se trataba del padre. Todo aquel asunto era horriblemente sórdido. No obstante, ella nunca olvidó su visita a Rillington Place y el hecho de que Bertha hubiera podido acabar siendo otra de las mujeres emparedadas en los armarios o enterradas en el jardín.


Bertha… Hacía años que no pensaba en ella. La visita a la casa de Christie debió de ser unos tres o cuatro años antes de que lo juzgaran y ejecutaran. No valía la pena perder el tiempo buscando el calendario de 1949, pero ¿qué otra cosa iba a hacer con su tiempo? Leer, por supuesto. Hacía tiempo que había terminado *Middlemarch*, releído *La Revolución France-*

*sa* de Carlyle y completado algunas de las obras de Arnold Bennett, aunque las consideraba demasiado flojas como para dedicarles mucho tiempo. Aquel día empezaría con Thomas Mann. No lo había leído nunca, lo cual era una omisión terrible, aunque tenía todas sus obras en algún lugar de las numerosas librerías.

Tras pasarse una hora buscando, encontró el calendario de setas británicas de 1949 (¡qué tema más ridículo!) en una habitación del piso superior, la que había junto al piso del señor Cellini. La noche anterior, cuando aún faltaba más de una hora o algo así para amanecer, se había despertado al oír un grito y un golpe sordo que creyó que provenían de allí, pero lo más probable es que estuviera confundida. Aquélla era una de las habitaciones en las que el profesor había insistido en que no era necesario instalar electricidad. Por aquel entonces Gwendolen era una niña, pero se acordaba perfectamente de cuando se había realizado la instalación en los pisos de abajo, de los hombres sacando las tablas del suelo y abriendo grietas enormes en el yeso de las paredes. Hacía una mañana radiante y calurosa y la luz entraba a raudales por la ventana cuyas cortinas habían quedado reducidas a harapos en la década de los treinta y nunca se habían reemplazado. Hacía ya varios años que no subía allí arriba, no recordaba cuándo había sido la última vez.

En la librería, un lugar en el que se guardaban libros antiguos que nunca fueron muy amenos y para los cuales no había espacio abajo, había novelas de Sabine Baring-Gould y R. D. Blackmore entre ejemplares encuadernados de publicaciones victorianas, *Las obras completas de Samuel Richardson* y *El origen de las especies* de Darwin. Quizá releyera a Darwin en lugar de a Thomas Mann. Miró en los cajones bajo los estantes. Estaban llenos de lápices desafilados, gomas elásticas y facturas pagadas junto con pedazos de porcelana metidos en bolsas etiquetadas que alguien debía de tener intención de arreglar, pero que no llegó a hacerlo. La cómoda grande era su última esperanza. Dio unos pasos para acercarse y tropezó, y se hubiera caído de no ser porque se agarró en la parte superior del mueble. Una de las tablas del suelo descollaba quizá más de un centímetro por encima del resto.

Se inclinó cuanto pudo y miró el suelo con ojos de miope. Llevaba las gafas de leer en un bolsillo de la chaqueta y la lupa en el otro. Las utilizó. Las tablas parecían no estar clavadas, pero debían de estarlo y el aumento de las gafas no era suficiente para que ella lo viera. ¡Qué raro! Quizá fuera la humedad que había hecho que una de ellas sobresaliera. Había mucha humedad en esa casa vieja, por capilaridad y por como se llamara lo otro. Las articulaciones le crujieron cuando, no sin cierta dificultad, se puso de rodillas para palpar la superficie de la tabla que sobresalía. Estaba completamente seca. Pensó que era extraño. Y también resultaban extraños todos esos agujeritos que salpicaban la madera a docenas. Pero quizá siempre había estado así y ella no se había dado cuenta. Se puso de pie y empezó a revisar la cómoda. El calendario de las setas apareció en el segundo cajón en el que buscó, y con él había una de esas cartas de un promotor inmobiliario que le ofrecía enormes sumas de dinero por vender su casa; ésta estaba fechada en 1998. ¿Por qué demonios la había metido allí cinco años atrás? No lo recordaba, pero estaba segura de que entonces la tabla del suelo no estaba así.

Se llevó el calendario al lado de la ventana, lo mejor para leer su propia letra. Allí estaba, en el 16 de junio, un jueves. «Acompañé a B. a la casa de Rillington Place.» Recordaba haber escrito eso, pero no la anotación del día siguiente. «Creo que podría tener gripe, pero el médico nuevo dice que no, que sólo es un resfriado.» El corazón se le aceleró otra vez y sintió la necesidad de ponerse la mano contra las costillas como si quisiera apaciguarlo. Aquél fue el día que lo conoció. Había acudido al consultorio de Ladbroke Grove, había aguardado en la sala de espera a que la recibiera el doctor Smyth, pero el hombre que abrió la puerta, sonrió y la hizo pasar era Stephen Reeves.

Gwendolen dejó caer la mano con la que sujetaba el calendario y retrocedió en el tiempo a la primera vez que lo vio, cuando ambos eran jóvenes, y miró por la ventana casi sin ver nada. *Otto* estaba tumbado durmiendo en el muro, las aves iban de aquí para allá en su jungla en tanto que su propietario, tocado con un turbante blanco, se acercaba para darles de comer el grano que llevaba. Ella vio a Stephen, vio sus ojos brillantes y sonrientes, su cabello oscuro y le oyó decir: «Esta mañana no hay mucha gente esperando. ¿Qué puedo hacer por usted?»

La desaparición de Danila hubiera pasado desapercibida durante el fin de semana de no ser porque Kayleigh Rivers se despertó con un fuerte resfriado. Danila había trabajado en el gimnasio de Shoshana todos los días laborables desde las ocho de la mañana hasta las cuatro de la tarde y Kayleigh lo hacía los sábados y domingos por la mañana y todas las tardes desde las cuatro a las ocho. Kayleigh intentó llamar a Danila al móvil para preguntarle si podía sustituirla el fin de semana y al no obtener respuesta llamó a Madam Shoshana.

—Estará durmiendo todavía, ¿no? —dijo Shoshana—. Como estaba haciendo yo. Tiene el móvil desconectado. Mira qué hora es.

Esperó hasta las ocho. Los sábados el gimnasio no abría hasta las nueve. Cuando llamó al móvil de Danila, lo único que obtuvo como respuesta fue un absoluto silencio. Tal vez fuera temprano, pero era demasiado tarde para conseguir a un trabajador eventual. Ella pagaba a sus chicas (ilegalmente) diez libras a la semana por debajo del salario mínimo, pero Kayleigh no tenía que pensar que le pagaba por fingir estar enferma. En cuanto a Danila... Shoshana comprendió que tendría que hacerlo ella misma y se levantó de la cama con esfuerzo y a regañadientes. A pesar de ser la propietaria y de dirigir un moderno gimnasio y clínica de belleza con manicura y pedicura, estudio de depilación a la cera y por electrólisis, servicio de aromaterapia y de baños con sales, Shoshana no prestaba atención a su persona ni a ninguna de esas cosas y no se lavaba mucho. Cuando te hacías mayor, ya no necesitabas más que un baño a la semana y de vez en cuando pasarte un poco de agua por las manos, la cara y los pies. El pachuli, el cedro, el cardamomo y la nuez moscada tapaban todos los posibles olores.

Ella visitaba el gimnasio lo menos posible. Sólo le interesaba en la medida en que daba dinero. El ejercicio y los tratamientos de belleza, lo de mantenerse en forma y conservar la juventud, todo eso la aburría, y cuando se sentaba abajo en la recepción, tenía tendencia a quedarse dormida. Su abuelo y después su madre habían llevado establecimientos de peluquería, por lo que había parecido lo más natural seguir con ello, salvo que lo hizo según sus condiciones y con ideas propias, de una forma contemporánea. Lo que de verdad le hubiese gustado era ser gurú y fundar su propio culto místico, pero se había visto obligada a transigir y conformarse con ser adivina.

Se miró en el espejo con la ropa interior que se había quitado por la noche, un vestido ancho de terciopelo rojo encima y un chal de punto. Incluso sus ojos indiferentes vieron que llevaba el pelo fatal, lo tenía seco y salpicado de caspa. Se lo sujetó en alto con un pañuelo de color rojo y púrpura, se lavó las manos, se echó agua en la cara y bajó pesadamente las escaleras. Su humor, que ya de por sí no era muy risueño, iba de mal en peor. Su intención era pasar el día en una actividad de campo organizada por su maestro zahorí. El último intento de ponerse en contacto con Danila resultó infructuoso y Shoshana se sentó de mala gana en el alto taburete que había detrás del mostrador. El primer cliente en llegar creyó reconocerla como a la anciana que había visto una vez en un pueblo de Turquía y a quien le había comprado una alfombra en la plaza del mercado.

Había sido la peor noche de su vida. Había dormido de manera irregular, despertándose cada hora muerto de sed. Lo más horrible fue abrir los ojos por última vez a las nueve de la mañana y, por un momento, haber olvidado completamente lo que había ocurrido y lo que había hecho. El recuerdo volvió casi de inmediato y gimió en voz alta.

Había tenido sueños y en uno de ellos una criatura había acudido por los tejados, trepó por los bajantes hasta su ventana e intentó entrar. Al principio pensó que era un gato, pero cuando vio su rostro humano, la mirada fija y la enorme brecha en la frente soltó un grito. Después permaneció tumbado temblando, preguntándose si la vieja Chawcer lo habría oído.

Fue cuando por fin se levantó que la bebida de la noche anterior se hizo notar. Bebió agua, pero no pareció hacerle efecto. Tenía toda la cabeza dolorida, como si se la hubieran restregado con papel de lija y un dolor que se movía en su interior y que a veces se situaba encima de sus ojos, a veces detrás del oído o en la nuca. Recordó haber leído en alguna parte, en una de esas entrevistas que concedía Nerissa, que ella nunca bebía nada que llevara alcohol, sino que subsistía a base de agua mineral con gas y zumos vegetales. Un baño lo reconfortó un poco, no se sentía lo bastante fuerte como para afrontar el desafío de una ducha con toda el agua martilleándole la cabeza. Pero casi estaba demasiado débil para salir de la bañera, y cuando ya estaba de pie en la alfombrilla del baño con la toalla en torno a la cintura, se tambaleó y estuvo a punto de caerse.

El proceso de vestirse resultó largo y lento porque el movimiento hacía que el dolor de cabeza pasara de adelante atrás y de los oídos a los ojos. Era la peor resaca que había experimentado jamás. En circunstancias normales no solía beber mucho, pero en momentos de estrés recurría al alcohol. «No estoy acostumbrado, ése es el problema», se dijo a sí mismo. La gente que tenía resaca constantemente recomendaba comer, beber leche o lo mismo que te la había provocado. Le dieron arcadas sólo con pensar en cualquiera de esas cosas.

Después de vomitar se sintió ligeramente mejor, fue capaz de mantenerse erguido, beber más agua y meter la ropa de la chica en una bolsa junto con sus calzoncillos manchados de sangre, un Wonderbra negro, el odiado *panty*, una minifalda de cuero negro y unas botas, un brevísimo jersey rosa y una chaqueta color crema de piel de imitación. Acostumbrado como estaba a los guardarropas de Colette Gilbert-Bamber y sus amigas, juzgó que aquella ropa era barata, de supermercado, ni siquiera de una cadena. Dentro de su bolso de plástico rosa estaba su teléfono móvil junto con su monedero que contenía cinco libras con cincuenta (se las metió en el bolsillo), una tarjeta de crédito Switch, una polvera, un lápiz de labios rojo, un cepillo para el pelo y las llaves de su casa.

Mix no quería pensar en lo ocurrido, pero no pudo evitarlo: la sangre deslizándose por su hermoso retrato, sus ojos mirándole. Bueno, se lo había buscado, sólo había recibido lo que se merecía por hablar de Nerissa de esa manera, atreviéndose a encontrarle defectos en la piel. Por envidia, por supuesto. Aun así, tendría que habérselo pensado mejor antes de decirle esas cosas. Tendría que haberle reconocido como a un hombre peligroso y debería…

Su línea de pensamiento quedó bruscamente interrumpida por el sonido de la puerta de la habitación de al lado al cerrarse. Mix se llevó una mano al pecho y agarró la tela de su sudadera, estrujándola en su puño, no sabía por qué, tal vez para sujetarla contra su corazón. Era lo único que podía hacer para evitar soltar un quejido de miedo. Quienquiera que fuera, ¿había entrado en la habitación o había estado allí y había salido? Oyó el sonido de unos pasos, un ruido como si alguien hubiera tropezado y entonces contuvo el aliento.

Se abrió un cajón, luego otro. Las paredes debían de ser muy delgadas allí arriba. Era la vieja bruja, por supuesto. Mix conocía su paso, el modo de andar lento y pesado de una persona anciana. Pero ¿por qué estaba allí dentro? Mix no recordaba que lo hubiera hecho antes. Debía de haber oído algo durante la noche, a esa chica gritando, o cayendo al suelo, o incluso sus propios movimientos con el cubo y el cepillo. ¿Y si quería entrar en el piso y veía la sangre de la pared?

Allí dentro no hay nada que ella pueda ver, se dijo, y se lo repitió, no hay nada que pueda ver, nada. No obstante, tenía que saberlo, no podía dejarlo así. Abrió la puerta del piso con mucho cuidado y asomó la cabeza. La puerta del dormitorio en el que yacía la chica bajo las tablas del suelo estaba un poco entornada. Ahora le dolía toda la cabeza, un dolor atroz, opresivo y punzante. Pero salió con la chaqueta puesta, la bolsa con la ropa en la mano, las llaves del piso en un bolsillo y las del coche en el otro. Debió de hacer algún ruido, uno de esos gemidos o suspiros involuntarios que parecía haber estado haciendo toda la noche, porque de repente, la señorita Chawcer salió ruidosamente de la habitación y le dirigió una mirada muy poco amistosa.

—Ah, es usted, señor Cellini.

«¿Y quién creía que era, Christie?» Le hubiese gustado decir eso, pero tenía miedo, de ella y también del asesino de Rillington Place. De su espíritu o de lo que fuera que había imaginado que rondaba la casa. De manera incomprensible, la mujer dijo:

—Por la cara que hace parece que lo haya asustado un muerto viviente.

—¿Cómo dice?

—Un espíritu, señor Cellini, un fantasma.

Mix no pudo evitar que la mujer viera el estremecimiento que recorrió su cuerpo. Aun así, estaba furioso. ¿Quién se había creído que era, una maldita maestra de escuela y él un alumno de primero de secundaria? La anciana soltó la risa más alegre que él le había oído jamás.

—No me diga que es supersticioso.

No iba a decirle nada. Lo que quería era preguntarle para qué había entrado en esa habitación, pero no podía hacerlo. La mujer estaba en su casa. Entonces se fijó en que llevaba algo en las manos, lo que parecía ser un calendario viejo y un libro. Tal vez hubiera ido allí a buscar esas cosas. Un gran peso se desprendió de sus hombros, se quedó allí flotando y el dolor de cabeza desapareció.

Ella dio un paso atrás y cerró la puerta.

—Alguien debería denunciar a ese hindú a… las autoridades.

Mix se la quedó mirando.

—¿A qué hindú?

—Al hombre del turbante que tiene los pollos o lo que sea que sean. —Pasó por delante de él hacia lo alto de las escaleras y volvió la cabeza—. ¿Va a salir? —Por la manera en que lo dijo, parecía que Mix estaba infringiendo las reglas.

—Después de usted —repuso él.

Metió la bolsa con la ropa en el maletero del coche, condujo hasta una hilera de contenedores, abrió el del banco de ropa y dejó la falda en la bandeja. El cubo estaba prácticamente lleno y le costó bastante hacer que la bandeja girara y depositara su carga. Allí no cabría nada más. Quizá debiera alejarse un poco para dejar el resto de la ropa. Se encontró conduciendo hacia Westbourne Grove y, reacio a pasar por delante del gimnasio de Shoshana, dobló por Ladbroke Grove hacia Bayswater Road. Al pensar en el gimnasio le vino a la mente algo que Danila le había dicho y que había olvidado hasta ese momento. Nerissa no era socia. Haber ido hasta allí, haber conseguido ese contrato de mantenimiento, tratar de ligarse a esa chica…; todo había sido una pérdida de tiempo. Ella debería haberle dicho que Nerissa sólo había ido allí a que le vaticinaran el futuro hacía semanas. Con eso había cavado un poco más su propia fosa, pensó Mix. Si había una mujer que se hubiera buscado lo que le ocurrió, ésa era ella.

Al subir por Edgware Road, pasó junto a Age Concern, la tienda que vendía artículos de segunda mano con fines benéficos, pero no se atrevió a llevar la ropa allí. Sería mejor dejarla en el contenedor que había al entrar en Maida Vale y en el otro de Saint John's Wood. Ya que estaba allí bajó las escaleras de Aberdeen Place y, tras comprobar que no hubiera nadie cerca, ninguna embarcación que se aproximara y ningún observador en alguna de las ventanas que daban al lugar, tiró el móvil y las llaves de Danila al canal. Regresó por donde había venido, tomó Campden Hill Square y aparcó a poca distancia de la casa de Nerissa.

Quizá fuera porque eso lo consolaba. El mero hecho de saber que aquélla era su casa y que vivía en ella (con todos sus sirvientes, sin duda, y quizás una buena amiga que se alojara allí) le hacía sentir que tenía alguna ilusión. Podría olvidar haberse deshecho de esa chica y seguiría adelante. ¿Dónde estaría mejor que allí, pensando en nuevas maneras de conocer a Nerissa? Era una casa muy bonita pintada de blanco. La puerta era de color azul y había una planta de flores rojas junto a ella. El periódico todavía estaba en la entrada con la leche al lado. En cualquier momento un sirviente abriría la puerta y cogería el periódico y la leche. Nerissa estaría aún en la cama. Sola, de eso estaba seguro, porque aunque creía haber leído todo lo que se había escrito sobre ella, nunca se había hablado mucho de sus novios, no se había publicado ningún escándalo ni ninguna fotografía vergonzosa en la que se la viera comportándose de manera vulgar con algún hombre en un club. Ella era casta, una chica de bien, pensó Mix, estaba esperando al hombre adecuado...

Se abrió la puerta. No apareció ningún sirviente, sino Nerissa en persona. Mix apenas podía creerse su suerte. Su adoración por ella se hubiera perdido en cierta medida si hubiese salido en bata y zapatillas, pero llevaba puesto un chándal blanco y calzaba zapatillas de deporte del mismo color. Mix consideró qué ocurriría si se acercaba a ella y le pedía un autógrafo. Pero él no quería su autógrafo, la quería a ella. La joven cogió la leche y el periódico y la puerta se cerró.

Satisfecho y tranquilizado por haberla visto, condujo de vuelta a casa, subió al piso de arriba y clavó las tablas del suelo en la habitación en la que había dejado a Danila. Descansaría un poco, comería algo y luego empezaría a pintar esa pared.

El lunes por la mañana, Ed estaba esperándolo en la oficina central y estaba furioso.

—Esos dos clientes me han estado bombardeando con llamadas todo el fin de semana, me han estado incordiando gracias a ti. Hay una que dice que se va a comprar una elíptica nueva, pero que no lo va a hacer con nosotros y que buscará a otra empresa para que se encargue del mantenimiento.

—No sé de qué me estás hablando, colega —dijo Mix.

—Déjate de «colega». No te acercaste a ver a ninguno de ellos, ¿verdad? Ni siquiera pudiste llamarles para explicárselo.

Entonces Mix recordó la llamada que Ed le hizo el viernes por la noche. Fue justo después de que hubiera... «No pienses en eso».

—Se me olvidó.

—¿Es lo único que tienes que decir? ¿Que se te olvidó? Pues para que lo sepas, estaba muy enfermo. Me había subido la fiebre a cuarenta y la garganta me estaba matando.

—Te has recuperado muy rápido —repuso Mix, que no estaba dispuesto a soportarlo mucho más—. Yo te veo bastante sano.

—¡Que te jodan! —le espetó Ed.

Ya se le pasaría. Mix pensó que esas cosas nunca duraban mucho con Ed. ¡Ojalá pudiera averiguar cuándo era probable que Nerissa volviera a visitar a Madam Shoshana! Estaba seguro de que si se la encontraba en las escaleras sería capaz de conseguir una cita con ella. Mientras conducía hacia su primer servicio del día, una fanática del ejercicio que tenía cinco máquinas en su gimnasio privado de Hampstead, fantaseó sobre ese encuentro en las escaleras. Le diría que la había reconocido enseguida y que ahora ya no iría a ver a Madam Shoshana, pues su fortuna y su destino no eran importantes, pero había algo especial que quería decirle si le permitía que la invitara a un bar de zumos naturales que había a tan sólo unos pasos calle abajo. Ella aceptaría, por supuesto. A las mujeres les encanta ese rollo de que tienes que decirles algo especial y, como a ella no le interesaban los clubs o las tabernas, la idea de un bar de zumos naturales le resultaría atractiva. Llevaría puesto el chándal blanco, y cuando entraran en el bar, todas las miradas se posarían en ella... y en él. Hasta bebería zumo de zanahoria para complacerla. Cuando los hubieran sentado, él le contaría que llevaba años adorándola, le diría que era la mujer más hermosa del mundo y entonces le...

Casi sin darse cuenta, Mix se encontró con que estaba en Flask Walk y esa yonqui del ejercicio lo esperaba con la puerta principal abierta. La mujer no era muy atractiva que digamos, era nervuda y nariguda, pero también coqueta, y tenía un aire animado y ágil que llevó a Mix a pensar que si surgía la ocasión... Ella se quedó allí observando y admirando mientras él ajustaba la cinta en la máquina de correr.

—Debe de ser fantástico ser un manitas —comentó con efusión.

Mix se quedó mucho más tiempo de lo que había previsto y se le pasó la llamada que había prometido hacer a una mujer de Palmers Green, pero como era una blanda y una incauta no se quejaría.

Después de haber echado al correo la carta para el doctor Reeves, a Gwendolen se le ocurrió una idea muy desagradable. ¿Y si resultaba que él la había amado de verdad y luego se enteraba de su visita a Rillington Place? No cuando la hizo, por supuesto, porque eso había tenido lugar antes de que Christie fuera sospechoso de haber asesinado a nadie. Christie no era la criatura espantosa e infame en la que se había convertido cuando sus crímenes salieron a la luz y empezó su juicio, sino un don nadie, un hombrecillo común y corriente que vivía en un lugar poco recomendable. Aunque Stephen Reeves se hubiese enterado de la visita en aquella época, eso no hubiera tenido ningún efecto en él.

Pero supongamos que se hubiera enterado de ello entonces porque, mientras realizaba sus visitas a domicilio, la hubiera visto acudir allí. Al fin y al cabo, al día siguiente de haber ido con Bertha a ver a Christie, ella había consultado al doctor Reeves por primera vez, ¿y acaso no era lo más probable que él la hubiese reconocido como a la mujer que había visto en Rillington Place el día anterior? Puede que entonces eso no significara nada para él, pero, al inicio del juicio de Christie, todo le hubiera vuelto a la memoria y, tal como dice la gente vulgar, hubiese atado cabos. En el mes de enero le había dicho que le tenía muchísimo cariño y al inicio del juicio de Christie había estado a punto de proponerle matrimonio. Iba a decirle a Eileen Summers que ya no sentía nada por ella. Que Gwendolen Chawcer era su verdadero amor. Pero cuando leyó en los periódicos que Christie había atraído a las mujeres a su casa afirmando realizar operaciones ilegales, lógicamente él habría pensado que Gwendolen había acudido allí para un aborto. ¡Ay, qué horror! ¡Que vergüenza! Ningún hombre decente querría casarse con una mujer que hubiese abortado, por supuesto. Y un médico aún estaría más en contra de semejante cosa.

Gwendolen caminó por Cambridge Gardens pensando en todo esto y cada vez más consternada. ¡Ojalá no hubiera echado la carta al buzón! Escribiría otra, era lo único que podía hacer, y no esperaría una respuesta. Con la opinión que tenía sobre ella, lo más probable era que no se dignara a contestarle. Con razón no había asistido al funeral de su madre y no había vuelto a visitarla a ella. No era de extrañar que se hubiese casado con Eileen Summers después de todo. Sobre todo ello andaba rumiando cuando se encontró frente a frente con Olive Fordyce, que paseaba con Queenie Winthrop. Queenie llevaba un carro de la compra en el que se apoyaba como si fuera un andador y Olive llevaba a *Kylie* de la correa.

—¡Por Dios, Gwendolen, si estabas en las nubes! —comentó Queenie—. En otro mundo. ¿En quién estabas pensando? ¿En tu querido? —le guiñó el ojo a Olive y ésta le devolvió el guiño.

Para Gwendolen, eso pasaba de castaño oscuro.

—¡No seas estúpida!

—Espero que sepamos aceptar una broma —repuso Queenie con bastante frialdad.

Entonces intervino Olive.

—No discutamos. Al fin y al cabo, ¿no es cierto que sólo nos tenemos las unas a las otras?

Esto no les sentó muy bien a las otras dos.

—Muchas gracias, Olive. Te lo agradezco —Queenie se irguió en todo su metro cincuenta y cinco—. Yo tengo dos hijas, por si acaso se te ha olvidado, y cinco nietos.

—No todos podemos tener tanta suerte —dijo Olive en tono pacífico—. Bueno, Gwen, ahora que tengo la oportunidad, quiero pedirte un favor muy grande. Es mi sobrina. ¿Puedo llevarla a verte algún día de esta semana?, es que de verdad que se muere de ganas de ver tu casa.

—Eso es lo que tú dices —contestó Gwendolen de mal humor—. Pero no vendrá, nunca viene. Yo me tomo todas las molestias y ella no puede dignarse a venir.

—Esta vez irá. Te lo prometo. Y no hace falta que te molestes con los pasteles. Estamos las dos a dieta.

—¿En serio? Bueno, supongo que puede venir. Seguirás dale que te pego con el tema hasta que diga que sí.

—¿Podríamos quedar, digamos, el jueves? Te prometo que no traeré a mi perrito. Ese anillo que llevas es precioso.

—Lo llevo todos los días —replicó Gwendolen en tono gélido—. Nunca salgo sin él.

—Sí, ya me he fijado. ¿Es un rubí?

—Por supuesto.

Gwendolen recorrió el camino de vuelta a casa furiosa y consternada. Esa tonta de Olive y la sobrina le daban igual, no eran más que un incordio sin importancia, como un mosquito que zumbara por tu dormitorio por la noche. Tampoco importaba demasiado que Olive nunca se hubiera fijado en el anillo con anterioridad. Su única preocupación verdadera era Stephen Reeves. A estas alturas ya habrían recogido el correo y esa carta estaría de camino a Woodstock. Debía escribir de nuevo y aclarar las cosas. Él debía de haberse pasado todos estos años considerándola una mujer de bajo sentido ético. Tenía que hacer que la viera tal y como era en realidad.

# 12

Iba a pasar mucho tiempo antes de que la policía supiera de
la desaparición de Danila Kovic. Había sido una chica solita-
ria que llegó a Londres desde Lincoln por orden de Madam
Shoshana y que, aparte de Mix Cellini, no tenía amigos en la
ciudad. La habitación en Oxford Gardens se la había encontrado una conocida que su madre tenía en Londres. Danila no
conocía a esta mujer ni a su esposo, nunca había estado en su
casa de Ealing y no sabía nada de ella. En cuanto a su madre,
ella había llegado a Grimsby como refugiada de Bosnia trayendo consigo a su hija pequeña y, puesto que su esposo había muerto en la guerra, se había vuelto a casar. En ocasiones
Danila decía (cuando tenía a alguien a quien decírselo) que
su madre estaba menos interesada en ella que en su actual
marido y los dos hijos de ambos. Mandarla a Londres fue
una manera de quitársela de encima.

Cuando Danila llevaba un mes en Londres, su madre
murió de cáncer. Ella fue a casa para el funeral, pero su padrastro dejó muy claro que no quería que se quedara con él.
Regresó a Notting Hill con diecinueve años. Se había quedado prácticamente sola en el mundo. No poseía ningún atractivo especial, ni aptitudes y sólo tenía un amigo.

A mediados de semana, cuando todavía no había acudido al trabajo, Madam Shoshana se desentendió de ella y se preocupó únicamente en encontrar quien la reemplazara. Si alguna vez pensó en Danila, fue para concluir que la joven se había hartado del empleo o se había marchado con algún hombre. Según la experiencia de Shoshana, siempre había algún hombre por ahí para que una chica se largara con él. Hoy en día la gente parecía vagar por el país, en realidad por toda Europa, siempre que les apetecía. Danila no tenía por qué pensar que mantendría el puesto vacante para ella.

Kayleigh Rivers no tenía una relación muy estrecha con Danila. Nunca habían estado la una en casa de la otra, pero habían salido a comer en dos ocasiones y una vez fueron al cine. Era lo más parecido a una amiga que tenía Danila y la única persona que la conocía a quien le preocupaba dónde podía estar.

Detrás del mostrador, con su disfraz de vendedora de alfombras turca, Shoshana telefoneó a una agencia que ya había utilizado en otras ocasiones, el Beauty Placement Centre, y le enviaron a una empleada temporal. Justo a tiempo, pues tenía un nuevo cliente que iría a verla cuando representara el papel de adivina.


Un rencoroso mensaje de voz que recibió en su móvil advirtió a Mix que no se molestara en asistir a la fiesta de compromiso de Ed y Steph. No sería bien recibido. La fiesta, dijo Ed, era para los amigos y los que les deseaban bien. No habría sitio en el Sun in Splendour para aquellos que no cumplían sus promesas.

—¡Menudo follón por nada! —dijo Mix en voz alta en el coche.

Aquella espantosa noche en la que la chica lo había provocado y la había golpeado hasta matarla, cuando se lo había buscado tan claramente como si hubiese dicho «Mátame», hubo momentos en los que pensó que sus probabilidades de conocer a Nerissa se habían frustrado para siempre. No obstante, a medida que iban transcurriendo los días empezó a sentirse mejor. Se obligó (estaba orgulloso de ello) a telefonear al gimnasio y preguntar por Danila. La respuesta que le dieron lo animó muchísimo.

—Gimnasio Spa Shoshana. Le atiende Kayleigh.

—¿Puedo hablar con Danila?

—Lo siento, Danila se ha marchado. Ya no trabaja aquí.

No resultaba difícil interpretar eso como la implicación de que ellas pensaban que había dejado el trabajo. Si estuvieran preocupadas, si pensaran que podrían haberla secuestrado, asesinado o ambas cosas, no le hubieran dicho que se había marchado. Hubieran dicho algo sobre que había desaparecido. Pensó que tal vez nunca la echaran de menos, quizá no había nadie que la buscara o a quien le preocupara qué había sido de ella. En alguna parte había leído que cada año desaparecen miles de personas a las que nunca encuentran.

Casi como una idea de último momento, solicitó hablar con Madam Shoshana.

—Veré si está disponible.

Lo estaba y Mix concertó una cita. Un miércoles por la tarde, cuando subía por las escaleras, Danila se había encontrado con Nerissa que bajaba. ¿Por qué no podría encontrársela él este miércoles? Claro que el día que él la había visto entrar en el gimnasio no era un miércoles por la tarde, sino algún otro día laborable por la mañana. Aun así, depositó sus esperanzas en que la joven fuera a ver a Shoshana al día siguiente.

Si esto fallaba, haría que alguien le causara un desperfecto a su coche y luego él estaría cerca y se lo repararía o al menos la aconsejaría. Era un golpe audaz, pero la verdad era que podría funcionar, y con rapidez. Él la vería intentando arrancar el coche sin conseguirlo y entonces se acercaría y con mucha educación le ofrecería sus servicios. Mix se ensimismó en aquella nueva fantasía. Nerissa estaría tan agradecida cuando oyera funcionar el motor que lo invitaría a una copa. Las personas como ella nunca bebían otra cosa que no fuera champán y ella siempre tenía una botella a punto metida en hielo…, pero no, recordó haber leído que no bebía nada de alcohol. Pero tendría champán para las visitas. Se sentarían, hablarían, y cuando él le contara la devoción que le tenía desde hacía tiempo y lo del álbum de recortes, ella le preguntaría si le gustaría asistir a un estreno como su acompañante aquella misma noche.

Primero tenía que conocerla. ¿Había algo que pudiera hacer para descargar la batería sin que ella lo supiera? Ya lo averiguaría, preguntaría por ahí y lo haría. Después tan sólo necesitaría unos cables de arranque. Se la imaginó esforzándose para poner el motor en marcha. Se la vería muy hermosa, el esfuerzo y los nervios teñirían con un leve rubor su piel dorada, su pie delicado presionaría con furia el acelerador, pero en vano. En aquel punto él se acercaría diciendo: «¿Puedo ayudarla, señorita Nash?»

—¡Sabe mi nombre! —diría ella.

La sonrisa enigmática que él le dirigiría despertaría curiosidad en ella.

—Es la batería, ¿no le parece?

Él diría que daba la impresión de que sí, pero que por fortuna casualmente él llevaba unos cables de arranque. En cuanto le hubiera recargado la batería, ella tendría que conducir un poco para evitar que volviera a descargarse. ¿Le gustaría que lo hiciera él? Ella podía ir a su lado mientras conducía, por supuesto. Aquél era un escenario más realista, más que el que ella lo invitara a tomar una copa. Mix la llevaría por Wimbledon Common o tal vez por Richmond Park y ella estaría tan contenta por su conducción y por la maestría con la que se había hecho cargo del coche y de ella que, cuando le preguntara si podía volver a verla, respondería que sí de inmediato. No, no le preguntaría si podía, sino cuándo.

Llegó al Gimnasio Spa Shoshana treinta minutos antes de la hora fijada, por lo que pudo aparcar el coche en un estacionamiento de pago (echaría las monedas en el parquímetro cuando el guardia hubiera doblado la esquina) y luego se quedó en el asiento del conductor y leyó otro capítulo de *Las víctimas de Christie*. Reggie no parecía haber pensado mucho en encontrar chicas. Si quería una, conseguía que fuera a su casa, concertaba una visita para someterla al gas con el pretexto de curarle el catarro o de practicarle un aborto, y cuando la chica perdía el conocimiento, la estrangulaba. Primero se la tiraba, por supuesto. A Mix no le gustaba esa parte, él no podría mantener relaciones sexuales con una chica muerta, pero era precisamente eso lo único que movía a Reggie. Y mató... ¿a cuántas? Mix sólo había llegado a la muerte de Hectorina McClennan y le parecía que todavía quedaban más. Aunque no la vieja Chawcer, ella fue la única que escapó. Él, por su parte (y lo consideró de una forma práctica y serena de la que se sintió orgulloso), probablemente no matara más. Suponía un montón de problemas, sobre todo para no dejar rastro después. Excepto a Javy. Ahora que había matado una vez, la idea de volver a hacerlo, y de hacerlo cuando realmente quisiera, ya no parecía tan tremenda.

Leyó otro par de páginas y vio, con cierta atribulación, que sólo quedaban otros tres capítulos por leer; colocó el punto en el libro y, tras comprobar dónde estaba el guardia, echó otro par de libras en el parquímetro y tocó el timbre del establecimiento de Shoshana. Ella respondió con una voz profunda e inquietante y Mix se dio cuenta de que se encontraba acompañada. Luego oyó que decía: «Te veré la próxima semana». La puerta se abrió al empujarla. Mix tenía la garganta seca y el corazón le latía más rápido ante la posibilidad de encontrarse a Nerissa por las escaleras, pero la mujer que bajó era de mediana edad y con sobrepeso. No podía evitarlo, oiría las predicciones para su futuro e intentaría averiguar a qué horas venía Merissa; si era necesario, preguntaría.

Mix nunca había visto nada parecido a esa habitación en la que estaba sentada Shoshana. Allí hacía mucho calor y estaba muy oscuro para la hora que era. Su olfato delicado olió a humo de tabaco. El hecho de que las cortinas estuvieran sujetas con esos grandes broches toscos no sólo le pareció excéntrico, sino también decididamente desagradable. Intentó no mirar al búho y se volvió de forma aún más deliberada para no ver al mago de vestiduras grises situado detrás del asiento de Shoshana. Se había esperado que ella fuera un personaje sofisticado, una mujer hábilmente maquillada y esbelta, tal como correspondería a la propietaria de un centro de belleza. No era mucho lo que dejaba a la vista, pero a Mix le bastó con lo que pudo ver: un rostro arrugado y unos ojos negros de mirada penetrante en unos ropajes del mismo color que las nubes tormentosas.

—Siéntate —dijo ella—. ¿Quieres una tirada de piedras o de cartas?

—¿Cómo dice?

—¿Quieres que indague en tu futuro por medio de las gemas o de las cartas? —frunció el ceño—. Supongo que sabes lo que son las cartas. —Sacó una baraja grasienta de un bolsillo oculto en la última capa de ropa que llevaba—. Estas cosas. Cartas. ¿Qué va a ser?

—No quiero que me prediga el futuro. Quiero su consejo sobre… fantasmas.

—Primero el porvenir —dijo—. Toma una carta.

Como no sabía si se le permitiría sacar una de en medio, tomó la primera. Era el as de picas. Ella miró la carta y luego posó en él unos ojos inescrutables.

—Toma otra.

Ella había vuelto a meter en la baraja la primera carta que Mix había cogido, pero, cuando eligió otra, volvía a ser el as de picas. Pese a la penumbra, vio que la mujer ponía cara larga. Tenía la misma expresión que si le hubieran acabado de dar una noticia horrible, consternada pero aun así incrédula.

—¿Qué pasa? —preguntó Mix.

—Coge otra.

En esta ocasión fue la reina de corazones. Un esbozo de sonrisa rozó los labios de la mujer, que le quitó la carta de las manos, dejó la baraja en la mesa y de una bolsa de terciopelo negro con cordón fue sacando un cristal de color tras otro, blanco traslúcido, púrpura, rosa, verde, negro y azul oscuro y los dispuso formando un círculo en torno a un tapete de encaje blanco.

—Pon tus manos en la mandala.

—¿Qué es eso... que ha dicho?

—Colócalas dentro del círculo de piedras. Eso es. Ahora dime cuál de las piedras sagradas sientes que se acerca más a tus dedos. No serán más de dos. ¿Qué dos piedras se van acercando poco a poco a ti?

Mix no sentía ni veía que las piedras se movieran lo más mínimo, pero no iba a decirle eso. Frunció el entrecejo y dijo con voz muy seria:

—La blanca y la verde.

Shoshana lo negó con la cabeza. No se conocía que alguna vez les hubiera dicho a los clientes que tenían razón. De hecho, como su estrategia era hacerles perder confianza y que se sintieran ignorantes, su popularidad se basaba en la sabiduría superior que veían en ella, contrastada con su propia ineptitud.

—Te equivocas —afirmó—. Hoy están en tu Círculo del Destino el lapislázuli y la amatista. Las dos empujan con fuerza, pero tus dedos oponen una terca resistencia. Tienes que relajarte, dejar de luchar contra ellas y pedirles que vengan.

Las piedras no se movieron para él, pero Mix creyó ver un ligero cambio en la postura de la figura de vestiduras grises situada detrás de la silla de Shoshana. Tenía la impresión de que la mano que sostenía el báculo de serpientes enroscadas se había alzado mínimamente. No era su intención mencionarlo, pero en aquellos momentos estaba asustado y las palabras salieron solas:

—Esa cosa, el hombre que está detrás de usted, se ha movido.

—De modo que tienes un poco de la visión interior —comentó Madam Shoshana, y añadió—: Sólo un atisbo. Las piedras ya se han retirado. Déjalas.

Mix no entendió lo que la mujer había querido decir, si la figura del mago se había movido de verdad, tal vez gracias a algún mecanismo que tuviera dentro, o que poseía el mismo tipo de imaginación que ella. Apretó los puños para evitar que le temblaran las manos.

—Tu equilibrio profético está muy alterado —empezó a explicar la mujer—. Las piedras nos hablan de falta de confianza en ti mismo y de recelo, de miedo a que se descubra algún pecado. Aparte de eso, permanecen en silencio, se reservan la opinión. Y ahora las cartas. Hay muerte en ellas. —Alzó la cabeza y lo miró de manera enigmática—. Evitaría decirte esto si pudiera, pero sacaste el as de picas dos veces y, frente a esto, faltaría a mi deber si no te advirtiera del peligro de muerte. También sacaste la reina de corazones y ella, como todo el mundo debe saber, representa el amor. Veo a una mujer hermosa de piel oscura. Puede que sea para ti o no, eso no puedo verlo, pero la conocerás pronto. Esto es todo.

Mix se puso de pie.

—Serán cuarenta y cinco libras —dijo ella.

—¿Puedo hacerle un cheque?

—Sí, pero no acepto tarjetas de crédito.

Mix tuvo que volver a sentarse para extender el cheque, y cuando sólo había puesto la fecha, le vino a la mente el propósito original de su visita.

—Quería preguntarle sobre un fantasma que quizás haya visto.

—¿Qué quieres decir con «quizás»?

—Es un asesino que vivía cerca de donde vivo yo. Mató a mujeres y las enterró en su jardín. He visto algo…, creo. Me pareció ver su fantasma en la casa en la que vivo.

—¿Fue allí donde mató a esas mujeres?

—Oh, no. Pero creo que solía ir allí a veces. ¿Podría ser…, podría ser que regresara?

Madam Shoshana permaneció prácticamente inmóvil, al parecer ensimismada en sus pensamientos. Al cabo de un minuto entero, habló.

—¿Por qué no? Sería mejor que vinieras a verme otra vez dentro de una semana. Para entonces habré decidido lo que hay que hacer. Recuerda, esto requerirá de una gran atención y protección espiritual. Mientras tanto, si vuelves a verlo, muéstrale una cruz. No es necesario tirarle la cruz, basta con que se la muestres.

—De acuerdo —repuso Mix, contento de tener la que le había dado Steph. Se sintió mucho más seguro y dudó que fuera a volver.

—Eso serán otras diez libras.

En cuanto Mix se hubo marchado, Shoshana encendió un cigarrillo. Faltaba media hora para su próxima cita. Estaba acostumbrada a la credulidad de sus clientes y ya no se maravillaba ni se burlaba de ella como había hecho al principio. Se lo creían todo. Ella misma era una curiosa mezcla de un desfachatado desdén hacia todo lo oculto y de cierta credulidad. Tenía que existir esa pequeña chispa de fe para que ella siguiera el camino que había elegido en la vida. No dudaba de la eficacia de la radiestesia, por citar un ejemplo, ni del valor del exorcismo entre otros rituales. Sin embargo, estaba totalmente a favor de dar un empujoncito a las cosas con algunas ayudas prácticas. Por ejemplo, la baraja de cartas que utilizaba constaba únicamente de ases de picas y reinas de corazones. La había comprado en una tienda de artículos de broma. Las piedras habían pertenecido a su abuelo, que las había coleccionado en sus viajes a Oriente, y la estatua del mago era un artículo defectuoso de una tienda de viejo de Portobello Road. La había encontrado tirada en un contenedor, encima de una piel de tigre de nailon y un retrato de Eduardo VII.

Sin embargo… Estos «sin embargos» no eran insignificantes en su interpretación de su vocación. Sus pronósticos se basaban en su imaginación y su observación de los seres humanos, nada más. Lo que hacían las piedras o mostraban las cartas era irrelevante. Su desconocimiento de la cristalomancia era profundo y sus conocimientos de cartomancia inexistentes. Pero resultaba extraño y un tanto asombroso la frecuencia con la que sus predicciones se acercaban a la verdad. Era muy probable que ese joven muriera, o causara la muerte de otra persona, si no la había causado ya. En cuanto a lo de la mujer hermosa, las calles de Notting Hill estaban llenas de ellas, podría toparse con una en cualquier momento. Aunque otra cosa curiosa era que cuando llegó a ese punto de su vaticinio le había venido a la mente Nerissa Nash y ella fue la que había suscitado esa descripción, la belleza y la piel oscura. Seguramente él nunca la hubiera visto, salvo en fotografías. En lo que al fantasma concernía, todo eso no eran más que tonterías, pero si también era una fuente de dinero, Shoshana no veía razón por la que no debiera hacerse con él.

La dificultad de escribir esa segunda carta al doctor Reeves era casi insuperable. Gwendolen se había dado por vencida varias veces y había deambulado por la casa para estirar las piernas y en un vano intento de despejar la cabeza. Sería absurdo e invitaría al ridículo escribir a un hombre diciéndole que sólo la había dejado porque pensaba que se había sometido a un aborto. Debía intentarlo con circunloquios. Debía sortearlo de algún modo. Arriba, en su dormitorio, mirando por la ventana sin ver nada, se permitió soñar cómo habría sido haber compartido un dormitorio con él, acercarse entonces a su guardarropa y, con el olor a alcanfor que salía cuando abría la puerta, ver sus trajes y su gabardina de verano colgados al lado de sus propios vestidos. Todavía podía ocurrir. Ahora era viudo.

Empezó a subir las escaleras. No había dejado de subirlas y bajarlas en toda su vida, desde que empezó a caminar. El tramo que llevaba al piso superior no estaba embaldosado, sino que era de tablas de madera cubiertas de droguete. ¿Qué había pasado con el droguete? Ya no lo veías. Su padre había hecho colocar las baldosas después de que se encontrara carcoma y se tomaran medidas para erradicarla. Pocos eran los albañiles, fontaneros y electricistas que habían ido a Saint Blaise House. El exterior no se había pintado desde antes de la Segunda Guerra Mundial y el sistema de alumbrado no se había mejorado desde once o doce años atrás. Pero su padre se había obsesionado con la carcoma; se pasaba la noche despierto preocupado por ella.

Podía escribir a Stephen Reeves diciéndole que recordaba que él la había visto en Rillington Place el día antes de que se conocieran. En realidad, no se acordaba, por supuesto, y ni siquiera sabía con seguridad si él la había visto. De no ser así pensaría que era idiota, quizás incluso pensara que sufría esa enfermedad..., ¿cómo se llamaba? Alzheimer..., sí. La enfermedad de Alzheimer.

*Otto* estaba sentado como una esfinge en mitad del tramo embaldosado.

—¿Qué haces aquí?

Gwendolen no recordaba haberse dirigido a él con anterioridad. Hablar con los animales era ridículo. *Otto* se levantó, arqueó el lomo y se estiró. Le lanzó una mirada fulminante antes de marcharse brincando por uno de los pasillos y agazaparse entre las sombras del fondo. Gwendolen abrió la puerta del piso y entró. Todo volvía a estar tan arreglado que resultaba deprimente. ¿Qué clase de fanático ahuecaba los cojines del sofá antes de salir por la mañana? Consideraba que la figura de Psique que había en la mesa de centro era vulgar, era de ese tipo de cosas salidas de las tiendas de muebles que vendían tresillos de piel color crema y mesas de plexiglás moldeado. La levantó y le sorprendió su peso.

La base estaba forrada de fieltro. Daba la impresión de que alguien la había dejado, seguramente por error, sobre un charco de café. ¿Qué otra cosa podría haber causado la mancha oscura que cubría media base y cambiaba el color del fieltro de esmeralda a granate?

—«Encarnado el multitudinario mar —citó Gwendolen en voz alta—, haciendo rojo el verde.»

Le satisfizo que fuera acertada. Claro que Macbeth estaba hablando de sangre y el pedazo de mármol de Cellini difícilmente habría estado encima de un charco de ella. La escasez de libros en la biblioteca hizo que meneara la cabeza. Sólo había obras sobre ese hombre, Christie. Lo cual le recordó que tenía que escribir esa carta.

De todos modos, primero tenía que visitar la habitación de al lado y echar otro vistazo a ese suelo. Contrariamente a lo que ella recordaba, la tabla del suelo no sobresalía. O al menos no mucho. Debía de habérselo imaginado, habría tropezado con otra cosa. Se quedó allí de pie, mirando las viejas tablas astillosas y de repente supo qué eran todos esos agujeritos del suelo. Eran carcoma. Papá solía decir que la carcoma era tan mala como las termitas, podían destruir una casa entera. ¿Qué iba a hacer ahora?

Permaneció en la puerta vacilante, pensando de nuevo en su carta. Lo intentaría una vez más y quizá le dijera indirectamente que nadie debería creerse los rumores… Pero no podía decirse que ella hubiera sido objeto de rumores, ¿no? No podía decirle que no creyera lo que él había visto con sus propios ojos. En la habitación se percibía un leve olor que Gwendolen tenía la seguridad de no haber notado la última vez que subió. Se habría dado cuenta. No era un olor agradable, ni mucho menos. ¿Acaso la carcoma olía? Tal vez. No había duda al respecto, si la cosa empeoraba tendría que hacer venir a un hombre, a esa gente que hacía algo en los suelos, las tablas y los muebles para acabar con esas cosas.

Cuando hubiera escrito la carta, buscaría el número de teléfono en el listín. Había una cosa llamada *Páginas Amarillas* y, aunque no las había abierto nunca desde que empezaron a dejárselas en la puerta, ahora lo haría.

# 13

La palabra «moderno» figuraba de manera predominante en el vocabulario de Gwendolen. Ella aplicaba el término a casi todas las cosas que, por utilizar otra expresión favorita, habían «aparecido en escena» a partir de la década de los sesenta. Eran modernos los ordenadores, así como los cedés y los medios para reproducirlos, los teléfonos móviles, los contestadores automáticos, los parquímetros y los cepos (aunque disfrutaba cuando los veía puestos en algún coche mal aparcado), las fotografías en color en los periódicos, las dietas y las calorías, la desaparición de los telegramas y, por supuesto, Internet. En lo que concernía a la mayoría de innovaciones, se las arreglaba para hacer como si no existieran. Pero las *Páginas Amarillas* eran un libro y ella estaba familiarizada con toda clase de libros. Su padre solía decir que, si estuviera aislado en algún lugar sin compañía y sólo tuviera el listín telefónico para leer, lo leería. Gwendolen no iría tan lejos, pero no encontró aquella guía de servicios tan moderna e incomprensible como había temido.

Había páginas enteras dedicadas a empresas que trataban la carcoma. Resultaba difícil saber cuál elegir. Desde luego no una de ésas con nombre jocoso como Carcomicidas Exprés (los Carcomicidas liquidarán su carcoma y eliminarán la putrefacción seca), ni nada que fuera comercial o industrial. Al final optó por Woodrid, principalmente porque quedaba cerca de allí, en Kensal Green. Lo cual no sirvió para mitigar el horror de no poder comunicarse por teléfono con una voz humana viva. Tuvo que pulsar la tecla del uno, luego la del dos, lo hizo mal y tuvo que empezar otra vez. Tras haber superado estas dificultades, le pidieron que pulsara una cosa llamada «almohadilla» y tuvo que pedir una explicación. Al ver que la voz automatizada no respondía a su pregunta, discurrió que, puesto que no se trataba ni de un número ni de un asterisco, debía de ser esa cosa que parecía un rastrillo torcido. Lo era. Esperó y esperó mientras sonaba una música, ese tipo de música moderna cuyo retumbo salía de los coches conducidos por jóvenes que bajaban por su calle los sábados por la noche. Finalmente le dijeron, para su consternación, que un «representante iría a hacer un reconocimiento dentro de dos semanas y cuatro días laborables.

La llamada telefónica la dejó exhausta y tuvo que tumbarse en el salón para descansar y leer *El origen de las especies* durante media hora. Olive iba a traer a su sobrina a tomar el té. Le había dicho que las dos estaban a dieta, pero Gwendolen sabía cuán en serio podía tomarse eso. Sólo complicaba las cosas, pues no querrían beber solamente té, sino que esperarían encontrar galletas de centeno sin calorías, pastel bajo en grasa o alguna de esas tonterías modernas. Además, a Gwendolen, que nunca engordaba comiera lo que comiera, le gustaba tomar el té con unas buenas pastas. Esa gente nunca pensaba en el montón de problemas que causaban a los demás.

¡Había tenido tanto en común con Stephen Reeves! No había razón para creer que sus gustos hubieran cambiado.

Gwendolen creía que las personas cambiaban muy poco, que sólo fingían como parte de una campaña para lucirse. A Stephen le habían encantado sus tés, sus sándwiches y tartas caseras, sobre todo su bizcocho Victoria. Cuando volvieran a encontrarse, ¿sería capaz de hacerle un bizcocho Victoria? Pero aún tenía que escribir la carta, si no aquel mismo día, al siguiente o al otro. Cuanto más pensaba en desengañarlo de la impresión que debía de tener de ella, más embarazoso parecía tener que explicarle a un hombre que no había abortado, sino que estaba acompañando a otra persona que estuvo a punto de hacerlo. Y eso en sí mismo podría parecer censurable a sus ojos.

Tal vez pudiera encontrar una manera sutil de hacerlo. Empezaría a practicar desde entonces y una vez más cogió papel y pluma. *Querido doctor Reeves...*. ¿Por qué había que usar las palabras «operación ilegal»? *Querido doctor Reeves: recordé una cosa sobre nuestro mutuo afecto...* No, eso no era correcto, había sido más bien lo que hoy en día llamaban una «relación». *Recordé una cosa sobre nuestra relación, la que había entre nosotros, cuando ya había enviado mi anterior carta.* Eso serviría, estaba bastante bien. Y cuando se separaron, ya hacía mucho tiempo que no lo llamaba doctor Reeves. *Querido Stephen: cuando ya había enviado mi anterior carta, recordé una cosa sobre nuestra relación, la que había entre nosotros, que se me había olvidado. El día antes de que nos conociéramos en tu consultorio, al que acudí por un problema sin importancia...* ¿Debería poner la fecha de dicho encuentro? Tal vez no. *... un problema sin importancia, no comenté el hecho de que nos habíamos visto el día anterior.* Ella no sabía si Stephen Reeves la había visto, como él tampoco sabía que ella lo había visto a él, podría ser que se encontrara a kilómetros de distancia y la había abandonado por otro motivo completamente distinto. Pero… no, eso no podía ser. Él la había amado, sabía que la había amado, y sin duda continuaba amándola, pero tuvo la sensación, dadas las circunstancias, de que ella no sería una esposa adecuada para un médico. Y la verdad es que así hubiera sido si hubiese hecho lo que él creía que había hecho.

Miró la hora y se sobresaltó. Olive, con o sin su sobrina, llegaría dentro de una hora y ella ni siquiera había comprado las pastas. Ni siquiera estaba segura de tener leche suficiente. Esa carta tendría que esperar hasta más tarde, o tal vez hasta que hubiera recibido una contestación a la primera.


Pese a todo lo que Olive había dicho sobre la pasión de su sobrina por los edificios antiguos de Londres, Hazel Akwaa mostró muy poco interés en Saint Blaise House. Resultó ser una mujer callada y educada que se bebió el té y se comió una simple galleta en silencio en tanto que su tía cotorreaba. Olive vestía unos pantalones negros acampanados y un jersey rojo con dibujos de abetos y gente esquiando más adecuado para una persona que tuviera un tercio de su edad, pero su sobrina llevaba un vestido de lana gris y un collar de oro que tenía aspecto de ser valioso. Cuando Olive se la presentó, Gwendolen tuvo que pedirle primero que repitiera su apellido y luego que lo deletreara, pues era de lo más extravagante, parecía africano. Gwendolen conocía a Rider Haggard desde la infancia y le pareció recordar que en *Ella* o en *Las minas del rey Salomón* había un personaje llamado Akwaa. No podía ser que esa Hazel como se llamara se hubiera casado con un africano, ¿no?

—¿Le gustaría recorrer la casa? —le preguntó Gwendolen cuanto terminaron el té—. Hay bastantes escaleras.

Ella se esperaba que la mujer dijera que no dejaría que un obstáculo tan insignificante como unas escaleras la disuadiera, pero la señora Akwaa no pareció muy entusiasmada con la idea ni mucho menos.

—Pues no especialmente, si no le importa.

—No, a mí no me importa, por supuesto, puedo subir las escaleras siempre que quiera, claro. Pensé que le gustaría conocer la casa, señora Akwaa.

—Llámeme Hazel, por favor. Desde donde estoy sentada veo esta preciosa habitación y dudo que el resto de la casa pueda ser más bonito que esto.

Este comentario cortés aplacó a Gwendolen, que decidió relajarse un poco.

—Y dígame, ¿dónde vive?

—¿Yo? En Acton.

—¿De verdad? No creo que haya estado nunca allí. ¿Y cómo regresará a casa? —Gwendolen lo dijo como si su invitada viviera en Cornualles y quisiera quitársela de encima lo antes posible—. Confío en que no en el metro, ¿no? Te juegas la vida en esas cosas.

—Mi hija dijo que pasaría a recogernos a las cinco y media. Iremos las tres a mi casa para cenar allí.

—¡Qué bien! ¿Por casualidad no será el dechado de virtudes del que su tía me habla continuamente?

—No sé si es un «dechado de virtudes» o no —repuso Hazel Akwaa en un tono casi tan frío como el de Gwendolen—. Sólo tengo una hija. Su padre y yo creemos que es muy especial, pero, al fin y al cabo, somos sus padres. ¿Le importaría decirme dónde tiene el servicio?

Gwendolen esbozó su minúscula media sonrisa.

—El «cuarto de baño» está en el primer piso, la puerta que queda enfrente al subir el primer tramo de escaleras.

Durante la ausencia de Hazel Akwaa, decidió contarle a Olive lo de la carcoma.

—Acabo de subir otra vez para volver a examinarlo. He llamado a Woodrid para que vengan, pero, igual que todas estas empresas de hoy en día, tienen intención de hacerme esperar más de quince días para venir. Supongo que el suelo no se vendrá abajo en quince días. —Soltó una risita forzada—. ¿Por casualidad no sabrás si la carcoma huele?

—Pues la verdad es que no lo sé, Gwen. Nunca he oído decir que oliera.

—Quizá fuera mi imaginación. Te llevaría arriba para enseñártelo, pero esta sobrina nieta tuya va a llegar en cuestión de cinco minutos.

Hazel regresó seguida de *Otto*.

—Su precioso gato se ha restregado contra mis piernas y cuando lo he acariciado me ha seguido hasta aquí abajo.

—Sí, lo cierto es que parece que otorgue su favor a ciertas personas —dijo Gwendolen con un tono de voz que implicaba que había gustos para todo.


Mix se hallaba frente a la casa de Nerissa en Campden Hill, observando, y obtuvo su recompensa al verla salir por la puerta principal poco después de las cuatro y media y meterse en su coche. En aquella ocasión iba vestida con elegancia con un traje pantalón de color miel y un sombrero grande y dorado que se quitó y depositó en el asiento del acompañante. Nerissa condujo cuesta abajo y al pasar junto a él aminoró la marcha y volvió la cabeza brevemente para mirarlo. Mix quedó encantado. «La próxima vez se acordará de mí», pensó.

Tenía que realizar una visita más antes de irse a casa. Era en una casa de Pembroke Villas, el domicilio de una de esas clientas poco habituales que tenían una cinta de correr y que la utilizaban, si no a diario, tres o cuatro veces a la semana. La cinta de la máquina se había desplazado demasiado a la izquierda sobre los rodillos y, a pesar de todo el ejercicio que hacía, la señora Plymdale no tenía fuerza suficiente para manejar la llave inglesa y arreglarlo ella misma.

Su casa contaba con un camino de entrada donde Mix pudo aparcar el coche. La felicitó por su constancia con el ejercicio, ajustó la cinta y engrasó la máquina. Pero lo cierto era que había que sustituir la cinta y le aconsejó que encargara ya una de repuesto. Mix terminó la visita en quince minutos y tenía el resto del día libre. Condujo de vuelta a casa pasando por Portobello Road, Ladbroke Grove y Oxford Gardens y se detuvo por el camino para comprar media pinta de ginebra, una botella de vino tinto y un pollo masala congelado.

Era media tarde, hacía mucho calor y había dejado de soplar la brisa. Pensó: «Me pregunto si han empezado a buscar ya a esa chica, a esa Danila, los periódicos no dicen nada al respecto por lo que nadie ha informado a la policía». Tenía miedo de averiguarlo, pero, al mismo tiempo, quería saberlo. Aunque a los del gimnasio Shoshana les diera igual, seguro que a la gente a la que les había alquilado la habitación no, seguro que ellos estarían extrañados. Dobló por Saint Blaise Avenue. Frente a la casa en la que vivía, en la línea amarilla, había aparcado un Jaguar dorado. Era curioso, desde allí se parecía mucho al de Nerissa. Sin embargo, aunque eran unos coches magníficos, los Jaguar se parecían mucho unos a otros. El guardia de aparcamiento de rostro anguloso que había visto al doblar la esquina caería sobre el propietario de ese vehículo como una tonelada de ladrillos.

No pudo evitar lamentar no haber anotado la matrícula de Nerissa, pero la cuestión es que no lo había hecho. No le había encontrado el sentido. Dejó su automóvil en el estacionamiento para los residentes, lo cerró y cruzó la calle en dirección al Jaguar. El sombrero grande y dorado estaba en el asiento del acompañante. Así pues, ese coche era el suyo. Mix alzó la mirada, se dio media vuelta y se encontró frente a ella. No podía estar soñando, aquello debía de ser real…

—Nerissa —dijo—, es maravilloso poder hablar contigo al fin.

Ella le miró con sus grandes ojos negros, pero no dijo nada. Permaneció inmóvil, como impresionada.

—Has aparcado en una línea amarilla, Nerissa. El guardia de aparcamiento te va a pillar. Deja que mueva el coche por ti, Nerissa.

—Para usted es la señorita Nash —terció una voz desde detrás de la joven. Mix sólo tenía ojos para ella, no había visto a ninguna de las otras dos mujeres. Eran de esas que bien hubieran podido ser invisibles porque él nunca se hubiera fijado en ellas. La que había hablado dijo—: Mi hija conducirá su coche, gracias. Está a punto de hacerlo.

Nerissa le sonrió. Fue una sonrisa tan radiante, dulce y bondadosa que Mix casi se postró de hinojos a sus pies.

—Ha sido muy considerado por su parte —le dijo la joven, se metió en el coche y pasó el sombrero a las mujeres del asiento de atrás. La ventanilla estaba bajada—. Bueno, adiós.

El automóvil dobló la esquina y desapareció en el preciso instante en el que aparecía el guardia casi corriendo, con la multa en la mano. Mix permaneció un momento en el terreno sagrado en el que había estado el Jaguar y que entonces estaba ocupado tan sólo por una lata de cerveza vacía, un jirón de trapo grasiento y un envoltorio de un helado Magnum.

El guardia se las dio de ingenioso:

—Si se queda aquí, le van a poner el cepo, señor.

—¡Ja, ja! —repuso Mix.

Se dirigió hacia la casa. Gran parte de lo que le había sucedido últimamente poseía ese aire de ensueño. Eran sueños maravillosos, como el más reciente, o pesadillas. ¿Qué había sido de la realidad? Bueno, era real que había hablado con Nerissa y… ¡Oh, milagro!, ella había hablado con él. Y había sido tan simpática y encantadora. Lo había llamado considerado. Si esa vieja que dijo ser su madre no se hubiera inmiscuido, era probable que ella le hubiera dejado mover el coche, incluso hasta se hubiera sentado a su lado y hubiera dejado que la llevara a casa. Pero la vieja había tenido que entrometerse. A Mix le hubiese gustado tirarla al suelo y pisotearla. ¿Cómo podía ser la madre de Nerissa con ese cabello gris rojizo y esa pálida cara de perro?

En la casa casi siempre reinaba la calma, pero aquella tarde parecía estar más silenciosa que de costumbre. Empezó a subir las escaleras. La próxima vez Nerissa lo reconocería.

Saldría a hablar con él, tal vez lo invitara a entrar a tomar un café. Cuando eso ocurriera, sería su oportunidad para invitarla a salir. La llevaría a ese lugar italiano de categoría, ese que tenía un nombre curioso y que había ganado el Premio al Restaurante Italiano del Año. Por suerte había podido ahorrar un poco. Quería el dinero para comprarse uno de esos televisores con pantalla de plasma, pero Nerissa era mucho más importante que eso.

Invariablemente, cuando llegaba al tramo superior de la escalera los pensamientos sobre Reggie y su fantasma alejaban de su mente todo lo demás. Ni siquiera Nerissa poseía poder suficiente sobre él para desplazarlos. Era temprano, por supuesto, pero ya anochecía y allí arriba los pasillos siempre estaban oscuros. A veces pensaba en cerrar los ojos al llegar a lo alto de la escalera y dirigirse a su piso a ciegas, pero temía que si lo hacía una mano se le posaría en el hombro o una voz le susurraría al oído. Lo mejor era afrontarlo y mirar. Allí no había nadie, no había nada. Todo estaba como debía estar. ¿O no? Mix permaneció inmóvil intentando recordar. Estaba segurísimo de haber cerrado la puerta de la habitación donde Danila yacía bajo las tablas del suelo. Lo sabía porque siempre lo hacía. En todo el tiempo que llevaba viviendo allí nunca había estado entornada.

Se acercó a la puerta de puntillas, vete a saber por qué, y aunque pensó que lo mejor sería abrirla rápidamente, lo hizo a hurtadillas. La habitación estaba vacía y hacía mucho calor en ella. El sol resplandecía a través del cristal. Un olor no muy fuerte, pero bastante desagradable debía de entrar por la ventana abierta, pero la ventana no estaba abierta. Fue hacia ella e intentó levantar la hoja, pero le fue imposible, las cuerdas del contrapeso de la ventana de guillotina estaban rotas, una de ellas colgando. Algunos de los olores que se percibían en Londres eran de origen desconocido y parecían abrirse camino a través de las grietas de la estructura de las casas. Miró por la ventana. Las gallinas de Guinea del hindú estaban acurrucadas juntas en el tejado de un cobertizo bajo mientras *Otto* las observaba desde el muro.

Mix cerró la puerta tras él y metió la llave en la cerradura de su piso. No sólo percibía un olor extraño, sino también una música extraña. Debía de haber empezado a sonar mientras se encontraba en la habitación, una música de esas que él nunca había sido capaz de seguir o comprender, pero que a algunas personas parecía gustarles. Él sospechaba que en realidad no les gustaba, pero que lo fingían porque eso les hacía parecer más inteligentes. Unas notas de piano, posiblemente de dos, sonaban a lo lejos mientras alguien tocaba un violín. ¿De dónde provenía? Del dormitorio de la vieja bruja, sin duda. Entró en el piso pensando en la chica que estaba debajo de las tablas del suelo.

¿Iba a dejarla allí? No había sido ésa su primera intención. La habitación de al lado sólo era una tumba temporal. Él había pensado meter el cadáver en el maletero del coche y deshacerse de él en alguna parte. Reggie nunca había llegado tan lejos. Todas sus víctimas habían sido enterradas dentro de la casa o en el jardín, pero Reggie no tenía coche, poca gente poseía vehículo en aquel entonces. Claro que su propia experiencia era muy distinta a la de Reggie. El necrófilo había matado a todas esas mujeres para tener relaciones sexuales con ellas mientras yacían moribundas o recién muertas, en tanto que él, Mix, había matado a alguien en defensa propia porque le había dicho unas cosas horribles. Lo que él había hecho tan sólo era un homicidio sin premeditación.

En la época de Reggie los forenses no habían llegado ni mucho menos al nivel de pericia que habían logrado hoy en día. Mix lo sabía todo al respecto, como cualquiera que viera la televisión. Actualmente, con todas las pruebas que hacían, serían capaces de saber si había llevado el cuerpo de una chica en su coche, sabrían quién era ella por la prueba del ADN. Reggie tuvo que ocultar esos cadáveres a su esposa, hasta que ella también se convirtió en su víctima. Se vio obligado a enterrarlas. Seguro que en su caso sería mucho más seguro dejar a Danila donde estaba, un lugar al que nadie tendría motivos para ir. Pero ¿quién había estado aquel día en esa habitación? Probablemente la vieja Chawcer, buscando más basura en los cajones de esa cómoda.

¿Y si había sido el fantasma de Reggie, fascinado porque otra persona había ocultado un cadáver? ¿Y si Reggie, en lugar de rondarlo con intención de asustarlo, estaba velando por él? Se sentiría mejor al respecto cuando hubiera vuelto a ver a Madam Shoshana y oyera lo que ésta tenía que decir.

No obstante, pensó que un fantasma era igualmente aterrador tanto si te estaba amenazando como si te estaba protegiendo. El hecho de que pudiera ser un fantasma hacía que vieras el mundo de una manera distinta. Mix se estremeció al tiempo que pensaba que quizá no fuera demasiado pronto para prepararse un Latigazo.

# 14

Abbas Reza no se apercibió de la ausencia de Danila hasta que ésta no le pagó el alquiler. Él contaba con que le pagaran los alquileres en metálico, a ser posible con billetes de cincuenta y veinte libras metidos en un sobre que a su vez introducían en el buzón de su puerta. Nada de cheques ni tarjetas de crédito. El sábado pasado la señorita Kovic no había pagado el alquiler y ahora había pasado otra semana. Él ya había ido a aporrear su puerta para reclamárselo, pero no obtuvo respuesta, ni siquiera a las doce y media de la noche. No le había parecido que la muchacha fuera una de esas que no vuelven a casa, ni un ave nocturna, en absoluto, pero se había equivocado. Ahora que la joven llevaba unos cuantos meses en Londres se estaba habituando, cambiando sus buenos hábitos por malos, igual que les ocurría a todas. Tal eran la corrupción y el mal progresivo del mundo occidental donde se ridiculizaba a Dios y la moral había salido volando por la ventana. A veces pensaba con nostalgia en Teherán, pero no por mucho tiempo. En general, estaba mejor aquí.

La empleada eventual, que aún seguía en el gimnasio Shoshana, era eficiente, más atractiva que la chica bosnia y, con esa figura regia, su pose refinada y su rostro como el de una diosa nórdica, suponía una buena publicidad para el *spa*. Era una pena que no fuera a quedarse. Shoshana había obtenido varias respuestas a su anuncio y estaba entrevistando a las candidatas. La clientela aumentaba con rapidez. Había vuelto ese idiota que creía que vivía en una casa encantada y había tenido que contenerse para no echarse a reír en su cara cuando le dijo que evitara el número trece si quería evitar volver a ver al fantasma. Casi se había olvidado de la existencia de Danila.

Kayleigh no lo había hecho. Antes de conocer a Mix, Danila hubiera dicho que Kayleigh era la única amiga que tenía en Londres. No es que se hubieran visto mucho, pues Kayleigh empezaba su turno cuando Danila lo terminaba.

Ésta no tenía teléfono en su habitación de Oxford Gardens, de manera que Kayleigh había realizado varios intentos de llamarla a su móvil. Sonaba y sonaba, pero siempre en vano. Kayleigh aún no estaba preocupada. Si a Danila le hubiese ocurrido algo, como que la hubieran asaltado o atacado, habría salido en los periódicos. Podría ser que estuviera enferma y no contestara al móvil. De todos modos, no estaría enferma durante quince días, y ya hacía más de dos semanas desde el día en que Shoshana la había llamado y Danila no respondió. Kayleigh se acercó a la casa de Oxford Gardens.

Todas las habitaciones y los dos pisos tenían portero automático. Abbas Reza se enorgullecía de organizar las cosas como era debido. Además, no quería que las visitas lo despertaran a todas horas. Kayleigh llamó al timbre de Danila una y otra vez y, al no obtener respuesta, pulsó el botón de arriba en el que había escrito de manera un tanto misteriosa:

*Sr. Reza, director de la casa,* como si fuera un director de un colegio.

Un hombre delgado y bastante atractivo, con un bigote pequeño y unos cabellos tan negros y relucientes que bien podrían estar pintados, abrió la puerta. Parecía tener poco menos de cuarenta años.

—¿En qué puedo servirle?

Fue educado porque Kayleigh era una rubia guapa de veintidós años.

—Busco a mi amiga Danila.

—Ah, sí, la señorita Kovic. ¿Dónde está? Eso es lo que yo me pregunto.

—Yo también me lo pregunto —repuso Kayleigh—. No responde a mis llamadas y ahora usted me dice que no está aquí. ¿Cree que podríamos entrar en su habitación?

Al señor Reza le gustó ese «podríamos». Esbozó una sonrisa tranquilizadora.

—Lo intentaremos —dijo.

Primero llamaron a su puerta. Quedó claro que dentro no había nadie. El casero introdujo su llave, la hizo girar y entraron. Al hacerlo, le sobrevino la idea de que la joven podría yacer allí muerta. Por desgracia, eran cosas que ocurrían, tanto en Teherán como en Londres. ¡Menuda impresión para esa joven tierna que sin duda no se había corrompido! Pero no, allí no había nada. Nada, salvo el desorden en el que parecía vivir todo el mundo, prendas de ropa tiradas por todas partes, una taza de té vacía con posos antiguos y, en el fregadero, sumergidos en agua fría con una capa de grasa flotando, un plato, un cuchillo y un tenedor. La cama estaba hecha de cualquier manera. Junto a ella, encima de una pila de revistas, había uno de los folletos del Gimnasio Spa Shoshan, en papel satinado de color turquesa y plateado.

—Ésta se ha largado a la chita callando —dijo Abbas Reza, pensando en su alquiler—. Ya lo he visto otras veces, muchas, muchas veces. Lo dejan todo así, siempre es lo mismo.

—Yo no creo que fuera de esa clase de personas. Estoy muy sorprendida, de verdad.

—¡Ay! Es usted una ingenua, señorita…

—Llámeme Kayleigh.

—Es usted una ingenua, señorita Kayleigh. Con lo joven que es no ha visto la maldad del mundo como yo. Su pureza está inmaculada. —El señor Reza había dejado a su esposa en Irán años atrás y se consideraba libre desde el punto de vista amatorio—. No se puede evitar. Cortamos por lo sano.

—No se puede decir que yo haya cortado por lo sano exactamente —repuso Kayleigh cuando volvieron a bajar—. A menos que incluya en ello el hecho de perder a una amiga.

—Por supuesto. Lo incluyo, naturalmente. —El señor Reza estaba pensando que podría vender la ropa de Danila, aunque no tendría mucho valor. No obstante, mientras estaban en la habitación se había fijado en un reloj que parecía ser de oro y en un reproductor de cedés nuevo—. Venga, le haré una taza de café.

—Oh, gracias. Se la acepto.

Había pasado una hora cuando Kayleigh volvió a salir a Oxford Gardens, bastante animada por el café más fuerte y espeso que había probado en su vida y con una cita para la tarde siguiente con el hombre al que ya llamaba Abbas. Se había olvidado de Danila, pero entonces volvió a pensar en ella y vio que no podía estar totalmente de acuerdo con su nuevo amigo en cuanto a que su inquilina se había largado sin decir nada, que sencillamente se había ido. Era una persona desaparecida, se dijo Kayleigh. Las palabras le sonaron muy serias. «Danila es una persona desaparecida —repitió—, y la policía debería saberlo.»

Era una mañana más fresca y nublada de lo que solían serlo últimamente y Mix se encontraba una vez más sentado en su coche en lo alto de Campden Hill Square. Debería haber estado en casa de la señora Plymdale. Ésta lo había llamado al móvil para decirle, muy amablemente, eso sí, que la cinta nueva que le había colocado en la máquina de correr se había soltado la noche anterior. ¿Podría ir a arreglarla lo antes posible? Mix había dicho que estaría con ella a las once de la mañana, pero en cambio estaba frente a la vivienda de Nerissa, desesperado por verla. Era como si ella fuera su dosis. Había hecho una visita en Chelsea y otra en West Kensington, pero le resultaba imprescindible tomar un poquito más de la droga antes de continuar trabajando. El hecho de verla la semana anterior, de hablar con ella y de que ella hablara con él no había mejorado las cosas en absoluto. Las había empeorado. Antes había querido conocerla por la fama que podía conferirle estar con ella. Ahora estaba enamorado.

Esperó y esperó mientras leía el último capítulo de *Las víctimas de Christie*, pero sin dejar de levantar la mirada cada pocos segundos por si acaso aparecía ella. No lo hizo hasta las doce y media, vestida con un traje chaqueta de color blanco, elegante y muy corto, y unas inapropiadas zapatillas de deporte. En la mano llevaba un par de sandalias blancas con unos tacones de diez centímetros. Mix supuso que esos zapatos eran para ponérselos cuando llegara adondequiera que fuera y las zapatillas de deporte eran para conducir. La seguiría. Ahora que la había visto no podía soportar perderla de vista.

La joven pasó junto a él, pero Mix no sabía si lo había visto o no. Condujo siguiendo su coche por Notting Hill Gate y bajó por Kensington Church Street. Por una vez no había mucho tráfico y se mantuvo detrás de ella. Desde Kensington High Street Nerissa se dirigió al este y él hizo lo mismo. En un semáforo en rojo ella volvió la cabeza y él supo que lo había visto. La saludó con la mano y ella esbozó una leve sonrisa antes de seguir adelante.


Antes de acudir a la policía, Kayleigh llamó a información telefónica y les pidió el número de una tal señora Kovic que vivía en algún lugar de Grimsby. Sólo encontraron a una mujer con ese nombre. La primera a la que Kayleigh llamó era inglesa, una mujer de Yorkshire que se había casado y divorciado de un serbio. La madre de Danila había sido su cuñada. Le dio un número de teléfono y Kayleigh habló con el padrastro de Danila, que parecía tener miedo de verse involucrado.

—Si le ha pasado algo, no quiero saberlo —dijo—. No nos llevábamos bien. Esto no tiene nada que ver conmigo.

—Ella no tenía a nadie más —dijo Kayleigh—. He estado muy preocupada.

—¿Ah, sí? Pues no sé qué piensa que puedo hacer yo. Mírelo desde mi punto de vista. He perdido a mi esposa y tengo que criar a dos chicos. Danny y yo nunca tuvimos una buena relación, y cuando la vi en el funeral, le dije que yo iría por mi camino y que ella fuera por el suyo…, ¿estamos?

Kayleigh empezaba a tener la impresión de que nadie sentía mucho afecto por Danila. Madam Shoshana se había olvidado rápidamente de su existencia. Esta indiferencia la asustaba. Era muy distinto a los sentimientos que reinaban entre los miembros de su familia, donde sus padres se tomaban mucho interés en todo lo que hacían sus hijos y tenían leves arrebatos de preocupación si uno de ellos no estaba inmediatamente disponible al teléfono. Kayleigh fue a la policía en Ladbroke Grove y rellenó un formulario de búsqueda de personas desaparecidas, pero no dijo nada de la conversación que había mantenido con el padrastro de Danila.

Nerissa iba al restaurante de Saint James's para comer con su agente y el motivo de esa comida era que una revista de prestigio internacional había solicitado sacarla en la portada y publicar un artículo de cuatro páginas sobre ella. Aparcó el Jaguar en una zona de estacionamiento de Saint James Square y se cambió las zapatillas de deporte por las sandalias blancas de tacón de aguja. La comida tendría que ser corta o le pondrían el cepo. Cuando estaba cerrando el coche, llegó ese hombre, el que le había hablado el jueves frente a la casa de aquella anciana. Era la tercera vez que se lo encontraba y supo que la estaba siguiendo, lo cual le provocó cierta grima.

No era el primer acosador de su vida. Ya había habido varios, en particular uno que pasaba por casa de sus padres cuando ella era muy joven y aún vivía con ellos; pero al final su padre, que era un hombre grandote y de piel muy oscura, cosa que suponía una temible amenaza para el que llamaba a la puerta, había conseguido intimidarlo. Su querido papá era un guardaespaldas magnífico. El otro acosador había sido muy similar a éste, la esperaba delante de su casa y la seguía. Fue la policía la que le advirtió que no continuara. Mientras caminaba en dirección a Saint James's Street, Nerissa pensó que lo curioso era que todos ellos se parecían mucho. Eran todos de estatura mediana, de poco más de treinta años, rubios, con un rostro anodino y ojos que miraban fijamente. Aquél la seguía entonces por King Street, probablemente a poco menos de cincuenta metros por detrás de ella. Llegaba un poco pronto a la comida y se preguntó si podía hacer algo para quitárselo de encima.

Las tiendas de Saint James's Street no son de esas en las que una mujer puede entrar a curiosear y, si es necesario, refugiarse detrás de los percheros con ropa o desaparecer en el tocador de señoras. No había donde esconderse. Si se detenía a mirar el escaparate de la sombrerería o cruzaba la calle para entretenerse un rato frente a la espléndida vinatería, ¿se lo tomaría como un motivo para hablar con ella? Lo que no debía hacer era mirar atrás. Se le había resbalado la tira que sujetaba la sandalia al pie por encima del tacón alto y el zapato le golpeaba la planta. Se inclinó para ponérselo bien, sintió una presencia de pie a su lado y al levantar la vista con renuencia… se encontró con el rostro de Darel Jones.

Ni que hubiera sido su padre se hubiese alegrado tanto y, casi de manera involuntaria, dijo:

—¡Vaya, cuánto me alegro de verte!

Él pareció sorprendido.

—¿Ah, sí?

—Hay un hombre que me está acosando. Mira. No, ya se ha marchado. Ha sido por ti, seguro. Te vio, pensó que eras amigo mío y… desapareció. ¡Qué maravilla!

Si le importó que lo tomaran por un amigo suyo, él no lo dejó traslucir.

—Esto del acosador… es una cosa muy seria. Tendrás que informar a la policía.

—No puedo estar poniendo denuncias continuamente. No es el primero, ¿sabes? Quizás ahora desista. Siempre espero que lo hagan. Pero, bueno, ¿qué estás haciendo por aquí?

—Yo podría preguntarte lo mismo. Soy banquero —señaló un edificio de estilo georgiano en el que se leía en una placa metálica: LASKY BROTHERS, BANCA INTERNACIONAL DESDE 1782—. Trabajo allí.

—¿En serio? —Nerissa tenía una idea muy limitada de lo que hacía un banquero—. Quieres decir que si entrara ahí y les pidiera que me hicieran efectivo un cheque, ¿tú estarías detrás de esa cosa de cristal y me darías un puñado de billetes?

Él se echó a reír.

—No es exactamente así. He salido para comer. Supongo que tú no…

—Voy a comer con mi agente —dijo ella—. Tengo que ir sin falta. —Lo miró con un amor vehemente recordando la predicción de Madam Shoshana—. Ojalá no tuviera que hacerlo, pero debo ir.

—En tal caso, te digo adiós. —Quizá fuera su imaginación, pero Nerissa nunca lo había visto de esa manera, tan interesado en ella, tan curioso sobre ella—. ¿Sabes una cosa?

—dijo— Eres muy distinta de… esto… de la idea falsa que tenía de ti —y se marchó.

Nerissa entró en el restaurante donde ya vio que su agente la esperaba en una mesa. ¿Qué había querido decir con eso de «idea falsa»? ¿Que creía que era horrible y había descubierto que no? ¿O, más probablemente, que a pesar de esa mirada que podría haber sido de mera simpatía, hubiera pensado que era simpática, pero ahora había descubierto que era horrible? De todas formas, había estado a punto de pedirle que fuera a comer con él…


Un mensaje urgente convocó a Mix a la oficina central. El director del departamento, el señor Fleisch, tenía unas cuantas cosas que decirle. Habían recibido una llamada de la señora Plymdale, que ya no se había mostrado indulgente ni fácil de tratar, para quejarse de que la cinta nueva que le había instalado en su cinta de correr se había soltado y que, aunque le había prometido reparársela a las once, no había aparecido. Ella tenía que utilizar la cinta de correr cada día o perdería el ritmo. Necesitaba hacer ejercicio de verdad. Sus progenitores habían muerto de enfermedades cardíacas y la mujer estaba desesperada. Y no era solamente eso, sino que además el señor Fleisch se había enterado por medio de Ed West de que Mix no había realizado dos visitas esenciales que tenía que hacer él y que no pudo hacer porque estaba enfermo.

—Estoy pasando por una mala racha —dijo Mix sin más explicación.

—¿Qué clase de mala racha?

—No he estado bien. He estado deprimido.

—Entiendo. Te concertaré una cita con el médico de empresa.

A Mix le hubiese gustado rechazar la oferta, pero no supo cómo hacerlo. Lo empeoraría todo si no iba a ver al médico, un anciano adusto que se había granjeado la antipatía del personal. Mix se fue a casa. Había sido un mal día. Todo el tiempo que había estado siguiendo a Nerissa había estado planeando qué le diría cuando, después de acortar las distancias según lo planeado, ella volviera la cabeza y lo viera. Lo primero que haría sería recordarle lo del jueves pasado, luego tal vez disculparse si había ofendido a su madre. ¿Querría demostrarle que no estaba resentida yendo a tomar un café con él? La joven se había mostrado tan dulce y gentil en la anterior ocasión que él creía que lo haría, lo cierto era que no podría negarse dadas las circunstancias. Pero entonces había aparecido ese hombre, un joven atractivo que parecía ser amigo suyo. ¡Tenía que pasarle a él! Pero no iba a dejar que eso lo desanimara.

Un mensaje en el móvil le decía que llamara a Colette Gilbert-Bamber en cuanto terminara el trabajo. No sería porque le pasara nada a su equipo, sino para lo que Mix denominaba «un poco de lo otro». Aun así ganaría cuarenta libras por el servicio a domicilio… Si tan atractivo le resultaba a Colette, seguro que también se lo parecería a Nerissa, ¿no? Pero no iba a ir. Había sido un mal día y no le apetecía.

Volvía a hacer bochorno y en la casa haría un calor sofocante. La verdad era que no sabía cómo podía ser tan oscura cuando el sol brillaba radiante. ¿Alguna vez descorría las cortinas esa mujer? ¿Alguna vez abría una ventana? Se quedó un momento allí donde Nerissa había estado la semana anterior y le había hablado con tanta dulzura... mientras que su madre se había dirigido a él de una forma tan desagradable. Pero no iba a pensar en ello. Y no iba a cruzar los brazos sobre el pecho de esa manera, pues notaba el michelín de la cintura que le caía por encima del cinturón de los pantalones. Se dijo que tenía que caminar, empezar ya al día siguiente mismo y hacer de ello una rutina diaria.

Comenzó a subir las escaleras cavilando que aquel lugar podría llevar años deshabitado. ¿Serviría de algo si se quejaba a la vieja Chawcer del sistema de alumbrado, de que las bombillas de bajo voltaje se apagaban antes de llegar al siguiente interruptor? Probablemente, no. La gente como ella estaba mejor en la oscuridad. De todas formas, resultaba ridículo tener que encender las luces por la tarde en pleno verano.

En la escalera embaldosada no brillaban los ojos del gato y, gracias a Dios, no había señales de Reggie. «Imaginaciones mías —pensó—. Tenía razón en lo de que estoy atravesando una mala racha, debo de haber empezado a ver cosas que no existen.» Dijera lo que dijera Shoshana, los fantasmas siempre eran alucinaciones, el resultado del estrés o de la presión. Los reflejos de Isabella, de un rojo, verde y púrpura pálidos, se hallaban inmóviles como si estuvieran pintados en el suelo, pero, al abrir la puerta de su piso, la luz dorada y resplandeciente del sol salió a raudales de su vestíbulo.

Antes de entrar, quizá tuviera que ir a la habitación de al lado, donde estaba Danila. Lo cierto era que debería darse una vuelta cada día hasta..., bien, ¿hasta qué? ¿Hasta que se acostumbrara a tenerla allí? ¿Hasta que la trasladara a alguna otra parte? Dejó su puerta abierta de par en par sólo por el alegre brillo de la luz y luego abrió la puerta del dormitorio de al lado.

Allí entraba la misma luz, o así sería si la ventana se limpiara alguna vez. Pero en cuanto percibió el olor, ya no pensó más en ello. Lo obligó a retroceder un paso. Y entonces supo lo que era. Hacía semanas que el tiempo era anormalmente cálido, la temperatura había rondado los treinta grados hasta el día anterior, lo cual era casi increíble, y aquel olor era el resultado de ello. No lo entendía; el cadáver estaba envuelto y había vuelto a clavar las tablas del suelo. Se preparó para entrar y cerró la puerta tras él sin pensar ya en fantasmas. Aquello era real; lo otro se lo había imaginado. Inspiró largamente allí de pie y se estremeció; nunca había olido nada parecido. ¿Por qué había entrado allí precisamente esa tarde en la que ya se sentía bastante mal?

¿Desaparecería ese olor? Con el tiempo, tal vez. Se dio cuenta de que no tenía ni idea de si la descomposición continuaba durante semanas, meses o incluso años y, si al final, se desvanecía. La vieja Chawcer podría entrar en cualquier momento. Mix no podía correr ese riesgo. Tendría que ir a trabajar y mientras estuviera fuera de casa no estaría ni un momento tranquilo.

En aquel momento no tenía ningún sentido quedarse allí. Después de oler aquello tuvo la sensación de que no volvería a comer nunca más. Los cadáveres de la casa de Reggie, sobre todo los dos que puso en el hueco de la pared de la cocina, también debían de oler. O tal vez no, puesto que era diciembre, hacía frío y a Reggie lo habían capturado y arrestado poco después de haberlos puesto allí. Mix permaneció en lo alto de las escaleras y escuchó. Silencio absoluto. Se asomó al hueco de la escalera y empezó a bajar. Cuando estaba en el último peldaño del tramo embaldosado, la puerta del dormitorio de la mujer se abrió y salió ella con una bata de seda roja y unas chinelas con plumas. Mix estaba a punto de retroceder, pero la mujer lo vio.

—¿Ocurre algo, señor Cellini?

—Todo va bien —contestó él.

La mujer se sorbió la nariz.

—¡Ojalá yo pudiera decir lo mismo! Creo que tengo influenza.

Mix sólo había oído llamar así a la gripe una vez en su vida. Su abuela tenía una broma al respecto: «Abrí la ventana y entró la influenza».

—¡Qué mala suerte! —Si estaba enferma, no podría subir a esa habitación. ¡Ojalá estuviera muy enferma durante largo tiempo!—. Debería estar en la cama —le dijo.

—Tengo que ir al baño. ¿Sería tan amable de hacerme un gran favor y telefonear a mi amiga, la señora Fordyce, la que se encontró el jueves pasado delante de mi casa, y explicarle mi… mi situación? El número está en la agenda de teléfonos que hay junto al aparato. Fordyce. ¿Se acordará?

—Lo intentaré —repuso Mix con abundante sarcasmo en su tono. Pasó desapercibido. Bajó pensando que era típico de ella coger la gripe en el que probablemente fuera el día más caluroso del año. Apenas veía nada mientras buscaba el número de esa tal señora Fordyce. ¿Y si reconocía su voz del jueves? Adoptó una entonación de clase alta—. La señorita Chawcer tiene un virus. No se encuentra bien. Sería de gran ayuda si usted viniera a verla mañana y tal vez podría venir también el médico, si sabe usted quién es.

—Usted es el señor Cellini, ¿verdad? Por supuesto que vendré. A primera hora de la mañana.

En cuyo caso, lo mejor sería que él se marchara antes de que apareciera, pero si él no estaba, la mujer no podría entrar. Bueno, pues la vieja Chawcer tendría que levantarse y responder al timbre. Mix anduvo por ahí y vio que la anciana no había cerrado la puerta de atrás con llave. Él le echó el cerrojo. Sólo faltaría que, en una zona peligrosa como aquélla, entrara cualquier delincuente y robara todo lo que le apeteciera. Mix ya tenía suficientes problemas.

Nunca había estado en aquella enorme sala de estar. El polvo y el olor a moho le hicieron arrugar la nariz, pero, en lo concerniente a los olores, comparado con el hedor del piso de arriba, aquello no era nada, nada. A aquella hora la luz no debería haber sido necesaria, pero en aquella casa siempre reinaba la penumbra. El interruptor de la luz principal no funcionaba. Recorrió la habitación encendiendo las lámparas de mesa; la última que encendió fue la de un escritorio, junto a la cual había varias cartas a medio escribir.

¿A quién demonios estaría escribiendo como una loca? Una de las cartas empezaba diciendo, «Querido doctor Reeves»; otra, «Mi querido doctor»; una tercera, «Querido Stephen», y la última, «Mi querido Stephen». Continuaban de una manera confusa con una letra curvada de trazos delgados e inseguros que era difícil de leer, pero hasta la mejor de las caligrafías resultaría ilegible en aquella media luz. Entonces le llamó la atención un nombre: Rillington Place. «Sé que un día de verano de hace mucho tiempo me viste en Rillington Place. Pasaste en coche por mi lado, de camino a realizar una visita, me imagino. Al día siguiente acudí a tu consulta por primera vez. Como estoy segura de que recordarás, mis padres y yo habíamos sido pacientes del doctor Odess. Cuando tuvo lugar el juicio de Christie, descubrí que él había sido el médico de ese hombre espantoso. Por supuesto, no es que esto tuviera nada que ver con el hecho de que dejáramos de visitarle a él para...»

Había unas cuantas palabras más que estaban muy tachadas. Ya no había escrito nada más. Mix pensó que aquello demostraba que la mujer había acudido a Reggie para que le practicara un aborto. Tal vez estuviera escribiendo a ese médico al respecto porque era él quien iba a hacerlo, pero Reggie resultó más barato. Reggie la asustó, de modo que buscó a otra persona que realizara la interrupción y este médico se ofendió porque no obtuvo el dinero que esperaba. Debía de tratarse de eso. Como resultado, el médico había eliminado a Chawcer de su lista y se había negado a tratarla nunca más. Y ahora, después de todos esos años, ella le escribía para explicárselo.

La habitación no era simplemente oscura como lo es un lugar antes de que se enciendan las luces. Allí las luces estaban encendidas, lámparas de mesa con pergaminos agrietados o pantallas de seda plisada y muy raída, pero el efecto que tenían no era tanto iluminar como crear sombras. No había ni una sola luz en una hornacina o junto a una pared, de manera que los rincones se hallaban sumidos en la oscuridad. Y hacía tanto calor que el sudor empezó a deslizarse por su rostro y a correrle por la espalda. Mix pensó que era la habitación más espantosa en la que había estado. Con ese dragón tallado que serpenteaba por encima del enorme sofá y el espejo lleno de manchas con marco negro y dorado, podría ser el escenario de una película de terror. La mujer podría ganar un dinero alquilando la habitación, por una suma cuantiosa, para el rodaje de una película. No tendrían que cambiar absolutamente nada.

La tarea de apagar las lámparas le resultó espeluznante. La oscuridad lo invadía todo, y cuando apagó la última, se dirigió a la ventana cristalera y descorrió las largas cortinas de terciopelo marrón dando bruscos tirones. Se levantaron unas grandes nubes de polvo que le hicieron toser. Pero entró luz en abundancia y ésta disipó lo peor de aquel horror. Si el piso de abajo, que albergaba quién sabe qué secretos y amenazas ocultas, le había resultado desagradable, el de arriba lo intimidaba, con Reggie, que quizá lo estuviera esperando y el cadáver que se descomponía de manera invisible, pero imparable. Casi era como si el lugar tuviera una nueva vida propia, como si se estuviera moviendo y cambiara. «No pienses en ello —masculló para sus adentros—. Olvida lo que dijo Shoshana, todo está en tu cabeza.»

Pasó frente a la puerta de Chawcer. No había ni rastro del gato y, por supuesto, tampoco de Reggie. Tal como solía hacer siempre, y aunque ya llevaba una semana sin hacerlo, cerró los ojos cuando estuvo en medio del tramo embaldosado, los abrió al llegar arriba y miró hacia un pasillo y luego hacia otro con cautela y temor. Allí no había nada, ni siquiera *Otto*. Ya en su propio salón, sentado en una butaca cómoda, con un buen vaso de ginebra con tónica a su lado, se dijo que todo iba bien, que era afortunado, había obtenido un tiempo de margen. La mujer estaría demasiado enferma como para volver a subir allí arriba y él debía utilizar ese tiempo, tal vez una semana, para sacar el cadáver de esa habitación de alguna manera.

¿Habría algún modo de sacarlo al jardín? No mientras esa tal señora Fordyce estuviera entrando y saliendo de la casa. Puede que no sospechara la verdad, seguro que no, pero le contaría a Chawcer que lo había visto ahí fuera cavando. Y puede que la propia dueña de la casa lo viera desde su ventana. Ese dormitorio suyo debía ocupar la misma zona que el salón, lo cual significaba que tenía ventanas tanto delante como detrás. Mix no osaba arriesgarse.

«Será mejor que comas algo», pensó, pero el simple hecho de pensar en la comida provocó que se le cerrara la boca del estómago. Estaba que se moría de cansancio. En cuanto se hubiera tomado otra ginebra o un Latigazo, quizá se metería en la cama, incluso aunque tan sólo fueran las seis, se iría a la cama e intentaría dormir. Le llegaron dos mensajes al móvil, pero en aquellos momentos no podía molestarse con ellos, ya lo haría por la mañana. Se detuvo frente al retrato de Nerissa y le rindió homenaje diciendo:

—Te quiero. Te adoro.

¡Cómo sonreiría ella cuando fueran amantes y viera su fotografía allí y él le dijera lo mucho que la amaba! Reconfortado, se dirigió tranquilamente al dormitorio y miró el jardín desde la ventana considerando cuál sería el mejor lugar para enterrar el cadáver de Danila. Si pudiera llegar allí, si pudiera bajarla abajo y sacarla fuera… Reggie lo había hecho, y varias veces, aunque él vivía en el piso central de la casa y los Evans arriba. Los vecinos lo habían visto cavar, pero no se sorprendieron, intercambiaron con él el eslogan de la guerra sobre Cavar por la Victoria.

Allí a la izquierda, quizá, donde las zarzas tupidas podrían retirarse y luego extenderse sobre la tierra removida para ocultar lo que había hecho. O tal vez al fondo, junto al muro, al otro lado de donde vivía el hombre de las gallinas de Guinea. Pero ¿tendría ocasión de hacerlo?

En el muro, *Otto* se deleitaba con el sol de la tarde y, aunque tenía los ojos cerrados, agitaba la punta de la cola de vez en cuando.

# 15

Olive había estado en la cocina, había puesto el agua a hervir sobre el fogón de gas en una tetera ennegrecida y había echado un vistazo a la sala de estar, tras lo cual se dirigió entonces al piso de arriba, al dormitorio de Gwendolen, con el té en una bandeja. Al llegar a la casa había tocado el timbre y ese tal Cellini había bajado a abrirle, aunque de muy mal talante, y se había mostrado muy hosco con ella en la entrada. Cuando habló con él por teléfono, Olive no tenía ni idea de que se trataba del mismo hombre que había abordado a su querida Nerissa en la calle. Fue toda una sorpresa cuando le abrió la puerta. Naturalmente, ella tampoco estuvo muy comunicativa.

Allí dentro hacía un calor extenuante. Era como estar en la India en pleno verano, metido en algún gueto polvoriento y maloliente de los barrios pobres. Tenía que encontrar alguna forma de abrir las ventanas. Aquella de allí, la de la cocina, no había quien la moviera. En cuanto hubiese ido a ver a Gwen, lo intentaría en la sala de estar.

La puerta del dormitorio de su amiga estaba entornada. El aspecto de la mujer, con el rostro pálido y demacrado y las manos débiles tendidas sin fuerza sobre la colcha, preocupó a Olive. Gwen empezó a hablar con voz ronca, pero un acceso de tos jadeante la obligó a interrumpirse.

—Tendría que verte un médico, querida. No hay duda.

—Sí, tienes razón. Tengo que llamar a un médico. —Más toses—. El doctor Reeves. El doctor Reeves vendrá si lo mando llamar, siempre viene.

—No conozco a ningún doctor Reeves por aquí, Gwen. ¿Es nuevo?

—Padre dijo que cambiáramos de doctor y probáramos con el joven médico y así lo hemos hecho.

Olive consideró que lo mejor era no preguntar nada más. La pobre Gwen tosía de una manera angustiosa cada vez que tenía que hablar.

—Tú bébete el té, querida, y yo buscaré a tu médico y llamaré por teléfono a su consulta. Supongo que el número estará en tu agenda, ¿no?

Al bajar se llevó consigo el cepillo mecánico. Llevaba tanto tiempo delante de la chimenea que en sus superficies se había depositado una gruesa capa de polvo. Estuvo buscando la agenda de teléfonos y al final la encontró en el lavadero, encima de un viejo caldero metálico para hervir la colada. Allí no figuraba ningún doctor Reeves, pero sí una doctora Margaret Smithers. Olive nunca se hubiese imaginado que Gwen tuviera como médico a una mujer, pero lo más probable era que no hubiera tenido otra opción, dado que las listas de pacientes estaban muy llenas. La recepcionista de la doctora Smithers le dijo a Olive que no podría acudir aquel mismo día, sino al día siguiente por la tarde, cuando hiciera sus visitas a domicilio, cosa que a ella le pareció una vergüenza o algo peor.

—Asegúrese de que pase por aquí —dijo Olive con brusquedad.

La tos de Gwendolen se oía desde abajo. Olive volvió a subir agarrándose a la barandilla. A la edad de Gwen, sería mucho más sensato vivir en un piso.

—El médico vendrá mañana.

—Me pondré el vestido azul nuevo.

—No, Gwen, no te lo pondrás. Te quedarás en la cama. Voy a traerte una jarra de agua y un vaso. Tienes que beber mucho. Y lo mejor será que no comas. Le dije a Queenie que estabas enferma y vendrá a mediodía. ¿Dónde tienes la llave de la puerta? —Gwendolen no respondió. Tosía demasiado—. No importa. Ya la encontraré. —Lo hizo, después de buscarla durante diez minutos.


Uno de los mensajes que Mix tenía en el móvil era del jefe del departamento para decirle que le habían concertado una cita con el médico para el miércoles a las dos de la tarde. El otro mensaje era de una tal Kayleigh Rivers en el que le recordaba que tenía un contrato de mantenimiento con el gimnasio y que, por favor, acudiera lo antes posible, puesto que una bicicleta estática y una cinta de correr habían dejado de funcionar.

El gimnasio era el último lugar al que Mix quería acercarse. Alguno de los clientes podría recordar haberlo visto charlando con Danila. Además, aquel lugar le provocaba una especie de aversión general y no definida. Sabía que en cuanto pusiera los pies en aquel sitio se iba a sentir mal. Lo dejaría correr de momento y luego intentaría rescindir ese estúpido contrato. Al médico sí que tendría que ir. Seguro que le decía que tenía algún problema, los médicos siempre hacían lo mismo, lo cual le resultaría ventajoso, puesto que ya tendría la excusa para olvidarse de realizar visitas y no cumplir con los trabajos. No era que quisiera faltar al trabajo de forma permanente, lo que ocurría era que en aquellos momentos no estaba en condiciones, entre el cadáver, el hedor, las mujeres que no paraban de entrar y salir de la casa a todas horas... y Nerissa.

Mix se encontraba cerca de la casa de la joven, a cierta distancia calle abajo, y llevaba allí desde las nueve. Tal como se sentía, eso le servía de terapia. A las once, cuando ella todavía no había aparecido, lo dejó por aquel día, condujo hasta Pembridge Road y en la librería de segunda mano que hay allí encontró un libro titulado *Crímenes de los años cuarenta* del que no había oído hablar. Se lo compró porque tenía un capítulo sobre Reggie.

De vuelta a Campdem Hill Square, abrió el libro y descubrió que éste contenía menos información sobre los asesinatos de Rillington Place de lo que había creído al principio. En cierto modo, había malgastado el dinero. No obstante, las fotografías eran las mejores que Mix había visto. El frontispicio, con una foto grande de Reggie cuando lo conducían a los tribunales, era particularmente bueno. Mix contempló aquel rostro de rasgos bien esculpidos, la boca estrecha y la nariz grande, las gafas con montura de concha. «¿Qué harías tú en mi situación? —preguntó a la foto—. ¿Qué harías?»

Nerissa lo vio desde una ventana del piso de arriba y pensó en alguna medida que pudiera tomar. Como llamar a la policía, por ejemplo. Pero el hombre no estaba haciendo nada malo. Ya se cansaría de esperar, seguramente tendría trabajo que hacer y ella no iba a salir hasta mediodía. Le hubiese gustado ir a correr un poco antes, pero eso era imposible estando él allí.

La noche anterior había tenido la certeza de que Darel Jones la llamaría. No le resultaría difícil conseguir su teléfono a través de su madre, quien se lo pediría a la madre de Nerissa. Se había quedado en casa toda la tarde, esperando a que telefoneara. En realidad, estuvo sentada junto al teléfono por si acaso sonaba y no podía cogerlo a tiempo. Como una adolescente. Como si tuviera quince años, con su primer novio. Cuando se hicieron las diez, supo que no iba a suceder. Muchos hombres la hubieran llamado pasadas las diez, e incluso pasadas las once, pero Darel no. De alguna forma lo sabía. Decepcionada, se había ido pronto a la cama.

Algunas mujeres no esperarían, serían ellas las que llamarían al hombre por teléfono. ¿Por qué ella no podía hacerlo? No lo sabía, tendría algo que ver con la manera en que la había educado su madre, sin duda. Al día siguiente tenían que empezar con las fotos para la portada y el artículo de esa revista y poco después de eso empezaba la Feria de la Moda de Londres. Naomi, Christy y ella estarían en la pasarela. Eran sus últimos días de libertad, y en lugar de estar divirtiéndose, estaba allí de pie frente a la ventana, observando a un hombre que la observaba. Su agente le había dicho que ése era el precio de la fama y luego le dijo que llamara a la policía. Ella se resistía a hacerlo. Quizá reuniera valor suficiente para meterse en el coche sin mirar en su dirección, podría ir a casa de su cuñada para ver al bebé. O quizás esperara un poco, le daría media hora. Primero iría a ver a Madam Shoshana, a que las piedras o las cartas pronosticaran la última entrega de su futuro. ¡Ojalá ese tipo se diera por vencido y se marchara!

Se dio una ducha, se roció con colonia Gardenia de Jo Malone y sin querer tiró el tapón al suelo, se puso unos pantalones de corte militar y una camiseta de color amarillo canario. Su madre decía que era un tono difícil al tiempo que reconocía que ella, con su color de piel, podía llevarlo perfectamente. No recogió el chándal que se había quitado y que cayó al suelo y, dejando tras de sí un rastro de pañuelos de papel y de algodón, fue a echar otro vistazo por la ventana de su dormitorio. Él continuaba allí. Ojalá la casa tuviera otra salida, una que diera a un callejón trasero como tenían algunas de las casas de Notting Hill. Debería haberlo pensado antes de comprarla.

Si no se apresuraba, llegaría tarde a su cita. Bajó decidida a arriesgarse, pero cuando echó una última mirada, él se había marchado. Nerissa se sintió embargada por una abrumadora sensación de alivio. Tal vez no regresara, tal vez ya se hubiera hartado.

Durante todo el camino hasta el gimnasio de Shoshana casi esperaba ver aparecer de pronto el coche de aquel hombre por una calle lateral…, un coche azul, un Honda pequeño cuya matrícula empezaba por LCO y algo más…, pero debía de haberse ido. Era de suponer que trabajaría en alguna parte. Por su culpa, Nerissa llegó con diez minutos de retraso. Al subir las escaleras recordó de repente que en una ocasión que bajaba por ellas se cruzó con una joven que subía, una chica de rasgos morenos y marcados que le recordó a las fotografías que había visto de mujeres en la guerra de Bosnia. «Es curioso que haya pensado en ella», se dijo. Shoshana le había contado (cuando ella le preguntó) que la joven trabajaba en el gimnasio y que se llamaba... ¿Danielle, tal vez?

La habitación se hallaba a oscuras y olía a incienso como siempre, pero aquel día Shoshana llevaba un vestido negro de seda con lunas y planetas anillados bordados en el corpiño. Un velo sujeto por una especie de tiara cubría sus cabellos.

—Elijo las cartas, no las piedras —anunció Nerissa con firmeza.

A Shoshana no le gustaba que le ordenaran nada, pero sí le gustaba el dinero y Nerissa era una buena clienta.

—Muy bien. —En sus palabras subyacía la implicación: allá te las compongas—. Coge una carta.

La primera que tomó Nerissa fue la reina de corazones, la segunda también, y la tercera.

—Se te promete muy buena suerte en el amor —dijo Shoshana, que se preguntaba cómo había podido permitir que aparecieran tres reinas seguidas. Sería mejor que la próxima carta fuera el as de picas. Pero no lo fue. Nerissa sonrió con alegría.

—Nunca he visto una buena fortuna tan asombrosa —comentó Shoshana en tanto que por dentro maldecía entre dientes. Ella prefería las predicciones fatídicas, pero difícilmente podía inventarse un futuro negativo cuando estaba tan claro que Nerissa sabía lo que significaba la reina de corazones—. Toma una última carta.

En esta ocasión tenía que ser el as, y así fue. Shoshana ocultó su satisfacción.

—Una muerte, por supuesto. —Metió las manos en la bolsa de piedras, sacó el lapislázuli y el cuarzo rosa y los hizo girar entre sus palmas—. No eres tú ni nadie cercano a ti. Ya ha ocurrido.

—Tal vez sea mi tía abuela Laetitia. Murió la semana pasada.

A Shoshana no le gustaba que los clientes brindaran sus propias interpretaciones.

—No. Creo que no. Es una persona joven. Una chica. No veo nada más. Las palabras estaban escritas, pero unas nubes las han ocultado. Eso es todo.

La adivina guardó las cartas y las piedras. Nerissa detestaba la manera en que el mago parecía moverse cuando las velas parpadeaban.

—Son cuarenta y cinco libras, por favor —dijo Shoshana.

—Esa chica que me encontré una vez en las escaleras, parecía agradable. ¿Se llamaba Danielle?

—¿Qué pasa con ella?

—No lo sé. Simplemente me vino a la cabeza.

—Se ha marchado —dijo Shoshana al tiempo que abría la puerta para despedir a Nerissa.


Dos policías pasaron a ver al señor Reza y luego fueron al gimnasio de Shoshana. Cuando en los dos sitios les dijeron que Danila Kovic había abandonado su trabajo y su habitación alquilada sin previo aviso y sin decir nada ni a su jefa ni a su casero, empezaron a tomarse las cosas en serio. El comunicado de prensa se difundió demasiado tarde para que lo publicara el *Evening Standard,* pero sí estuvo a tiempo para las primeras noticias de la noche de la BBC y para la prensa del día siguiente, donde casi tuvo prioridad sobre el artículo de «el día más caluroso del que se tiene constancia».

Nerissa lo oyó mientras cuidaba al hijo de su hermano, pero, a falta de una fotografía, no la identificó como a la chica que había visto en la escalera. Mix también vio las noticias. Él creía haber estado muy preocupado, pero entonces comprendió que había vivido engañado al seguir creyendo que la desaparición de Danila pasaría desapercibida. Había tenido otro mal día que empezó cuando no pudo ver a Nerissa, luego tuvo una pelea terrible con Colette Gilbert-Bamber, que le amenazó con informar a la empresa de sus deslices si se enteraba de que se veía con alguna otra mujer. Se marchó de su casa sin comer y sin tomarse ni un vaso de vino siquiera y tuvo que ir directamente a ver al médico.

Desde que supo que habían concertado la cita, Mix había dado por sentado que estaba perfectamente bien, era un hombre joven, sano y en forma. El médico disintió. Se empeñó en hacerle un análisis de sangre para comprobar los niveles de colesterol. Eso fue debido a la presión arterial que debía haber sido de algo así como ciento treinta sobre cuarenta y en cambio era de un alarmante ciento setenta sobre sesenta.

—Es fumador, ¿verdad?

—No, no fumo —respondió Mix con aire virtuoso.

—¿Bebe usted?

—No mucho. Quizá cuatro o cinco copas a la semana.

Eso hubiera supuesto poco más de una botella de vino. El doctor lo miró con desconfianza. Le prescribió ejercicio, una dieta sin grasas, unas pastillas y que comiera sin sal.

—Vuelva a verme dentro de dos semanas… No querrá ser diabético cuando cumpla los cuarenta, ¿verdad?

Mix había leído en alguna parte que la ansiedad podía elevar la presión arterial. Bueno, pues últimamente él había sufrido de bastante ansiedad. Las advertencias del médico le habían provocado dolor de cabeza y sensación de mareo. Llamaría a la oficina central, les diría que no se encontraba bien y se iría a casa. Quizá la vieja Chawcer le había contagiado la gripe. Aquel día hacía un sol deslumbrante que por una vez iluminaba la casa sombría y revelaba el polvo que lo cubría todo y las telarañas que pendían de unas lámparas colgantes en desuso y de las sucias molduras del techo. Alguien había abierto las ventanas del piso de abajo y todas las cortinas estaban descorridas. Mix abrió una puerta que no había tocado nunca y vio una habitación amplia con una mesa de comedor en el centro, doce sillas dispuestas a su alrededor y en las paredes cuadros al óleo con ciervos y conejos muertos, mujeres feas que llevaban faldas con miriñaque y vacas en unos prados.

En el primer rellano se encontró con una mujer a la que no había visto con anterioridad e inmediatamente pensó que debía de tratarse de la que Reggie no había logrado asesinar, la hija de la vieja Chawcer. Pero esa mujer era demasiado mayor para serlo y se presentó como Queenie Winthrop, sonriendo y, por alguna razón, pestañeando.

—Lo cierto es que la pobrecita Gwendolen está muy pachucha, señor Cellini. Tiene una fiebre de más de cien grados. Y el médico no vendrá hasta mañana por la tarde. Yo digo que es un escándalo.

Mix, que había crecido midiendo la temperatura en grados centígrados, pensó que la mujer se había equivocado. ¿Qué se podía esperar, a su edad?

—Es una vergüenza —dijo él.

—Una vergüenza es lo que es. Estos médicos deberían avergonzarse. Bueno, la cuestión es que si usted pudiera prepararle una taza de té por la mañana, la señora Fordyce o yo vendremos a las ocho y media. Tenemos una llave.

—¿Yo? —preguntó Mix débilmente.

—Así es. Si fuera usted tan amable. No sé quién va a abrirle la puerta a ese desgraciado del médico, pero ya nos lo arreglaremos de alguna manera entre las dos.

—Bueno, yo no puedo hacerlo —repuso Mix, que escapó escaleras arriba y por una vez se olvidó del fantasma de Reggie.

Olfateó el aire. Le daba la sensación de que lo olía desde allí fuera. Podía ser que también se lo imaginara. ¿Cómo se distinguía entre las cosas que eran reales y las que eran producto de tu imaginación? De todos modos, aquella noche no iba a entrar ahí. Iba a pensar, trazaría un plan. Ed telefoneó poco después de las ocho. Mix lamentó haber cogido el teléfono porque Ed empezaría otra vez con lo de que le había fallado. En cambio, le estaba diciendo que lo pasado, pasado estaba. Que no debería haberse puesto hecho una furia de esa manera. Su excusa era que aún no se le había pasado la gripe del todo y que todavía no se encontraba muy bien.

—Hay mucha gente con gripe —comentó Mix, pensando en la vieja Chawcer.

—Sí, y no es sólo eso. Steph y yo estamos teniendo problemas para que nos concedan una hipoteca.

Continuó dale que te pego hablando del piso que tenían la esperanza de comprar, calculando sus ingresos conjuntos, las posibilidades de ascenso de Steph y lo que podía ocurrir si se quedaba embarazada.

—Pues tendrás que procurar que eso no ocurra. —A Mix siempre le había resultado difícil, prácticamente imposible, pedir disculpas. El hecho de admitir que estaba equivocado le parecía el colmo de la humillación. No podía decir que lo sentía, pero tenía que decir algo—. ¿Te apetece que vayamos a tomar una copa? —se aventuró a preguntar—. ¿Esta noche, quizá?

—Sí, bueno, pero esta noche no puedo. ¿Quedamos mañana a las ocho en el Sun in Splendour? Y a buen entendedor, pocas palabras, ¿eh, Mix? En la oficina central se están enfureciendo un poco contigo. Pensé que debía darte un toque.

Por la mañana Mix casi se olvidó del té de la vieja Chawcer. Él rara vez bebía esa cosa, pero tenía un paquete de bolsitas de té junto al tarro del café y al verlo se acordó. Tendría que bajar también el azúcar por si acaso la mujer lo tomaba.

No tomaba azúcar. Fue lo primero que le dijo después de que él llamara a la puerta y entrara.

—No hacía falta que trajera eso, señor Cellini, no tomo azúcar. —No le dijo nada como que era muy amable por su parte. Ni un «buenos días». Su voz era débil y no paraba de toser. Cuando se incorporó en la cama con esfuerzo, Mix se fijó en que su camisón tenía algunas manchas grandes y húmedas de sudor—. ¿Qué día es hoy?

Él se lo dijo, con impaciencia.

—Entonces debe de ser mañana cuando vendrán los de la carcoma. Vienen a ver la que hay en la habitación que se encuentra junto a su piso. No recuerdo el nombre de la empresa, pero da lo mismo. —Un acceso de tos hizo que se sacudiera—. ¡Ay, Dios! Casi no puedo ni hablar. Una de mis amigas les abrirá la puerta. Espero que saquen las tablas del suelo y averigüen qué es ese olor tan espantoso.

Había ropa vieja por todo el dormitorio. Al menos podría haber limpiado las cenizas de la chimenea, ¿no? No había estado siempre enferma. La atmósfera era irrespirable y hacía un calor tremendo, palpable. Había moscas por todas partes, revoloteando en el polvoriento haz de luz del sol.

—¿Abro una ventana?

La mujer no estaba tan enferma como para no volverse contra él.

—No lo haga, por favor, a menos que quiera que muera congelada. Déjelo. —Tosió, tosió y tosió…

# 16

Nerissa reconoció a la chica por la fotografía del periódico. Kayleigh lloró al verla y Abbas Reza trató de consolarla diciéndole que seguro que Danila aparecería sana y salva. Shoshana nunca leía la prensa. La camarera del Kensington Park Hotel tal vez la hubiese reconocido como a la acompañante de Mix, pero no vio la fotografía porque se había ido a España para trabajar en un bar de la Costa Blanca. A Mix no le hacía falta verla. A él le bastaba con saber que ésa u otra fotografía estaban allí. El periódico había conseguido la foto de uno de los hermanos de Danila, quien se la entregó mientras su padrastro estaba ausente.

Mix estaba sentado abajo en el salón, estudiando las *Páginas Amarillas,* aunque hacía ya una hora que debería estar trabajando. Tenía tantos mensajes en el teléfono móvil que los borró todos sin ni siquiera leerlos. Lo ideal sería telefonear a todos esos especialistas en carcoma para averiguar cuál de ellos era el que iba a venir, pero había docenas, por no decir cientos. Hizo un intento de prueba en dos de ellos y hubiera tenido que mantenerse tanto rato a la espera, apretando ahora una tecla y luego otra mientras escuchaba el hilo musical que al final abandonó. Lo único que podía hacer era tomarse el día libre, quedarse allí y abrir personalmente la puerta al empleado. O más bien no abrírsela, decirle que ya no requerían de sus servicios. Si esa tal señora Fordyce o la otra insistían en quedarse, bien podría ser que tuvieran un altercado en el umbral. Mix tenía que evitar de algún modo que eso ocurriera.

Tendría que llamar a la oficina central y decir que estaba enfermo. El médico vendría durante la tarde y el hombre de la carcoma en cualquier momento. Aquella noche se suponía que iba a tomar una copa con Ed. Si no hubiese accedido a llevarle el té a la vieja Chawcer, no se hubiera enterado de lo del hombre de la carcoma... No soportaba pensar en las consecuencias. Ello lo llevó de nuevo a la habitación donde Danila yacía debajo de las tablas del suelo. Con aquel calor extremo, el olor era aún peor, era asqueroso, como las cosas que se pudren en el fondo de un frigorífico que alguien ha desenchufado. Tuvo ganas de romper una ventana para que se fuera un poco el hedor, pero pensó en el ruido que haría y en el alboroto que provocaría.

Tenía que trasladar el cadáver lo antes posible. En cuanto se hubiera quitado de encima al hombre de la carcoma y se hubieran marchado tanto el médico como esas dos mujeres, lo movería y lo bajaría a rastras por esos cincuenta y dos peldaños. De momento no podía quedarse en su piso, puesto que se encontraba demasiado arriba, demasiado distante. Tenía que asegurarse de oír el timbre de la puerta cuando llegara gente y, de ser posible, situarse allí donde pudiera verlos venir. Cuando ya bajaba y estaba en mitad del tramo embaldosado, oyó que una llave giraba en la cerradura de la puerta principal. La abuela Fordyce o la abuela Winthrop. Era Fordyce, la que tenía las uñas largas y rojas. Mix la oyó subir lenta y ruidosamente las escaleras y se encontraron frente a la puerta del dormitorio de la vieja Chawcer.

—Buenos días. ¿Qué tal se encuentra hoy?

—Perfectamente —mintió Mix.

—¿Le ha dado de comer al gato?

—¿Yo?

—Sí, usted —repuso Olive Fordyce—. Yo no veo a nadie más por aquí, ¿usted sí? Por favor, póngale un poco de comida al pobre animal enseguida. —Entró en el dormitorio de la vieja Chawcer.

«Me habla como si fuera su criado», pensó Mix. ¿Por qué no podía dar de comer al maldito gato ella misma? Él le tenía bastante miedo a *Otto*, que le dirigía miradas casi humanas de aversión, pero entró en la cocina y echó un vistazo a su alrededor en busca de alguna lata de comida para gatos. Su madre había sido igual de desordenada que Chawcer, motivo por el cual él era tan maniático con la limpieza de la casa, de manera que tenía una idea bastante aproximada de dónde buscar. Del fondo de un armario lleno de patatas que se habían grillado y de cebollas con brotes verdes, salió a la luz una lata decorada con la fotografía de un gato lamiéndose las patas. Mix vació medio bote en un plato y lo dejó en el suelo junto a una bolsa grande de plástico llena hasta los topes de puntas de hogaza y panecillos enmohecidos.

Lo cierto era que no importaba que viniera el médico, como si no llegaba a venir, salvo por el hecho de que mientras estuviera allí Chawcer no podría levantarse de la cama y andar por la casa. La visita importante era la del hombre de la carcoma. Mix llevó una silla tapizada con una gastada tela de pana marrón junto a la ventana de la fachada, desde donde podría vigilar la calle sentado. Se había dejado el teléfono móvil arriba. Daba igual, si hacía falta podía usar el teléfono de la mujer. Allí lo encontró Olive Fordyce al cabo de media hora.

—No creo que Gwen haya mejorado nada. Esa tos suena como a pleuritis. Imagínese, con este calor. ¿Qué está haciendo aquí?

Mix no respondió.

—¿Cuál es el nombre de la empresa a la que ha llamado para que miren lo de la carcoma?

—¿A mí me lo pregunta? ¿Cómo quiere que lo sepa? Pregúnteselo a ella.

—Se le ha olvidado.

Olive tomó asiento. Para ser un ángel de bondad que tenía que subir escaleras, llevaba unos zapatos muy poco adecuados, rojos, puntiagudos y con unos tacones de cinco centímetros. Aun sin mirar, notaba que se le estaban hinchando los tobillos.

—Quería que subiera a esa habitación y viera qué me parecía. Dice que huele raro.

A Mix le pareció que, de no haber estado sentado, se hubiera caído al suelo. La cabeza le daba vueltas. Consiguió decir:

—Ya lo mirarán los de la carcoma.

—Bueno, tengo que reconocer que ahora mismo no tengo ganas de subir ahí arriba. Mis pobres pies están muy hinchados, siempre me ocurre lo mismo con el calor. Lo cierto es que Gwen debería instalar un salvaescaleras.

No había nada que responder a eso. La mujer se puso de pie y tuvo dificultades para mantener el equilibrio.

—Estará usted aquí para abrirle al médico, ¿no?

Mix tenía ganas de gritarle alguna grosería, pero recordó que, por improbable que fuera, aquella mujer debía de ser la tía abuela de Nerissa.

—Supongo que sí —respondió.

La observó con desprecio mientras la mujer se alejaba calle abajo con paso tambaleante. ¡Si esas ancianas vieran la pinta que tenían! Daba la impresión de que ni ésta ni la otra iban a regresar aquel día, y eso le favorecía. Tendría el control de la casa, de quién iba y venía. El hombre de la carcoma no iba a entrar a la fuerza y el médico no iba a subir para averiguar de dónde provenía el olor. «Estate atento —se dijo—. Sólo es cuestión de esperar.»

Nerissa recibió la llamada mientras esperaba a que llegara el taxi que tenía que llevarla a una sesión fotográfica en el hotel Dorchester. Casi había abandonado la esperanza de saber de él. Si un hombre al que has conocido (o con el que has vuelto a encontrarte) no te llama por teléfono dentro de las cuarenta y ocho horas siguientes, lo más probable es que no te llame nunca. Sin embargo, la invitación que le hizo fue tan distinta a cualquiera que hubiese recibido anteriormente que por un momento se preguntó si no sería una broma.

—Mis padres y los tuyos, y tu hermano Andrew y su esposa van a venir a cenar a casa el sábado y me preguntaba si querrías venir tú también.

Nerissa no pudo preguntarle si se lo decía en serio. La tentación de decir que no fue bastante fuerte, pero batallando con ella estaba el aliciente de volver a verlo, de estar con él, aun cuando fuera en compañía de otras seis personas. A ella le caían bien sus padres y siempre había mantenido una relación muy estrecha con Andrew, que, aunque era tres años mayor que ella, era el que más se aproximaba a su edad.

—¿Nerissa? —dijo Darel.

La joven respondió con voz entrecortada.

—Sí, gracias. Me… me encantaría.

Él le dio la dirección en los Docklands, en algún lugar cerca de Old Crane Stairs. La estación de metro era la de Wapping, de la East London Line.

—Supongo que iré en coche —dijo Nerissa—. Discúlpame, pero tengo que marcharme, ha llegado mi taxi.

Nerissa subió al taxi preguntándose cómo debía interpretar aquello. ¿Es que era muy anticuado o acaso tenía miedo de estar a solas con ella? ¿No sería *gay*? Parecía que el corazón le latiera despacio, pero con mucha fuerza. No, no podía serlo. Sheila Jones había mencionado a una novia que tenía. Nerissa lo consideró. Quizá sólo quería ponerla a prueba, para ver si lo que pensaba de ella era cierto o si de verdad había resultado ser distinta, tal como le había dicho.


Shoshana estaba atendiendo a un cliente, de modo que Kayleigh habló con la policía, aunque ya les había contado todo lo que sabía. Aquel viernes Danila había estado trabajando en el gimnasio como de costumbre y la propia Kayleigh había hablado con ella por teléfono a las tres y media, media hora antes de que le correspondiera relevar a la chica bosnia. La había visto, habían intercambiado unas palabras y Danila se había marchado a su casa, en Oxford Gardens. Uno de los inquilinos de la casa, un hombre del segundo piso, la había visto llegar alrededor de las cuatro y media. Él estaba en el vestíbulo separando su correspondencia del resto del correo. Danila le había dicho hola y había subido a su habitación del primer piso. Abbas Reza no la había visto, aunque creía haberla oído salir de casa sobre las siete y media aquella tarde. Él no sabía si la chica tenía novio, y Kayleigh tampoco. Nadie había vuelto a verla desde entonces.

La policía creía que, si la joven estuviera muerta, a esas alturas ya habrían encontrado su cadáver. Barajaron la posibilidad de que tuviera un enamorado secreto. Pero ¿por qué iba a mantener en secreto a un amante? No tenía ningún motivo para avergonzarse, ni siquiera para ser discreta. La única pista, muy endeble, era que el inquilino del segundo piso, un hombre de origen chino llamado Tony Li, había oído a Danila y a un hombre hablando en la puerta de la habitación de la chica una noche, unas tres semanas antes de que desapareciera. No había visto al hombre, sólo oyó su voz, aunque no lo que dijo.


La pérdida de tiempo que se hacía más interminable era tener que esperar sin nada que hacer, sin distracciones, sin nada que leer, escuchar o mirar. Después de pasarse dos horas así, Mix subió arriba a buscar *Crímenes de los años cuarenta*. No sabía por qué, pero últimamente no quería leer otra cosa que no fueran libros sobre Reggie; ni revistas, ni periódicos…, definitivamente nada de periódicos. Al volver abajo oyó a la vieja Chawcer tosiendo como si fuera a echar los pulmones por la boca. *Otto* estaba en el vestíbulo lamiéndose los bigotes después de haber comido lo que le había puesto Mix. El animal se comportaba como si no hubiera nadie más por allí o como si aquel humano fuera tan insignificante que no contara para nada y que de ninguna manera se considerara un motivo para interrumpir su rutina de limpieza.

En el libro no parecía haber nada nuevo, nada que Mix no hubiera leído antes en alguna otra parte. Lo sabía todo sobre Beresford Brown, un inmigrante de origen afrocaribeño y nuevo inquilino del número 10 de Rillington Place que al echar abajo un tabique de la cocina encontró dos cadáveres metidos en un hueco. Para entonces Reggie ya se encontraba lejos de allí, aunque no lo suficiente como para librarse de que al final lo arrestaran. Mix ya estaba familiarizado con todo aquello, pero igualmente leyó la versión de aquel autor con interés, ansioso por obtener detalles del proceso de putrefacción de los cadáveres. Aquello había ocurrido en el mes de diciembre. Cincuenta años atrás, antes de este calentamiento global, incluso el mes de marzo hubiera sido gélido, en cuanto al mes de agosto... También era mala suerte que aquel día hiciera más calor que en España, según dijeron en televisión, el mismo calor que en Dubái.

Había leído unas quince páginas (tan sólo había veintidós sobre Reggie) cuando sonó el teléfono. ¿Contestaba o no? Ya puestos... Así tendría algo que hacer. Una voz masculina preguntó: «¿Está la señorita Chawcer, por favor?» Parecía bastante mayor.

—Ahora mismo no puede ponerse —le informó Mix, y se apresuró a añadir—: ¿No llamará usted de la empresa de la carcoma?

—Me temo que no. Me llamo Stephen Reeves, doctor Reeves.

Aquél no era el médico que tenía que pasar más tarde, sino el hombre al que la vieja Chawcer había estado escribiendo todas esas cartas.

—¿Ah, sí? —dijo Mix.

—¿Tendría la amabilidad de darle un mensaje? ¿Le dirá que me gustaría pasar a verla la próxima vez que vaya a Londres?

El hombre le dio un número de teléfono que Mix dijo que anotaría, pero que no anotó. No había ni papel ni bolígrafo a mano. De todos modos, lo más probable es que ella ya supiera el número, tenía que saberlo, seguro.

—Ya se lo diré —afirmó.

Retomó el libro y la espera. Las ilustraciones lo horrorizaban, pero al mismo tiempo atraían su mirada. Los cuerpos tenían un aspecto sumamente sórdido, eran como líos de andrajos, en lugar de personas de verdad muertas. Ethel Christie yacía bajo las tablas del suelo frente a la chimenea del salón. ¿Tendría Danila ese mismo aspecto cuando él levantara las tablas? ¿O cuando otra persona las levantara? Los fantasmas y esos temores iniciales le parecían absurdos e infantiles ahora que tenía un verdadero peligro por el que preocuparse. Un pie de foto informaba que un fémur de Ruth Fuerst estaba clavado en el suelo para sostener uno de los postes de la valla. La insensibilidad de Reggie lo fascinaba. Seguro que no había mucha gente que hubiese tenido el valor y la fuerza de voluntad necesarios para utilizar un pedazo de ser humano muerto para semejante propósito. Pensaría en ello cuando se deshiciera del cuerpo de Danila y eso le daría fuerzas. Pensaría en el coraje y la sangre fría de Reggie.

Para entonces ya empezaba a tener hambre, pero no le apetecía nada de la cocina de la vieja Chawcer. Subió corriendo las escaleras de dos en dos del primer tramo y medio. Después tuvo que descansar porque le faltaba el aliento, tuvo que sentarse en uno de los peldaños. Subió el trozo que le faltaba tambaleándose y al entrar en su piso oyó que sonaba el teléfono. Se quedó inmóvil preguntándose si responder o no a la llamada. La gente de la carcoma no iba a llamarlo a él y el médico tampoco. Quizá fuera mejor dejarlo. Se hizo un par de sándwiches de cualquier manera, colocando el queso en lonchas ya cortadas entre rebanadas de pan ya cortado, encontró una bolsa de patatas, una barrita de muesli y regresó abajo a su posición junto a la ventana.


Las dos mujeres llegaron al mismo tiempo. Mix vio que una de ellas bajaba de un vehículo que llevaba un cartel en el que ponía *Médico* en la parte interior del parabrisas y la otra se apeaba de una furgoneta pintada como si fuera de madera veteada y con la palabra Woodrid estampada en letras doradas en los laterales. Por algún motivo que sabía que muchos calificarían de sexista, no se esperaba que ninguna de las dos visitas fuera una mujer. La médico fue la primera en llegar a la puerta, unos pasos por delante de la conductora de la furgoneta. No se tomó muchas molestias con Mix y se dirigió a él con brusquedad:

—¿Dónde está?

—En su dormitorio —contestó él con igual aspereza.

—¿Y eso dónde es?

—En el primer piso. La primera puerta de la izquierda.

La médico pasó junto a él y la mujer de la carcoma ya tenía un pie en el umbral.

—Al final no vamos a necesitar de sus servicios —dijo Mix.

—¿Cómo dice? —Era una chica bastante guapa, pulcramente ataviada con un uniforme marrón con una doble uve en el bolsillo superior de la chaqueta.

—Que ya no se la necesita. Está enferma. La señorita Chawcer, quiero decir. Está enferma en la cama. No puede hablar con usted.

La mujer retrocedió, pero no dio muestras de querer marcharse.

—Aun así podría echar un vistazo. Es lo único que tengo que hacer para empezar, echar un vistazo a la plaga.

—No hay ninguna plaga —replicó Mix casi a voz en cuello—. Ya se lo he dicho, ella no la necesita. Al menos hoy. Está enferma. Vuelva la semana próxima si quiere.

La mujer estaba diciendo que no volvería, y menos si le iban a hablar de ese modo, y Mix le cerró la puerta en las narices. Después ya no volvió a mirar por la ventana hasta que oyó que arrancaba la furgoneta, y cuando lo hizo, fue para ver a la abuela Winthrop que avanzaba tambaleándose por el sendero acarreando unas bolsas de la compra llenas.

Ya abriría ella sola, él no iba a hacerlo. Y si algo de eso que llevaba era para la comida de la vieja Chawcer, también se podía ocupar ella de eso. Mix no supo cómo adivinó Queenie Winthrop que estaba en el salón, pero se asomó a la puerta. Pareció desagradablemente sorprendida.

—¿Qué está haciendo aquí?

—Le he abierto la puerta a la doctora.

—¡Ah, sí! He visto su coche. ¿No es una mujer muy dulce?

Mix no respondió. De repente había caído en la cuenta de que no había llamado a la oficina central.

—Ahora me voy a mi piso —dijo—. Ya le he dado de comer al gato.

¿La vieja iba a entrar en el dormitorio de la vieja Chawcer estando allí la doctora? Aunque lo hiciera y aunque la mujer de la carcoma ya hubiese venido y se hubiese marchado, era demasiado arriesgado intentar bajar el cuerpo por todos esos tramos de escalera. Su única posibilidad era hacerlo de noche. Le hubiese gustado salir al jardín y echar un vistazo, buscar el mejor lugar para enterrarla, ver si había un cobertizo o alguna otra edificación anexa donde dejar el cuerpo mientras cavaba. A causa de los tejados y salientes que sobresalían, desde su piso sólo se podía ver el extremo del jardín.

Telefonearía a la oficina central mientras estaban todas en ese dormitorio y una cosa menos. Después podría intentar salir fuera. La recepcionista que respondió no aguardó a que Mix le dijera con quién quería que le pusiera.

—Jack quiere hablar contigo ahora mismo. —Jack era el señor Fleisch, el jefe de departamento—. De hecho, ya quería hablar contigo a primera hora de la mañana. Te lo paso.

Mix apenas tuvo ocasión de mediar palabra.

—¿Estás enfermo? Debe de ser muy grave para que pases por alto cuatro visitas a domicilio, siete llamadas telefónicas urgentes y tres mensajes de texto. La mitad del oeste de Londres anda a tu caza. ¿Es algo físico o mental? Yo diría que mental, ¿tú no? Por eso no ha servido de una mierda mandarte al médico. Lo tienes jodido, muchacho.

—¿Qué puedo decir? Tal vez sí sea mental. Quizá sea una depresión. Tendré que superarlo. Sé que lo haré.

—Muy bien. Perfecto. Mientras tanto, mientras tú lo superas, el señor Pearson quiere verte mañana por la mañana a primera hora.

—Allí estaré —dijo Mix.

—Más te vale.

La cosa debía de ser grave para que lo hubiera convocado el presidente ejecutivo. Sería para despedirlo o, en el mejor de los casos, para darle una última oportunidad. ¡A la mierda! Ahora no podía preocuparse de eso. Aunque extrajera el cadáver de debajo del suelo y lo sacara al jardín después de anochecer, no conseguiría cavar una tumba profunda y meter a la chica dentro en una noche. Y de todas formas, por la mañana no estaría en condiciones de hacer nada. Estaba una vez más en la habitación donde se hallaban los restos de la chica y, pese a que el hedor cada vez más intenso le provocaba náuseas, contemplaba la posibilidad de levantar la tabla en aquel momento cuando le llegó la fuerte voz aflautada de Queenie Winthrop que le gritaba desde el primer piso.

—¡Señor Cellini! ¡Señor Cellini! ¿Está usted ahí? ¿Me oye? ¿Puede bajar un minuto?

Tendría que hacerlo, si no, subiría ella. El olor ya se percibía desde lo alto de las escaleras.

—¡Sí, ya bajo!

Cerró la puerta, descendió por el tramo embaldosado y luego por el siguiente. La vieja Winthrop estaba colorada y parecía nerviosa.

—Gwendolen tiene neumonía. No puedo decir que me sorprenda. Ahora mismo la doctora Smithers está abajo llamando a una ambulancia para que se la lleven al hospital.

A Mix le pareció notar que el corazón le daba un vuelco en el pecho. ¡La mujer iba a marcharse! Estaría solo en la casa, tal vez durante una semana. Tenía que preguntarlo.

—¿Para cuánto tiempo tiene?

—La doctora no lo sabe. Para unos cuantos días, eso seguro. —Le habló como si Mix tuviera catorce años—. Ahora usted será el responsable de la casa mientras ella no esté y contamos con su ayuda. No nos defraude.

# 17

Steph también fue, por supuesto. Siempre venía. Esos dos eran inseparables. Mix creía que eso duraría un par de años y que después, sobre todo si había un bebé, Ed empezaría a salir solo otra vez.

Ellos ya estaban en el Sun in Splendour cuando Mix llegó. Había estado a punto de olvidarse de su cita y no se acordó hasta las ocho menos cuarto, cuando estaba planeando qué excusas darle al señor Pearson y el nombre de Ed entró en sus cálculos. Si no aparecía, su amigo no volvería a hablarle nunca más, eso seguro. De todos modos, no le importaba salir, que le diera un poco el aire fresco y hablar con gente de verdad en lugar de hacerlo con esas viejas.

Bajó las escaleras corriendo y sintiéndose casi contento. La ambulancia se había llevado a la vieja Chawcer a las tres y media y Queenie Winthrop se había marchado en ella. Ahora ya no era necesario intentar salir al jardín sin que lo descubrieran. No era necesario trasladar el cuerpo de inmediato. Mix se había tumbado en el sofá con los pies en alto, con un libro de Reggie que tenía desde hacía mucho tiempo y que al menos había leído ya dos veces, *Muerte en una tumbona*, y estaba llegando a la parte que en aquellos momentos más le interesaba, cómo había tenido lugar la putrefacción en los cuerpos de esas mujeres, Ruth Fuerst, Muriel Eady, Hectorina MacLennan, Kathleen Maloney, Rita Nelson y la propia esposa del asesino, Ethel.

No era el mejor libro que había leído sobre Reggie. El primer premio tenía que ser para *El asesino extraordinario*, pero terminaría de leer aquel capítulo. Resultaba curioso que, si seis meses antes alguien le hubiera dicho que un libro le iba a resultar más fascinante que la televisión o que un juego en Internet, se hubiese reído de ellos. Cuando entró en el *pub* seguía pensando en Reggie y en la manera en que ocultó esos cadáveres, enterrando sólo dos de ellos en el suelo, quemando parcialmente un par…

Ed se rió al verle y le dijo:

—Llegas tarde como de costumbre. Pero da lo mismo, ¿no?

A Mix no le hizo mucha gracia el comentario, pero decidió no discutir. En lugar de eso, admiró el anillo de compromiso de Steph y les preguntó cuándo iban a casarse.

—Todavía falta mucho —dijo Ed, que fue a buscarle una ginebra con tónica—. Veo que te has pasado a las bebidas fuertes.

Mix consideró que aquello no merecía respuesta alguna. Esperaba que Ed le pidiera que fuera su padrino de boda. Antes de discutir lo hubiera hecho, quizás aún lo hiciera, aunque no esa noche.

—Lo tienes jodido en la oficina central —comentó Ed—. Pero me imagino que a estas alturas ya lo sabes.

—Hoy eres la segunda persona que me lo dice. No quiero hablar de ello.

—Cuando el señor Pearson sea la tercera persona, no te quedará más remedio.

Steph se rió tontamente. Pero no era una chica desagradable y cambió de tema para hablar de bodas, casas e hipotecas. Al cabo de un rato de estar comentando esos temas, Steph dijo casi lo peor que Mix querría haber oído.

—Han estado aquí buscando a esa chica desaparecida.

—¿Qué chica desaparecida? —Mix tuvo que fingir.

—Danila Kovic o como sea que se pronuncie. Entraron dos policías y hablaron con ese chico, Frank, el barman. Oí que decían que la chica había solicitado trabajar aquí porque lo que ganaba en un gimnasio no le bastaba para vivir.

—No consiguió el empleo —dijo Ed—. Cuando se fueron los policías, Frank dijo que la muchacha carecía de la experiencia necesaria. La llamó pobre criatura, dijo que no parecía lo bastante mayor como para beber, no digamos para servir alcohol.

—Pues eso no le resultaría de mucha utilidad a la policía —comentó Mix bastante aliviado.

La estaban buscando, pero eso él ya lo sabía. Gracias a Dios que no la había llevado allí. Mejor hablar de otra cosa.

—¿Cuándo va a ser la boda?

—Ya me lo preguntaste por teléfono y vas a obtener la misma respuesta. Todavía falta mucho.

—Queremos tenerlo todo en orden y todo pagado antes de casarnos —explicó Steph—. Así el matrimonio tiene más posibilidades, ¿no te parece?

Mix no tenía opinión al respecto, pero coincidió con ella y hablaron del piso nuevo, de las constructoras, de las sociedades hipotecarias y de los tipos de interés, hasta que de pronto Ed dijo:

—Frank dijo que volvió a verla. Paseando por Oxford Gardens con un tipo.

Mix derramó un poco de bebida que formó un pequeño charco con burbujas. Sabía que debería haber preguntado: «¿A quién?», pero no lo hizo; en cuanto Ed lo mencionó, él ya supo a quién se refería. Con voz un tanto alta, dijo:

—Se lo contó a la policía, ¿no?

—Dijo que lo haría. Cuando habló con ellos, se le había ido de la cabeza.

Era lo más cerca que habían llegado de encontrar a un hombre en la vida de la joven. ¿Sería capaz de describirlo este tal Frank? ¿Le reconocería?

—¿Frank trabaja esta noche?

Mix tuvo la impresión de que su voz no había sonado del todo firme y creyó que Ed lo miraba de forma extraña.

—Vendrá más tarde.

«Espera, ahora no digas que te vas, les parecerá un poco raro si lo haces.» Se obligó a permanecer en la silla, creyó tener la sensación de que todos los nervios de su cuerpo se tensaban para empujarlo fuera de su asiento y por la puerta. No obstante, se quedó, con la frente sudorosa.

—¿Nos tomamos otra? —Ed se había cansado de esperar que Mix invitara. Podían pasarse toda la noche allí sentados antes de que lo hiciera—. ¿Quieres lo mismo?

—Me tengo que marchar —dijo Mix.

¿Qué aspecto tenía ese tal Frank? No lo recordaba y no podía preguntarlo. Bien podría ser que al salir de allí se tropezara con él en Pembridge Gardens sin saber quién era. Sin embargo, Frank lo reconocería. Le dijo adiós a Steph con brusquedad y a Ed le dirigió un: «Nos vemos».

Había mucha gente por la calle. Siempre ocurría lo mismo en las noches cálidas como aquélla. Cualquiera de los hombres jóvenes podía ser Frank. El que subía por Notting Hill Gate podría ser él, o ese que estaba saliendo de un coche. En cualquier caso, ninguno de ellos pareció reconocerle. Mix podía coger el autobús o ir andando, pero sería más fácil que lo vieran si se quedaba de pie en la parada del autobús, en tanto que si caminaba se alejaría de la zona de peligro y, aparte, le haría bien.

Normalmente, cuando regresaba a Saint Blaise House, si no era muy tarde, se veía una luz tenue en dos o tres ventanas. Un resplandor amarillo verdoso iluminaba la media luna de cristal que había sobre la puerta principal, las hojas de las ventanas del salón y tal vez la del dormitorio de la mujer. Aquella noche no había ninguna, la casa estaba llena de una oscuridad total, una oscuridad lo bastante intensa y densa como para aplastarse contra las ventanas desde el interior. «Deja de imaginarte cosas —se dijo—, ya sabes que todo está en tu cabeza.» Abrió la puerta con la llave y entró en el silencio que esperaba y quería.

«Los fantasmas no existen. Esa Shoshana diría cualquier cosa por dinero. No cierres los ojos cuando llegues arriba. Cualquier cosa que veas sólo está en tu cabeza.» Mantuvo los ojos abiertos, miró por los pasillos y no vio nada. «Y ahora que estás en casa no empieces a beber, mantén la mente despejada.»

Mientras caminaba de vuelta a casa había decidido bajar el cadáver aquella misma noche. Pero ¿por qué? No había ninguna necesidad de hacerlo de inmediato. La vieja Chawcer estaría fuera una semana. «Déjalo para mañana, intenta volver a casa hacia las cuatro y hazlo entonces. Luego puedes cavar el agujero el sábado durante el día. Si algún vecino te ve cavando por la noche, va a sospechar.»

Lo empezaría todo mañana y mientras tanto se tomaría una copa muy pequeña de ginebra y se iría a la cama. Una vez allí, cómodo y abrigado, empezó a preocuparse por la entrevista de la mañana siguiente con el señor Pearson. ¿Y si le decía que iban a tener que prescindir de él? Pero no iban a hacer eso sólo por haberse saltado unas cuantas visitas. ¿Se molestaría Frank en ir a hablar con la policía? Y si lo hacía, ¿cómo podía saber a quién había visto con Danila? La chica podría haber tenido otros novios y cualquiera de ellos podía haberla acompañado hasta Oxford Gardens. Mix se durmió, se despertó, volvió a quedarse dormido, se levantó, encendió la luz y contempló su reflejo en el espejo alargado. ¿Cómo lo describirían a él, a todo esto? Era un hombre de aspecto común y corriente, no tan delgado como debería estar, de tez rosada, nariz chata, ojos ligeramente grises o de color avellana y cabello rubio tirando a castaño. Una rueda de reconocimiento sería una cosa completamente diferente, pero incluso Mix en su estado de nervios actual se dio cuenta de que, una vez más, se estaba dejando llevar por la imaginación.


El señor Pearson no iba a despedirlo tal como Mix se había temido en cierto modo, sino que iba a darle una última oportunidad. El hombre era propenso a dar pequeñas charlas sentenciosas a sus empleados cuando éstos tenían problemas y en aquella ocasión le dio una a Mix.

—No se le exige un comportamiento ejemplar simplemente por usted, y ni siquiera por mí. Es en beneficio de toda la comunidad de técnicos de esta empresa y por la reputación de la misma. Piense en lo que ahora mismo significa usted para un cliente cuando habla con él por teléfono en nombre de la compañía. El cliente tiene una agradable y cálida sensación de seguridad, de tranquilidad y satisfacción. Todo irá bien. Lo harán, y con prontitud. No importa cuál sea el problema, esta empresa lo resolverá. Y luego piense en lo que significa cuando un técnico falla repetidas veces al cliente, no aparece cuando prometió y no devuelve las llamadas. ¿Acaso el cliente (o, más probablemente, la clienta) no empezará a considerar que la empresa es informal y poco de fiar, que ya no es de primera? ¿Y lo más seguro no es que entonces se diga: «Tal vez debería buscar otra empresa en las *Páginas Amarillas*»?

«En otras palabras, lo que está diciendo es que he defraudado a la empresa —pensó Mix—. Bueno, déjalo. De todos modos no volverá a ocurrir.»

—No volverá a repetirse, señor Pearson.

Abajo, en la sala de los técnicos donde Mix podía utilizar una mesa, telefoneó al gimnasio de Shoshana. Contestó ella misma, pues la empleada temporal se había marchado y todavía no había encontrado sustituta para Danila.

—La semana que viene iré a echar un vistazo a esas máquinas.

—Supongo que eso quiere decir el próximo viernes por la tarde —dijo Shoshana con maldad.

—No tendrá que esperar tanto. —Mix trató de sonar jovial.

—Espero que así sea. —Cuando colgó el auricular, Shoshana marcó el código que le permitiría saber el número desde el cual la había llamado. Se esperaba un resultado negativo, ya que suponía que la llamaba desde el móvil o desde el teléfono de su casa, pero en cambio obtuvo el prefijo de Londres y siete dígitos que no le resultaban familiares. Los anotó con esmero.

A continuación Mix llamó a Colette Gilbert-Bamber y recibió un torrente de insultos. Después de todo lo que había hecho por él, según dijo ella, la trataba como a una prostituta a la que podía conseguir y dejar cuando se le antojara... Había averiguado cuál era el nombre del presidente ejecutivo de su empresa y había considerado contarle al señor Pearson lo que había estado a punto de contarle a su marido, que Mix había intentado violarla.

—¿Y bien? ¿Qué te parece eso?

—Nunca he oído semejante sarta de estupideces. —Estuvo por decirle que a ella nunca la violarían porque la violación sólo tenía lugar cuando la víctima se resistía, pero se lo pensó dos veces y colgó sin decir nada. Después entró en el almacén donde guardaban un número limitado de máquinas nuevas para entregar de inmediato y encontró lo que andaba buscando, una bolsa muy grande de un plástico grueso, pero de un azul claro transparente, de las que se utilizaban para proteger las bicicletas estáticas y las cintas de correr.

Guardó bien la bolsa en el maletero del coche y condujo para ir a visitar a un cliente tras otro, soportando sus reproches y prometiendo rapidez en las visitas de seguimiento. A las dos, con un sándwich del Pret-a-Manger y una lata de Coca-Cola (de la baja en calorías porque estaba a dieta), se dio el gusto de pasar un rato frente a la casa de Nerissa.

Era su primera visita desde hacía días, pero, aunque estuvo allí más de una hora, ella no apareció. En cuanto se hubiera ocupado de ese cadáver tendría que idear una nueva estrategia, un verdadero plan de campaña porque de momento, tal como se recordó a sí mismo, sólo había hablado con ella en una ocasión. Poco después de las tres y media realizó una última visita, esta vez en una gran vivienda que daba a Holland Park y hacia las cinco menos diez ya estaba en Saint Blaise House llevando la bolsa de plástico.

Y Queenie Winthrop también estaba allí, aunque Mix no lo supo hasta que, después de subir las escaleras hasta su piso, volvió a bajar para comprobar que pudiera sacar el cuerpo al jardín por la cocina y las dos habitaciones diminutas que había más allá. La mujer estaba en la cocina, con un delantal encima de su vestido rojo floreado, ordenando las cosas y limpiando las superficies.

—¿Se acordó de darle de comer al gato? —preguntó ella.

—Ahora lo haré.

La abuela Winthrop repuso en el tono triunfante de quien ha conseguido un reto y espera que le feliciten por ello:

—No se moleste. Ya lo he hecho yo —dijo, y añadió—: Aunque no parecía muy hambriento que digamos.

Mix no dijo nada. ¿Cuánto rato iba a pasarse ahí? Ella le contestó aun cuando él no se lo había preguntado.

—Tengo trabajo para un par de horas más. He ordenado el cuarto de las botas y el lavadero y acabo de empezar con la cocina. ¡Menudo trastero está hecho este lugar!

La palabra que utilizó para una de esas pequeñas habitaciones traseras hizo que Mix diera un respingo.

—¿Lavadero? ¿Hay un lavadero?

—Ahí fuera. Mire.

La siguió hacia un cuarto que era más bien un cobertizo con paredes de ladrillo sin revoque. Una cosa abultada, como una especie de horno antiguo, ocupaba uno de los rincones.

—¿Qué es eso?

—Es un caldero. Me imagino que nunca había visto nada parecido, ¿verdad? Mi madre tenía uno y hacía la colada en él. Era horrible. Las mujeres utilizaban un palo para remover la ropa y una tabla de lavar. Era terriblemente perjudicial para sus órganos internos.

Mix retuvo aquello lo mejor que pudo. Las palabras «caldero» y «tabla de lavar» no le decían nada, pero «lavadero» sí. Era precisamente en el que había en el número 10 de Rillington Place donde Christie había dejado todos los cadáveres hasta el momento de enterrarlos. Mix haría lo mismo en cuanto esa condenada mujer se marchara. Debería haber tenido la sensatez de pedirle que le devolviera la llave. El día anterior, cuando le estaba diciendo que diera de comer al gato, él tendría que haberle pedido la llave. Pero ¿y si le decía que no?

—Sería mejor que la llave de la señorita Chawcer la tuviera yo.

—Pero ¿por qué? —dijo ella en tanto que volvía a meterse en la cocina y rociaba enérgicamente todo el fregadero con un limpiador perfumado de color azul—. Le dije a Gwendolen que la guardaría yo. Podría necesitarla para entrar y salir. Si no le importa, me la voy a quedar. Puede que Olive y yo decidamos hacer limpieza general de toda la casa para darle una sorpresa cuando regrese. Me temo que la pobre Gwendolen no es muy buena ama de casa.

No había más que decir. Mix regresó a su vivienda preguntándose si la mujer habría estado en el piso de arriba.

De haber subido, ¿no le habría llegado el hedor y le hubiese comentado algo? De nada le sirvió sentarse a intentar ver la televisión, ni siquiera leer el libro sobre Christie. Tenía que hacer algo, dar los pasos preliminares. Con mucho cuidado, cargado con la bolsa de plástico y la caja de herramientas, salió al rellano y escuchó. Abajo no se oía nada. Abrió la puerta del dormitorio de al lado. Había cogido una bufanda y se la ató en torno a la cabeza de manera que le tapara la nariz. Seguía percibiendo el olor, si bien con menos intensidad. La cosa empeoró sobremanera cuando levantó las tablas, pero se dijo que tenía que continuar, seguir adelante, no pensar en ello y respirar por la boca.

El cuerpo estaba igual que cuando lo había metido allí, pequeño, ligero, envuelto en su mortaja de sábanas rojas. Para poder levantarlo le fue preciso acercar mucho la cabeza y la cara y tuvo arcadas dos veces. No obstante, logró sacarlo y dejarlo en el suelo. Si bien su apariencia no había cambiado, parecía haber ganado peso. Allí donde se había quedado, encima de las vigas llenas de polvo, estaba el tanga, de color negro y escarlata, una prenda frívola de elástico y encaje. ¿Cómo se le había pasado por alto su ausencia cuando tiró el resto de su ropa? Lo recogió y se lo metió en el bolsillo. Lo más fácil fue introducir el cuerpo de la chica en la bolsa. Una vez lo tuvo dentro Mix se sintió mejor, y cuando hubo cerrado la abertura de la bolsa enrollando en ella un pedazo de alambre, lo embargó un gran alivio. ¿Y si esa vieja estaba esperando en la puerta o subía por las escaleras embaldosadas? La mujer no estaba y Mix consiguió arrastrar la bolsa con el cadáver hasta su propio piso. Una vez lo hubo entrado, tuvo que regresar para volver a poner las tablas del suelo en su sitio y comprobar el olor. Si es que aún persistía.

Por supuesto que sí. Mucho menos intenso, pero muy desagradable. Tal vez no se notara tanto cuando hubiese vuelto a colocar las tablas. Resultaba difícil saber si sería así o no, pero con el tiempo seguro que desaparecería. Tendría que haber comprado otra botella de ginebra de camino a casa. Le quedaba muy poca. Quizá fuera mejor así. Se la bebió mientras esperaba a que Queenie Winthrop se marchara.

Finalmente lo hizo a las seis y media. Mix la oyó irse desde lo alto de las escaleras. Debería haberle preguntado cuándo volvería, aunque podría haber resultado una pregunta extraña. Cuando estuviera en casa, y por supuesto no cuando estuviera fuera, podía cerrar la puerta principal a cal y canto, y eso es lo que haría cuando bajara el cuerpo. Él era de los que solían dejar las cosas para más tarde y normalmente nunca hubiese dicho que no había que dejar para mañana lo que pudieras hacer hoy, pero en aquel momento sí lo hizo. Primero bajó y cerró la puerta principal con llave. Eso era casi como si se la hubiesen devuelto. Seguro que subir y bajar por las escaleras le hacía bien, aunque no le apeteciera. Recordó coger las llaves de su piso, sacó el cadáver de allí y lo arrastró hasta lo alto de las escaleras mientras cerraba la puerta con el pie al salir.

Mix no sabía qué podría haber hecho si la chica hubiese pesado más. En el rellano del primer piso se encontró a *Otto*, que maullaba frente a la puerta del dormitorio de la vieja Chawcer. Aun sin saber por qué lo hacía, Mix le abrió la puerta. Quizá sólo para descansar un poco de la pesada bolsa que llevaba a cuestas. Cuando llegó abajo, pensó que no podría dar ni un solo paso más, pero se preparó para arrastrarla por el pasillo que conducía hacia la antecocina y la cocina. Casi había llegado a la primera cuando oyó el chirrido de una llave que giraba en la puerta principal. Se quedó inmóvil, pero se le aceleró el pulso. La puerta tenía echado el cerrojo, nadie podía entrar, no tenía por qué preocuparse.

La llave volvió a girar, la tapa del buzón se abrió y la voz de Olive Fordyce gritó:

—¡Señor Cellini! ¡Señor Cellini! ¿Está usted ahí?

Mix casi tenía miedo hasta de respirar. La mujer lo llamó de nuevo y añadió:

—¡Déjeme entrar! ¿Qué hace cerrando la puerta con llave? ¡Señor Cellini!

La mujer gritó, volvió a intentar abrir la puerta, tocó el timbre y sacudió la tapa del buzón durante lo que parecieron horas. Cuando Mix oyó su taconeo por el sendero hacia la verja, miró el reloj y descubrió que en realidad no habían pasado más de tres minutos. La situación lo había asustado demasiado como para ponerse a cavar ahora. Se sentía débil y a punto de desmayarse. Sin embargo, reunió fuerzas suficientes para arrastrar el bulto envuelto en plástico por la cocina hasta el lugar que la otra mujer había dicho que era el lavadero. El enorme caldero dominaba un rincón de la habitación, una excrecencia de ladrillos y argamasa de aproximadamente un metro veinte de alto con una tapa de madera en lo alto. Al levantarla, la tapa reveló una tina de barro cocido, absolutamente seca y que resultaba evidente que no se utilizaba desde hacía años. Mix levantó el cuerpo entre resoplidos y jadeos y al llevarse la mano a la parte baja de la espalda notó un bulto en el bolsillo. Era el tanga. Lo echó dentro antes de cerrar la tapa. Ya lo recuperaría después y lo enterraría con el cuerpo. Nadie, ni, desde luego, una de esas viejas entrometidas, tendría motivo alguno para mirar dentro del caldero. La vieja Chawcer tenía una lavadora que, aunque era un modelo anticuado, funcionaba y que, a pesar de sus deficiencias, suponía un avance respecto a aquella antigualla.

La salida al jardín le resultó relajante e incluso reconstituyente. El calor del día había dado paso a una tarde tranquila y templada. La hierba sin cortar era del color del cabello rubio y estaba seca como un henar. En el jardín que había al otro lado de la pared del fondo el hombre hindú estaba intentando cortar el césped con una vieja segadora manual que no surtía mucho efecto. Las gallinas de Guinea andaban por ahí cloqueando.

No había ni un solo trozo de terreno fácil de cavar. Hasta el último centímetro de suelo estaba cubierto de césped y malas hierbas. Mix no había cavado en su vida y aquella tierra, por lo que podía ver entre unos resistentes cardos pinchudos y otras cosas agresivas de las que desconocía el nombre, tenía aspecto de ser dura como el cemento, aunque de un color amarillo sucio. En el interior del cobertizo medio en ruinas encontró algunas herramientas oxidadas: una pala, una horca y un pico. Lo haría al día siguiente y ahí se acabaría todo.

«Créetelo —susurró—. Créete que cuando lo hayas hecho se terminarán las preocupaciones.» Entró en la casa y descorrió los cerrojos, el de arriba y el de abajo. La vieja Chawcer no hacía ruido cuando estaba en casa. La lectura es una ocupación silenciosa. No obstante, el lugar parecía estar aún más tranquilo sin ella. Un silencio opresivo inundaba los espacios.

Con la exploración del jardín se le habían llenado los zapatos de polvo. Como no quería dejar tras de sí ninguna prueba de su visita a un lugar en el que no debería haber estado, se los quitó y los llevó en la mano escaleras arriba mientras pensaba en la tarea que le aguardaba para el día siguiente. Quizá debería haber probado lo dura y pesada que era la tierra. Pero ¿de qué le habría servido? Por difícil que resultara el trabajo, tendría que hacerlo de todos modos. Había que realizar una última visita al dormitorio donde había yacido la joven. Lo animaría saber si el hedor se estaba desvaneciendo y si allí todo recuperaba la normalidad.

Llegó arriba y abrió la puerta. No supo si el olor había desaparecido o no porque estuvo demasiado poco tiempo para darse cuenta. El fantasma se encontraba en medio de la habitación bajo la lámpara de gas, mirando las tablas del suelo que habían sido el escondite temporal de Danila. Mix huyó. Intentó abrir la puerta de su piso con desesperación, pero le temblaba la mano y la llave golpeteó contra la madera. Unos sollozos atropellados se alzaron hacia su garganta. Quería encontrar un lugar seguro en el que esconderse y no había ninguno si no podía entrar. La llave se agitó en la cerradura, se atascó, salió. Mix consiguió volver a introducirla y la puerta se abrió. Cayó en el suelo y cerró la puerta tras él de una patada con los ojos fuertemente cerrados y las manos golpeteando el suelo. Shoshana tenía razón. Al cabo de unos momentos se recuperó lo suficiente como para tocar la cruz que llevaba en el bolsillo, pero entonces ya era demasiado tarde para utilizarla.

# 18

—No era más que una niña —dijo Frank McQuaid.

Había oído esta frase muchas veces en las series policíacas de la televisión y siempre había esperado tener la oportunidad de utilizarla. El policía que lo entrevistaba dijo:

—¿Sí? Y la vio caminar por Oxford Gardens en compañía de un hombre. ¿Puede describirlo?

—Era un hombre normal y corriente —respondió Frank, que bien podría haber estado leyendo un guión. Estaba sentado frente al sargento detective en una habitación adyacente al bar y adoptó una expresión seria y meditabunda como si lo estuvieran mirando millones de personas—. No tenía nada de particular, ¿me entiende? Cabello tirando a castaño, ojos tirando a marrones, me parece. Era de noche.

—En Londres nunca se hace de noche.

Frank consideró esta aseveración. Tenía cierta originalidad que le hizo recelar. Decidió pasarla por alto.

—De estatura media o un poco menos…, ¿entiende?

—Supongo que quiere decir que su estatura estaba un poco por debajo de la media, señor McQuaid.

—Eso he dicho. No era más que una niña.—Con expresión acongojada, Frank miró a una cámara invisible—. De un país extranjero. ¿Albania, tal vez? Quizás hubiera solicitado asilo.

—Sí, gracias, señor McQuaid. Nos ha sido de mucha utilidad —mintió el policía.


Aquella noche hubo una tormenta en el mar. Era lo que parecía, el sonido de las olas batiendo la costa. Mix no sabía por qué el ruido de la Westway tenía que ser más fuerte de lo habitual. Quizás el viento venía de una dirección distinta. Debería haberle pedido al médico unos somníferos. La cuestión fue que no pudo dormirse hasta las cuatro, cuando se sumió en un sueño agitado. Al despertarse a las ocho la claridad de la mañana contribuyó un poco a reducir su terror a un simple miedo. Lo primero que pensó fue que tenía que mudarse, abandonar esa casa encantada; después pensó que eso era imposible mientras el cadáver permaneciera abajo en el lavadero. Su mente estaba tan concentrada en lo que había visto la noche anterior que apenas reaccionó cuando al bajar y recoger del felpudo la carta del laboratorio que le había realizado el análisis por mediación del médico de la empresa vio que su nivel de colesterol era preocupante. Bueno, ¿y qué? Podía tomar pastillas para eso, estatinas o algo así. ¿Cómo iba a ser capaz de subir cuando volviera a casa del trabajo?

Mix no osaba saltarse ninguna visita más ni dejar ningún otro mensaje sin responder. Colette Gilbert-Bamber no había dado señales de vida, pero él no se arrepentía de nada. Por reacio que fuera a acercarse a aquel lugar, condujo hasta Westbourne Grove para dirigirse al Gimnasio Spa Shoshana. Eran las diez de la mañana.

Pulsó el timbre y le respondió una voz desconocida que arrastraba las palabras de esa manera afectada que él denominaba «pija».

—Soy Mix Cellini. Vengo a reparar las máquinas —dijo.

No hubo respuesta, pero la puerta se entreabrió con un zumbido. Mix entró y al levantar la cabeza se encontró cara a cara con Nerissa que bajaba las escaleras. Por un momento creyó que debía de esta alucinando, no podía creer su suerte. Era como si el destino lo estuviera compensando por su terrible experiencia de la noche anterior. Al final logró decir algo, pero le salió una voz un tanto estridente.

—Buenos días, señorita Nash.

Ella lo miró sin sonreír.

—Hola —respondió, y pareció atemorizada.

—Por favor, no se ponga nerviosa —dijo Mix—. Es que…, es que siempre me alegro de verla.

La joven estaba muy hermosa (no podía evitarlo) vestida con unos vaqueros y una camiseta de algodón sobre la que llevaba un poncho de color rojo. Se había detenido en mitad del tramo de escaleras y se quedó allí parada, como si tuviera un poco de miedo de pasar por su lado.

—¿Me ha seguido hasta aquí?

—¡Oh, no! —repuso Mix en un tono que intentaba ser tranquilizador—. No, no, no. Yo trabajo aquí, realizo el mantenimiento de las máquinas. —Se apartó de las escaleras y aguardó junto al ascensor—. Baje, por favor. No voy a hacerle daño.

La madre de la chica y la tía abuela, también, debían de haberse empeñado en predisponerla en su contra. Le gustaría matar a esa vieja Fordyce. Nerissa descendió lentamente los peldaños y al llegar al pie de la escalera vaciló antes de decir:

—Bueno, adiós. Por favor, no… —salió rápidamente por la puerta antes de terminar la frase.

Mix pensó que lo que iba a decir era algo así como: por favor, no piense que soy grosera, es que no lo entendí. O: por favor, no crea que pensé que iba a hacerme daño. Alguna cosa por el estilo. Era tan agradable como hermosa, buena y dulce. Debía de ser la arpía de su madre la que le habría dicho que le preguntara si la estaba siguiendo, no era una cosa que fuera a salir de ella de manera natural. Las madres podían ser enemigas de sus hijos. Sólo había que fijarse en lo que hizo la suya casándose con Javy y, después de que él se marchara, trayendo a casa a todos esos hombres cuando tenía allí a tres niños que estaban creciendo y aprendiendo de su comportamiento disoluto. La madre de Nerissa debería estar agradecida por el hecho de que su hija tuviera a alguien que la adoraba y, lo que era más, que la respetaba a la antigua.

El ascensor ya lo había dejado en el piso donde estaba situado el gimnasio. En el lugar que había ocupado Danila la primera vez que Mix estuvo allí había una mujer casi tan guapa como Nerissa, salvo porque ella tenía la piel oscura en tanto que esta otra era una rubia ártica, de piel blanca como la nieve, con una cabellera pálida como un glaciar y dedos largos de uñas plateadas. Debía ser ella quien había contestado al timbre.

—Avisaré a Madam Shoshana de que ha venido —anunció con voz de debutante.

Mix habría preferido que no lo hiciera. Lo más probable era que esa vieja adivina loca no lo recordara de la sesión que tuvieron en esa habitación del piso de arriba, pero podría ser que sí. Y si se acordaba de él, ¿le parecería raro que fuera la misma persona con la que tenía un contrato de mantenimiento? ¿Acaso importaba eso? Mix prefería que nadie encontrara nada raro en su comportamiento. No quería llamar la atención. De todas formas Shoshana no iba a subir, le mandaría un mensaje a través de aquella chica de aspecto increíble. La miró una vez más.

Con la misma voz que Eliza Doolittle después de su transformación, la joven dijo:

—¿A quién cree que está mirando?

Mix se alejó unos pasos.

—¿Cuáles son las máquinas que hay que revisar?

—Madam se lo enseñará. Yo soy nueva.

Antes de que Mix pudiera responder, Shoshana salió del ascensor cubierta con unas vestiduras negras y collares de azabache y con el mismo aspecto que una sacerdotisa druida de luto. Por su mirada, Mix supo que lo había reconocido antes de que la mujer dijera nada, y cuando lo hizo, fue con una voz totalmente distinta de la que él había oído prediciéndole el futuro, un tono estridente y brusco del norte de Londres.

—¡Cómo ha tardado en venir! Si para usted las tiradas de cartas son más importantes que el trabajo no va a llegar muy lejos. Las máquinas que tiene que arreglar son dos bicicletas, la cuatro y la siete. ¿De acuerdo?

—De acuerdo —contestó Mix entre dientes.

Tuvo que procurar no quedarse boquiabierto cuando la mujer comentó:

—A usted le gustaba esa chica que trabajaba aquí. La flacucha que se marchó sin mediar palabra. No se escaparía con usted, ¿eh?

Mix logró esbozar una sonrisa burlona. Fue una de las cosas más difíciles que había conseguido.

—¿Conmigo? ¡Qué dice! Pero si apenas la conocía.

—Eso es lo que dicen siempre los hombres. No me gustan los hombres. Bueno, será mejor que empiece con lo que ha venido a hacer.

¡Que horror de vieja! Mix nunca se había topado con una mujer de su edad tan horrible como ella. Hacía sombra a Chawcer, Fordyce y Winthrop juntas. Se estremeció y se concentró en las dos bibicletas estáticas. Las dos necesitaban una pieza nueva, pero era una pieza distinta en cada caso. Mix no llevaba piezas de recambio encima y, puesto que trabajaba por su cuenta en el gimnasio de Shoshana, tendría que robarlas del almacén para conseguirlas. En aquellos momentos no podía hacer nada. Le explicó a la belleza gélida que encargaría las piezas necesarias y que volvería en cuanto las tuviera.

—¿Y cuándo será eso?

—Dentro de unos cuantos días. No más de una semana.

—Será mejor que sea así. Madam se pondrá histérica si la hace esperar más.

Mix tenía que realizar más visitas. Una de ellas era a una clienta que no había requerido sus servicios anteriormente y que quería pedir una máquina de esquí de fondo. La mujer vivía en un lugar llamado Saint Catherine's Mews situado entre Knightsbridge y Chelsea, pero, aunque recorrió Milner Street dos veces en ambos sentidos, no pudo encontrar el sitio. «Déjalo —se dijo—. Llámala y que te indique el camino.» Uno de los pocos hombres que tenía máquinas de hacer ejercicio en su casa lo había mandado llamar para que acudiera a Lady Somerset Road, en Kentish Town, pero cuando

Mix llegó y aparcó peligrosamente con miedo a que le pusieran el cepo, se encontró con que el señor Holland-Bridgeman no estaba en casa. Mix decidió pasar un momento por Saint Blaise House para echar un vistazo al caldero del lavadero.

Cuando se aproximaba desde Oxford Gardens, se preguntó qué haría si hubiera coches de policía frente a la casa, agentes deambulando por ahí y el jardín acordonado con una cinta de color azul y blanco. Pensó que lo que haría sería dar media vuelta para ir a esconderse a alguna parte, tal vez se dirigiría al norte, pero no a casa de su madre, que o bien tendría a otro amante viviendo con ella, o bien estaría otra vez en la cárcel. ¿Su hermano? Nunca se habían llevado bien. La única persona de la familia con la que tenía cierta relación era Shannon… Saint Blaise Avenue se hallaba vacía de gente y relativamente silenciosa, con los automóviles de costumbre aparcados en fila a ambos lados de la calle. Quedaba un espacio para Mix. Entró en la casa y se quedó allí escuchando, preparado para que la abuela Fordyce o la abuela Winthrop aparecieran de la zona de la cocina con un trapo de sacar el polvo en la mano.

Como no estaba seguro de que ninguna de ellas se encontrara en la casa, cruzó con cuidado por la antecocina hacia la cocina, un lugar transformado por las operaciones de limpieza que las dos mujeres habían llevado a cabo, y luego entró en el lavadero. Olisqueó el aire, esperó y olisqueó de nuevo. No olía. El envoltorio que utilizó había resultado efectivo. Tal vez Christie hubiera resuelto ese problema concreto de la misma manera… ¿Había plástico en esa época? Se encontró muy poco dispuesto a levantar la tapa del caldero, pero lo hizo. No tenía sentido haberse acercado a casa a esa hora y no hacerlo. El paquete bien envuelto y sellado que constituían la bolsa con la chica dentro estaba tal y como él lo había dejado e, incluso con la tapa levantada, Mix no olió nada en absoluto.

Entonces hizo otro descubrimiento. Si uno no sabía lo que era el paquete del caldero, pensaría que se trataba de una bolsa grande de plástico llena de ropa vieja que alguien había metido allí dentro para dejarla en algún sitio. No investigaría más. Si no olía mal y tenía el aspecto de una de esas bolsas que la gente se llevaba a la lavandería, ¿no estaba perfectamente seguro allí donde se encontraba? Beresford Brown se topó con una situación totalmente distinta. Empezó a instalar una repisa para una radio y, detrás de un tabique de Rillington Place, encontró el cuerpo de una mujer desnuda. No olía porque era pleno invierno y hacía frío. En su caso, allí tampoco olía por la manera en que Mix la había envuelto. ¿Por qué no podía quedarse allí donde estaba? La idea parecía demasiado temeraria y audaz para resultar factible, pero ¿por qué no? ¿No iba a estar continuamente preocupado todo el tiempo que el cadáver permaneciera allí?

La vieja Chawcer no era un ama de casa cuidadosa. Se notaba por todo el trabajo que habían tenido que hacer Fordyce y Winthrop para dejar bien aquel lugar. Ella nunca se acercaría a ese caldero, tenía una lavadora que, si bien era antigua, aún se podía utilizar. En el improbable caso de que la mujer mirara allí dentro, lo único que vería sería una bolsa de plástico con ropa vieja en su interior. Así pues, ¿por qué no dejarla ahí? Mix cerró la tapa, regresó a la cocina caminando lentamente, pensando en este nuevo plan más sencillo, y se encontró de frente con Olive Fordyce. Al entrar con tanto sigilo, Mix tuvo la satisfacción de sobresaltarla, igual que había hecho el fantasma con él, aunque él se había alarmado tanto como ella, pero con más motivo. La mujer llevaba consigo un pequeño perro blanco cuyo tamaño era la mitad del de *Otto*.

—¿Qué está haciendo aquí fuera?

—Estaba en el vestíbulo y oí un ruido —respondió Mix.

—¿Qué ruido? —se mostró muy cortante con él.

—No lo sé. Por eso fui a ver.

La mirada que le dirigió era recelosa e inquisitiva.

—¿Dónde está el gato?

—¿Cómo quiere que lo sepa? Hace días que no lo veo.

El perro empezó a husmearle los bajos de los vaqueros.

—Si no le da de comer, se escapará y encontrará a alguien que le dé comida. No hagas eso, *Kylie*, sé buena. Le alegrará saber —añadió haciendo una pausa— que Gwendolen volverá a casa dentro de uno o dos días.

La mujer le dedicó una amplia sonrisa maliciosa. Era como si supiera lo que estaba pensando. Mix se sujetó en el borde de la encimera recién limpia porque tuvo miedo de caerse. Su idea de dejar el cadáver allí donde se encontraba se desvaneció y comprendió que era imprescindible sacarlo de la casa para que nadie lo descubriera.

—Naturalmente, he ido a verla al hospital, como hago todas las mañanas, y eso es lo que me ha dicho. La enfermera lo confirmó. Dijo que sería mañana —levantó al perro en brazos y lo acarició, como un niño con un juguete—. Y si no, pasado mañana. Ya no tienen a los pacientes ingresados tanto tiempo como antes. Bueno, la verdad es que ya nada es como antes, ¿verdad?

Mix no dijo nada. Era consciente de lo que ella habría esperado que respondiera…, si fuera un joven agradable, claro está. «Será estupendo tenerla de vuelta», por ejemplo, o: «Se alegrará de ver la cocina tan limpia y ordenada». No pudo decir nada, ni una palabra.

—Voy a ir a comprar provisiones para ella. Va a necesitar muchos cuidados. —Agitó la mano que tenía libre y Mix vio que aquel día llevaba las uñas pintadas de color rosa orquídea, como si fuera una jovencita, unas uñas puntiagudas, brillantes y afiladas. Como estaba acostumbrada a mirar a las personas directamente a los ojos y sostenerles la mirada, clavó los suyos en Mix de manera penetrante al tiempo que estiraba el cuello hacia delante ligeramente ladeado—. Va a tener que esforzarse, prepararle el té y ayudarle en lo que le pida. No le hará ningún daño. Ella todavía no va a poder caminar mucho.

—¿Y usted cuándo volverá? —le preguntó.

—¿Hoy? No lo sé. Cuando haya hecho la compra. ¿Acaso le molesta?

—Deme la lista y ya iré yo a comprar —dijo Mix.

No había duda de que era lo mejor que podía haber dicho. Por primera vez desde que se habían encontrado en la puerta de la cocina, la mujer le habló en tono agradable.

—Es muy amable por su parte. No voy a decirle que no. Mis piernas lo agradecerán. Le daré dinero. —Se puso a hurgar en el bolso, encontró la lista y se la entregó.

—Puede darme el dinero cuando ya lo haya comprado todo —comentó Mix, lo cual la aplacó aún más.

—Entonces tendrá que ser dentro de un par de días. No voy a volver hasta entonces. Queenie se hará cargo, vendrá mañana, por lo que le voy a pasar la llave. Bueno, despídase de *Kylie*.

¡Y un cuerno! ¿Acaso no había hecho bastante por ella ofreciéndose a hacer la compra? Las dos visitas de la tarde que tenía que hacer, el formulario de gastos que tenía que rellenar, la reunión con Jack Fleisch y los demás técnicos se le fueron del pensamiento. O mejor dicho, quedaron descartados por carecer de importancia en comparación con la urgencia de ocultar ese cadáver, pero no de forma temporal, no como un traslado provisional, sino para siempre.

En aquellos momentos no había necesidad de subir al piso de arriba, no hasta más tarde. Se tomaría una copa en algún bar para poder subir las escaleras, para tener la fortaleza de enfrentarse a lo que pudiera haber en lo alto.


Shoshana tenía una norma: no molestes a la policía a menos que ellos te molesten a ti. Estaba sentada en la habitación situada sobre el gimnasio y en la que ejercía de adivina, pues esperaba a una cliente dentro de unos diez minutos, y pensaba en Danila Kovic sin preocuparle en lo más mínimo el paradero de la chica ni si estaba muerta, y tampoco albergaba compasión por sus amigos o familiares que pudieran echarla de menos, y ni mucho menos lamentaba que ya no trabajara en el gimnasio ahora que tenía a la hermosa y eficiente Julia. No. Lo único que se proponía era hacer daño.

En ningún momento se le había pasado por la cabeza que Mix Cellini pudiera haberse escapado con Danila. ¿Por qué iba a pensar algo así? Por lo que Shoshana sabía, ellos sólo se conocían desde hacía dos o tres semanas y tal vez nunca hubieran salido juntos. No obstante, en su interior estaba cuajando, fermentando y bullendo un profundo rencor hacia Mix. El contrato de mantenimiento que había firmado no significaba nada para él; después de la desaparición de Danila, el hombre ni se había acercado por allí. En cuanto a lo de reparar las máquinas, él le había dicho que había encargado las piezas de recambio para las bicicletas, pero había sido una estúpida al creerle. La obligaba al largo proceso de buscar nuevos técnicos, como si no hubiera tenido ya bastantes dificultades para conseguir una sustituta para Danila.

Hasta aquella misma mañana había creído que su esperanza de tomar represalias estaba en el número de teléfono que había anotado cuando él la llamó y que descubrió que no era el de su móvil. Shoshana albergaba la firme sospecha de que el hombre trabajaba para una empresa que tenía como norma prohibir que sus operarios asumieran trabajos externos. Con una llamada al presidente ejecutivo, director ejecutivo o como uno quisiera llamarle, bien podría hacerle perder el empleo. Ésta era la venganza que se estaba reservando a menos que el comportamiento de Cellini cambiara de manera radical. Sin embargo, ¿no sería más apropiado castigarlo diciéndole a la policía que él era el escurridizo novio de Danila?

Shoshana no quería que la policía acudiera al gimnasio. Había cosas que prefería que no vieran, como por ejemplo que la seguridad distaba mucho de ser la adecuada, que no había salida de incendios en ninguno de los pisos superiores y que no se habían instalado medidas de seguridad. No obstante, podía ir ella a verlos. Quizá no corriera mucha prisa. Otra de sus normas era no hacer nada por impulso. Considerar las cosas con detenimiento. Empezó a sacar los trozos de cuarzo, lapislázuli y jade de la bolsa de terciopelo y examinó las cartas para comprobar que estuvieran adecuadamente colocadas.

La clienta, que era nueva, muy joven y que quedó claramente intimidada por la habitación, por su ambiente y por la propia Madam Shoshana, dio unos golpecitos en la puerta y entró con bastante temor. Se acercó lentamente a la silla que la estaba esperando y alzó la mirada al rostro de la adivina, cubierto a medias por un velo.

—Coloca las manos sobre el mandala que hay dentro de las piedras, respira profundamente y empezaré —dijo Shoshana con esa voz mística y ocultista que reservaba para predecir el futuro.


Medio litro de leche, doscientos gramos de mantequilla, queso, pan en rebanadas, una chuleta de cordero y una pechuga de pollo, guisantes congelados, un cartón de sopa y muchas cosas más. Mix lo guardó en el frigorífico, que entonces contenía cosas sanas y apetitosas. Había hecho la compra de la vieja Chawcer de manera mecánica, adquiriendo lo que había apuntado en la lista, aunque sin apenas ser consciente de lo que compraba y había perdido la nota del supermercado, por lo que no tenía ni idea de cómo echaría cuentas con la vieja Fordyce. Un par de ginebras en el KPH le habían dado valor y una fotografía de Nerissa luciendo un modelo de Alexander McQueen en el *Evening Standard* lo había animado. El día de su boda con él vestiría algo parecido y llevaría un enorme ramo de orquídeas blancas.

Aquella tarde la abuela Fordyce no volvería y la abuela Winthrop no aparecería hasta el día siguiente, por lo que debía empezar enseguida. Se obligó a subir al piso de arriba, contento de que la brillante luz del sol penetrara por la ventana Isabella. Como soplaba una leve brisa, los colores bailaban como luces estroboscópicas. Allí no había nada. Todo estaba tranquilo y silencioso… y deshabitado. Suspiró y entró en su piso. Mix no tenía un calzado adecuado para cavar mucho, pero se puso las zapatillas de deporte que tenían la suela gruesa y unos vaqueros viejos. En el piso aún se percibía cierto olor, que era más fuerte en la habitación donde había estado la chica bajo las tablas del suelo. Ya desaparecería con el tiempo. Cerró con llave los dos cerrojos de la puerta principal por si acaso la abuela Winthrop decidía pasar por allí y salió al jardín.

El tiempo seguía siendo como el que la gente califica de espléndido. Él hubiese preferido que hiciera un día frío y gris, pues el sol y el calor hacían que los vecinos salieran al jardín. Las personas que cuidaban los suyos a la perfección estaban disfrutando de una bebida sentados a una mesa metálica de color blanco bajo un parasol a rayas. Desde sus asientos, algunos de ellos podían ver fácilmente lo que Mix estaba haciendo. Cogió la pala y la horca del cobertizo y encontró un lugar donde el suelo que se divisaba entre los robustos hierbajos parecía más blando que el de otras zonas, arcilloso y duro como una piedra. Cavar era un trabajo que no requería habilidades especiales, de modo que cualquiera podía hacerlo y lo más probable era que le resultara pan comido. Sin embargo, nada más empezar la pala se negó a hundirse en el suelo. Realizando un esfuerzo extremo pudo penetrar unos cinco centímetros en la capa de tierra superior. Después de eso bien podía ser roca lo que se encontró, de tan dura y aparentemente impenetrable que era. Puede que el pico fuera la solución, aunque utilizarlo le daba el mismo reparo que le daría manejar una guadaña. Lo fue a buscar al cobertizo y se fijó, con más recelo aún, en que la herramienta estaba corroída por el óxido. En el mango se veía una zona podrida.

Mix trató de balancear el pico tal como había visto hacer a los obreros en las calles, pero después de tres intentos fallidos tuvo miedo de herirse. Le sorprendió que para utilizar una herramienta como aquélla uno tuviera que estar más en forma de lo que él estaba. Tal vez se hubiera equivocado con respecto a las características del suelo en aquel punto. Se alejó del muro para acercarse más a la casa llevándose el pico y la horca consigo y con los hombros ya entumecidos. Desde allí, por encima del muro del fondo, alcanzaba a ver el jardín del otro lado, donde, en lugar de las gallinas de Guinea, dos gansos canadienses paseaban ufanos por entre la maleza. Un hombre con turbante y una mujer con sari estaban sentados en unas tumbonas leyendo; él, el periódico de la tarde, y ella, una revista. Aunque Mix los veía, no sabía si ellos podían verle a él. Quizá no tuviera importancia. Esas tumbonas eran las primeras que veía aparte de aquella en la que se había sentado su abuela cuando él era pequeño. Sin embargo, en lugar de hacerle pensar en ella y en sus rarezas, le recordaron a Reggie, quien había amueblado la cocina con unas tumbonas como aquéllas después de vender el mobiliario.

Empezó a cavar una vez más, pero esta vez utilizó la horca. Le fue mejor. Las puntas eran lo bastante afiladas para atravesar la capa superior y de forma paulatina Mix desarrolló una técnica para clavar la horca de manera perpendicular en lugar de ladeada que resultó más efectiva. Aprendió incluso a hundir más la herramienta para acometer el nivel de suelo más duro. Tuvo que hacerlo. Aunque perdió las esperanzas de llegar a casi los dos metros, la profundidad que según había oído debía tener una tumba, sabía que, como mínimo, tenía que conseguir cavar un poco más de un metro.

Al cabo de aproximadamente una hora descansó. Tenía la pechera de la camiseta empapada de sudor. Necesitaba beber algo, aunque fuera té, pero tenía miedo de que si entraba, tal vez no pudiera volver a salir. La idea un tanto optimista de que quizá con perseverancia los músculos se acostumbrarían al esfuerzo y dejarían de dolerle no había quedado justificada. En cuanto se enderezó, un dolor ardiente le recorrió la espalda y el muslo derecho. Los hombros se le tensaron y agarrotaron en torno al cuello. Mientras intentaba destensarlos girando la cabeza de izquierda a derecha y viceversa, vio que *Otto* lo estaba observando desde su acostumbrado asiento en el muro de enfrente. El gato se hallaba tan inmóvil que parecía una escultura de un museo, con sus ojos redondos y verdes fijos en Mix y la habitual expresión de desprecio malévolo en su cara. La pareja asiática había entrado en casa, dejando fuera las tumbonas.

Mix comenzó a cavar más hondo con la horca, pero había empezado a comprender que tendría que utilizar la pala por difícil que pudiera resultarle. Al ir a recogerla vio algo en lo que no se había fijado antes, un montón de plumas moteadas de color gris y negro. Sin duda fue su imaginación la que le hizo ver una satisfacción petulante en el rostro del gato cuando volvió a mirarlo. De todos modos, recordó lo que ocurrió la otra vez que atribuyó algo a su imaginación.

Era un trabajo pesado utilizar la pala. Con cada palada que daba era como si unas agujas afiladas se le clavaran en la parte baja de la espalda. «Tienes que hacerlo, tienes que hacerlo, no tienes alternativa», mascullaba para sí mientras seguía dando paladas. Vio que se le estaban formando ampollas en las palmas de las manos. Aun así, tenía que continuar al menos media hora más.

El sol seguía siendo abrasador, aunque ya casi eran las seis. Un fuerte cacareo que pareció haber sonado junto a su oído lo sobresaltó. Alzó la mirada, temeroso de que el sonido fuera humano, y vio al hombre del turbante que arrojaba puñados de grano a los gansos. Éstos se empujaban al tiempo que emitían sus graznidos discordantes. Para sorpresa de Mix, el hombre asiático lo saludó alegremente con la mano, por lo que él tuvo que devolverle el saludo. Siguió cavando durante diez minutos más y entonces supo que tenía que dejarlo por aquel día. Continuaría por la mañana. De todos modos, tampoco le había ido mal del todo. Debía de haber cavado unos treinta centímetros.

Guardó las herramientas y se dio una vuelta por el lavadero para echar un vistazo al caldero y su contenido. Subió las escaleras con gran esfuerzo, agarrándose a la barandilla y deteniéndose a menudo. Recordó que, una vez más, había olvidado darle de comer al gato. De todos modos, el animal parecía comer bastante bien cuando dejabas que se las arreglara solo. ¿Cómo había logrado Reggie cavar esas tumbas en el jardín a pesar de ser mayor que él? A juzgar por las fotografías que Mix había visto, el lugar parecía igual de abandonado y lleno de maleza que aquél, y el suelo igual de duro. Él había afirmado tener dolores de espalda, por supuesto; era la razón que había alegado en el juicio de Timothy Evans para afirmar que no hubiera sido capaz de mover el cadáver de Beryl Evans. Quizás el hecho de cavar las tumbas le había provocado daños permanentes.

Mix no sabía ni cómo había conseguido remontar el tramo embaldosado. El dolor que sentía disipó cualquier pensamiento sobre el fantasma. Entró tambaleándose en su piso, se sirvió una ginebra con tónica bastante fuerte y se dejó caer en el sofá. Al cabo de media hora cogió el mando a distancia y encendió el televisor, cerró los ojos y se quedó dormido de inmediato a pesar de la música rock que retumbaba en el aparato.

Lo despertó un ruido más fuerte. Estaba sonando el timbre de la puerta principal y alguien estaba haciendo ruido con el buzón y aporreando la puerta con los puños. Mix se acercó lentamente a la entrada de su piso y salió al rellano en lo alto del tramo embaldosado. Lo primero que pensó fue que era la policía. El hombre asiático les habría dicho que alguien estaba cavando una tumba en el jardín de la señorita Chawcer y habían acudido a comprobarlo. Últimamente tenían que alcanzar unos objetivos establecidos y no desaprovecharían la posibilidad de descubrir un crimen. Desde su piso Mix no veía el jardín ni la calle. Bajó un tramo de escaleras, luego otro, entró en el dormitorio de la vieja Chawcer y miró por la ventana.

Ya estaba oscureciendo. A la luz de las farolas vio que allí no había ningún vehículo policial ni el precinto que tanto había temido antes. El ruido cesó de pronto. Por el sendero apareció un haz de luz seguido de Queenie Winthrop, que llevaba una linterna en la mano. Mix se agachó cuando la mujer se dio media vuelta y miró hacia las ventanas. Supuso que había venido a controlarlo, a asegurarse de que había hecho la compra. Pues bien, tendría que quedarse sin saberlo. Él no iba a abrir esa puerta principal por nada ni por nadie hasta que hubiera terminado de enterrar el cadáver. Inició de nuevo el cansado ascenso.

La noche anterior había visto al fantasma allí arriba, en aquel dormitorio, lo había visto de verdad. Ya no cabía ninguna posibilidad de que sólo existiera en su imaginación. Steph y Shoshana tenían razón. No se trataba simplemente de que estuviera muy mal de los nervios, de que el estrés del trabajo lo estuviera afectando, todas las presiones por parte de Ed, su preocupación y anhelo por Nerissa, los recuerdos de su niñez. Había visto al fantasma de verdad.

# 19

El dolor de espalda no dejaba dormir a Mix. De no haber tenido tanto miedo del fantasma de Christie, hubiera bajado al cuarto de baño de la vieja Chawcer para ver si tenía somníferos. Seguro que sí, esas ancianas solían tenerlos. No obstante, la mera idea de abrir la puerta de su piso y ver ese rostro de rasgos marcados y expresión perdida, esos ojos mirándole fijamente desde detrás de las gafas, actuó como una espantosa fuerza disuasoria. En lugar de somníferos, se tomó unos analgésicos, esos de quinientos miligramos que, según le dijo el farmacéutico, eran los más fuertes que podías comprar sin receta. No resultaron lo bastante fuertes y el dolor ardiente y punzante continuó. La última vez que había sentido un dolor semejante fue cuando Javy le había pegado una paliza después de acusarlo de lo que le había intentado hacer a Shannon.

A las cinco de la mañana, tras tomar una taza de café con una tostada, se obligó a empezar de nuevo. Comenzaba a clarear, el amanecer teñía el cielo de rojo y gris y la hierba estaba cubierta de escarcha, pero no tanto como para endurecer aún más el suelo. Había descubierto que no había nada como saber que tenías que hacer algo, no tenías más remedio que obligarte a seguir con ello y hacerlo. Seguro que no podían traer a la vieja Chawcer de vuelta a casa antes de mediodía, ¿no? En cualquier caso, aunque lo hicieran no podrían entrar. Mix ya sabía que físicamente era incapaz de cavar ni siquiera hasta alcanzar una profundidad de un metro ochenta, lo cual eran unos centímetros más de lo que medía él. Era imposible. Bastaría con poco más de un metro, tendría que bastar con eso.

Los gansos habían estado encerrados durante la noche, pero entonces, cuando el hindú con el turbante y la bata de pelo de camello les abrió la puerta, salieron graznando. Mix había visto o leído en alguna parte que los gansos eran muy buenos guardianes. Él no quería que lo vigilaran. A *Otto* no se le veía por ninguna parte. Siguió cavando, aceptando el dolor, consciente de que debía hacerlo, pero, de vez en cuando, seguía preguntándose si no se estaba provocando daños irreparables en la espalda, si no estaría haciendo de sí mismo un inválido de por vida. Se preguntó de nuevo cómo lo había hecho Reggie y cómo, llegado a ese punto, había logrado permanecer tan calmado, firme y tranquilo cuando se veía sorprendido por la llegada de alguna persona, por las preguntas, por su propia esposa. «Tal vez él estaba loco y yo no lo estoy —pensó Mix—. O quizá yo estoy loco y él estaba cuerdo y era un hombre fuerte y valiente.» Cuando casi eran las diez, sacó la última palada de tierra y se sentó en el suelo frío y húmedo para descansar.


—Quiero irme a casa —dijo Gwendolen—. Ahora mismo.

—Supongo que podría llamarte a un taxi.

La enfermera de sala le había dicho a Queenie Winthrop que una ambulancia llevaría a Gwendolen a su casa a las cuatro de aquella tarde. «Como muy pronto.»

—El precio de los taxis es escandaloso —repuso Gwendolen—. Los fines de semana son más caros.

—Ya lo pagaré yo.

Gwendolen replicó con esa risita forzada tan propia de ella, pero que nadie había oído durante los últimos días.

—Nunca he aceptado caridad de nadie y no voy a empezar a hacerlo ahora. Seguro que conoces a alguien que tenga coche.

—Antes Olive conducía, pero ha dejado que le caduque el carnet.

—Sí, eso resulta muy útil. ¿Y qué me dices de su sobrina, la señora con el nombre africano?

—Ah… es que no puedo pedírselo, Gwendolen.

—¿Y por qué diantre no puedes? Lo único que puede pasar es que te diga que no, pero sería muy grosero por su parte si lo hiciera.

Hazel Akwaa y su hija estaban tomando un café en la casa de Hazel en Acton. O, mejor dicho, Hazel bebía café y Nerisa agua mineral con gas, con hielo y una rodaja de limón. Antes de que sonara el teléfono habían estado discutiendo el atuendo que Hazel iba a llevar aquella noche a la cena en casa de Darel Jones y Nerissa se estaba ofreciendo a prestarle la única prenda que poseía en la que podía caber su madre, un grueso caftán de seda bordada. La joven oyó que su madre decía:

—¿Ir a recoger a Gwendolen Chawcer al hospital para llevarla a su casa? No podría hacerlo hasta más tarde. Mi esposo se ha llevado el coche.

—Dile que ya lo haré yo —dijo Nerissa.

De modo que se dirigieron juntas a Paddington, se acercaron a Campdem Hill Square a por el caftán y lo colgaron en la parte de atrás metido en una funda para guardar ropa. Incluso Gwendolen Chawcer era capaz de ablandarse lo suficiente al verse frente a una verdadera amabilidad, y cuando se dio cuenta de que lo hacían para evitar que permaneciera más tiempo del necesario en el hospital, se mostró muy cortés con Nerissa. Por primera vez, en compañía de una mujer joven, se contuvo de comentar lo ceñidos que eran sus vaqueros, el color y la longitud de sus uñas, el escote de su blusa y la altura de sus tacones, y sonrió y dijo lo muy considerada que era Nerissa renunciando a su sábado por la mañana para «transportar a una criatura anciana como yo».

Llegaron a Saint Blaise House exactamente a mediodía. Queenie Winthrop, que no había sido invitada a acompañarlas, pero que lo había hecho de todos modos, ofreció a Gwendolen una versión muy mordaz, y que se prolongó durante todo el viaje, de su intento de entrar en la casa para realizar los últimos preparativos para el regreso de su propietaria.

—Tenía una llave, por supuesto. Pero, por extraordinario que parezca, me encontré con la puerta cerrada y el cerrojo echado. Sí, con el cerrojo echado. Es increíble, ¿no te parece? Quizás a ese tal señor Cellini le pone nervioso estar solo en la casa, no lo sé, pero de lo que sí estoy segura es de que la puerta estaba cerrada a cal y canto. Llamé al timbre una y otra vez, aporreé la puerta e hice ruido con el buzón. Cuando vi que no servía de nada, alcé la mirada y lo vi fugazmente agachándose para esconderse. ¿Y en qué ventana crees que estaba, Gwendolen? En la que da a la calle, la de en medio del primer piso. La ventana de tu dormitorio. Estoy prácticamente segura. ¿Qué te parece todo esto?

—Podría parecerme algo si estuvieras absolutamente segura de ello. Pero no lo estás, ¿verdad?

Queenie no respondió. A veces Gwendolen se pasaba un poco. Con aire ofendido y una expresión fría, la ayudó a bajar del automóvil, pero no se sorprendió cuando, al acercarse a la puerta principal, sacudió el brazo para zafarse e introdujo la llave en la cerradura. A pesar de haberse burlado de la versión de Queenie en cuanto al comportamiento de Mix Cellini, casi se esperaba no poder entrar en su propia casa y mientras hacía girar la llave ya estaba pensando en las invectivas injuriosas que iba a dirigirle y que culminarían con la orden de que se marchara de allí. Sin embargo, la puerta se abrió deslizándose con facilidad.

Entraron todas y se despojaron de los abrigos. Cuando cruzaban el vestíbulo para dirigirse al salón, Mix salió proveniente de la cocina. Quedó muy desconcertado al verlas allí tan temprano, y encantado a la vez que inquieto al ver a Nerissa, aunque ya había finalizado su tarea hacía media hora y sólo había vuelto a bajar para comprobar que no hubiera dejado ninguna prueba que lo incriminara. Fue el hecho de ver a Nerissa lo que lo dejó paralizado frente a Gwendolen. De no ser por ella, Mix las hubiese saludado de pasada y hubiera subido penosamente las escaleras con la mano contra su espalda dolorida.

Iba a hacer caso omiso de las demás y buscar las palabras más gentiles que se le ocurrieran para dirigirse a Nerissa cuando Gwendolen habló:

—¿Qué estaba haciendo en mi cocina?

Desde que era pequeño, Mix se había valido de mentiras y subterfugios para no meterse en líos y siempre tenía preparada alguna excusa defensiva.

—Sabía que hoy iba a volver a casa. Se me ocurrió que estaría bien prepararle una taza de té y bajé a ver dónde estaban la tetera y las tazas.

—¡Qué considerado! —repuso Gwendolen, que no le creyó—. Ya lo hará una de mis amigas.

Era una forma de despacharlo y Mix la reconoció como tal. Pero antes de volver arriba tenía que hablar con Nerissa. Ella lo estaba mirando con una media sonrisa.

—Su fotografía del *Evening Standard* de ayer era sensacional, señorita Nash —comentó—. ¿Por casualidad no tendría una copia que pudiera darme firmada?

—Era una foto de prensa —respondió ella con un hilo de voz más débil que nunca—. La sacaron sin más. No te dan copias.

—Es una pena. —Mix estaba decidido a decir lo que quería antes de separarse de ella. Lo tenía ensayado para una ocasión semejante—. Señorita Nash, es usted la mujer más hermosa que he visto nunca. Es igual de hermosa de cerca que de lejos —acercó su rostro al de la joven—. Más hermosa, si cabe —dijo, y enfiló las escaleras con un tambaleo, desesperado por ocultar lo dolorido que estaba.

Gwendolen no quería oír nada de todo aquello y ya se había dirigido hacia el salón, atendida, si bien no físicamente sostenida, por Queenie Winthrop. Hazel Akwaa estaba colérica. Quería salir corriendo detrás de Mix para reprenderlo, pero Nerissa la sujetó del brazo y le dijo.

—No, mamá, no lo hagas. Déjalo.

—¿Cómo se atreve a decirte esas cosas? —exclamó Hazel en voz lo bastante alta como para que Mix, que en aquellos momentos estaba en el primer piso, lo oyera.

—No soy la reina, mamá. No necesita permiso para hablarme. Debo de ser muy idiota por no haberme dado cuenta de que vivía aquí. Nos lo encontramos fuera aquel día, pero no caí en la cuenta de que vivía en esta casa.

—Lamento que hayáis tenido que soportar todo esto bajo mi techo —les dijo Gwendolen cuando entraron en el salón. El tono con el que se dirigió a Nerissa ya no era amable, pues la culpaba a ella tanto como a Mix por el arrebato de éste.

Ahora que estaba en casa quería que toda esa gente se marchara. Con aire impaciente, agradeció a Nerissa su gentileza por haber ido a recogerla al hospital, pero ya no había ningún motivo por el que debiera quedarse. Tenía los medicamentos y vitaminas que le habían recetado, no tenía hambre y su mayor deseo era tumbarse en el sofá y abrir el correo que Queenie había traído del vestíbulo. Seguro que habría una carta de Stephen Reeves. Estaba muy cansada y quería leerla antes de que el sueño la venciera. Fue Nerissa quien se dio cuenta de lo agotada que estaba la mujer y se llevó a su madre y a Queenie, la cual salió diciéndole a Gwendolen por encima del hombro que fuera a ver enseguida qué le parecía la limpieza general que ella y Olive habían hecho en la cocina.

Antes de abrir su libro, Gwendolen reflexionó que aquel día era el aniversario de la primera vez que Stephen Reeves acudió a la casa para atender a su madre. Al bajar había dicho: «Es muy triste ver a una persona anciana tan desmejorada».

Ella le había ofrecido té y, como parecía hambriento, pastas caseras de la hornada de aquel día.

Los cumplidos que Mix le había hecho y la proximidad de su rostro habían alterado a Nerissa más de lo que en aquellos momentos había dejado traslucir. Ella había hecho un gran esfuerzo por controlarse para no causar problemas justo cuando la pobre señorita Chawcer llegaba a casa tras su estancia en el hospital, pero, después de acompañar a su madre y a la señora Winthrop a casa, cuando llegó a la suya, se echó a llorar. Se repitió a sí misma que aquel hombre sólo le había dicho que era hermosa y se había acercado demasiado a ella, que era un idiota inofensivo, pero no sirvió de nada y dio rienda suelta a un torrente de lágrimas.

Llorar era una liberación, más saludable que intentar calmarse, y era demasiado joven para temer que eso dejara marcas duraderas en su rostro. Telefoneó al salón de belleza que frecuentaba y reservó hora para la peluquería, para un masaje facial y una manicura. Cuando iba a salir de casa, pensó en él otra vez y miró por una de las ventanas delanteras para ver si el coche azul estaba aparcado más abajo. Se sabía el número de matrícula de memoria, no había tenido que apuntarlo, pero no había ni rastro de él. De todos modos, fue hasta su coche con nerviosismo y siguió intranquila y alerta hasta que estuvo en el salón y empezaron a lavarle el pelo. Mientras el agua caliente le mojaba la cabeza, no dejó de dar vueltas y más vueltas al asunto y de especular sobre aquel hombre. ¿Qué era lo que quería de ella? ¿No pretendería que saliera con él?

Se dijo que no debía ser elitista, casi segura de haber utilizado bien esa palabra tan difícil. Quizá no debía ser esnob. Bien sabía Dios que no tenía derecho a mostrar esnobismo con nadie, pues su familia no era para tanto, aun cuando la abuela afirmara ser hija de un jefe. Probablemente ese hombre (cayó en la cuenta de que no sabía cómo se llamaba) fuera más culto que ella y tuviera un trabajo de verdad. No le había hecho ningún daño, ¿por qué le tenía tanto miedo entonces? Una vez un hombre le dijo que poseía verdaderos poderes de intuición femenina, y tal vez fuera cierto porque intuía algo alarmante en él, algo casi malvado, algo que se había hecho particularmente obvio cuando le acercó el rostro. Su mirada parecía muerta y su expresión totalmente vacía, incluso cuando le estaba diciendo todo eso de que era hermosa. ¡Ojalá se le ocurriera una forma de quitárselo de encima y cerciorarse de que no volviera a acercársele nunca más!

Nico se acercó a ella con el secador y el cepillo. Nerissa se volvió hacia él y le dedicó su maravillosa sonrisa que derretía los corazones.

Mix se encontraba sentado en su piso, leyendo *El asesino extraordinario*. Se topó enseguida con una ilustración, una fotografía que ocupaba toda una página y que le recordó al fantasma. Dejó el libro. Antes de empezar a leer había oído que Nerissa se marchaba (¡qué simpática se había mostrado, qué dulce y tierna!) junto con la abuela Winthrop y esa bruja que tenía de madre. ¿Cómo podía ser que una mujer como aquélla tuviera una hija tan maravillosa? Era inimaginable. ¡La manera en que había hablado de él cuando se fue arriba! Cuando Nerissa y él salieran juntos… o, mejor aún, cuando estuviesen casados, se vengaría. Haría que su esposa le prohibiera la entrada en su casa. Y su matrimonio tendría lugar. Ahora estaba seguro de ello. Se había acercado a su rostro casi tanto como para besarla y ella no se había apartado. Le gustaba que le dijeran que era hermosa, por supuesto que sí. Al día siguiente iría a pie hasta su casa y la esperaría fuera. Si supiera cantar, le daría una serenata.

Mix reconoció lo mucho que había mejorado su autoestima desde que se había deshecho tan exitosamente del cadáver de esa chica. Era como si después de haber hecho eso, con las dificultades que ello entrañaba, fuera capaz de hacer cualquier cosa. Claro que él no había cometido un asesinato deliberado, no era un asesinato, ni siquiera un homicidio sin premeditación, sino un cuasidelito de homicidio. Lo llamaban así cuando se daban cuenta de que no pudiste evitarlo. Pero si tenía que hacerlo, volvería a matar. Tampoco era para tanto. Mix sabía que aquella noche iba a dormir de un tirón. Se habían terminado sus preocupaciones, y entonces, al considerarlo en retrospectiva, se preguntó por qué lo habían abrumado tanto. Él las había superado, él las había resuelto y se habían desvanecido como el humo.

Estaba mejor de la espalda. Le había ayudado muchísimo tomarse dos ibuprofenos más y poner los pies en alto. En cuanto al fantasma, nunca entraba en su piso. Si procuraba no mirar por los pasillos ni entrar en esa habitación, lo más probable era que no volviera a verlo. Tenía que mudarse, eso por supuesto. Era una lástima después de todo el dinero que se había gastado en el piso, sencillamente le estaría regalando una buena suma a la vieja Chawcer, pero era inevitable. Puede que no lo encontrara tan provechoso cuando el próximo inquilino viera cosas que no esperaba ver ahí arriba.

Los zahorís, que bajaban en fila por una calle lateral de Kilburn hacia unas antiguas caballerizas reformadas bajo las cuales les habían dicho que aún fluía un arroyo arcaico, iban charlando de manera agradable unos con otros sobre temas tan habituales como la astrología, la cartomancia, el exorcismo, la numerología, el Tarot, la erulofilia, el hipnotismo, el culto a Astarté y los leprechauns. Era demasiado pronto para sacar sus varas de zahorí. Por regla general, Shoshana se procuraba una compañera femenina para estos paseos, una bruja o una adivina, pero aquel día caminaba sola pensando en el dilema de Mix Cellini. Después de pasarse unos diez minutos así, decidió que necesitaba consejo y aflojó el paso hasta que la bruja del final de la fila la alcanzó.

Era una vieja amiga, por lo que Shoshana, aunque no dio ningún nombre, no vaciló en plantearle el problema.

—¿Qué crees que debería hacer, Hécate?

En realidad, la bruja no se llamaba Hécate. El nombre con el que sus padres católicos la habían bautizado era Helena. Pero Hécate tenía un sonido más mágico y siniestro y siempre impresionaba a sus clientes más cultos que comprendían sus orígenes.

—Podría prepararte un hechizo —dijo—, con descuento, claro. He conseguido uno nuevo que provoca psoriasis en el sujeto.

—Suena muy bien, pero como ya tengo estas dos pistas más o menos preparadas no me gustaría desaprovecharlas. Quiero decir que no me gustaría desaprovechar ambas.

—Entiendo a qué te refieres —repuso Hécate—. Mira, dentro de un minuto estaremos encima de la corriente subterránea. ¿Por qué no me lo dejas a mí y te doy mi respuesta el lunes?

—Bueno, pero no tardes más de lo que sea imprescindible. No quiero que se borre el rastro.

—El lunes por la mañana sin falta te mandaré un correo electrónico —le aseguró Hécate.

El piso era más amplio de lo que Nerissa se esperaba y estaba muy ordenado. En ocasiones su casa también podía parecerse a uno de esos interiores que aparecían en las revistas que leía en la consulta del dentista, pero sólo después de que Lynette se hubiera pasado tres o cuatro horas allí y luego no duraba así mucho tiempo. A través de la puerta abierta del comedor vio una mesa puesta con mucho esmero, con ocho cubiertos, pero también con flores y velas. Ninguno de sus novios había recibido nunca a nadie en su casa de esta manera. Todos ellos habían sido personas acomodadas, algunos muy ricos, pero cuando Nerissa los había acompañado a sus casas o pisos, éstos habían estado igual de desordenados que el suyo y, aunque abundaban la bebida, los cigarrillos y otras sustancias para alterar la consciencia, nunca había visto una mesa puesta o ni siquiera comida en una bandeja. Sin embargo, recordó con tristeza que Darel no era su novio y que no era probable que lo fuera.

Era un anfitrión muy cortés. Nerissa estaba acostumbrada a que los hombres la señalaran y se mostraran particularmente simpáticos con ella, lo cual siempre la había maravillado porque sabía que si hubiese sido fea y desconocida la mayoría de ellos no le habrían hecho ni caso. Y el hecho de que Darel tratara a Nerissa, a la madre de ésta, a la suya propia y a la esposa de Andrew exactamente de la misma manera, con atención y buenos modales, lejos de irritarla le hizo sentir que así era como deberían ser las cosas entre la gente en general. No obstante, sí se fijó en que, cuando Darel estaba en el otro extremo de la habitación, sirviendo las bebidas o echando un vistazo a la cena que por lo visto estaba cocinando él mismo, cruzaba la mirada con ella a menudo y siempre le sonreía. Ademas, al llegar, aunque él no le había hecho ningún cumplido, Nerissa fue consciente de que la mirada que le dirigió mientras le tomaba el abrigo era, inequívocamente, de admiración por su aspecto, su cabello recogido en alto y el vestido rojo y dorado de líneas elegantes que llevaba. Decidió que aquella noche se olvidaría de su estricta disciplina con respecto a la dieta y comería todo lo que le ofrecieran. Le haría justicia a las dotes culinarias de Darel.

Sonaba música de fondo, pero muy baja. Era música clásica, de la que ella siempre decía que no entendía, pero aquélla le gustaba. Era suave y dulce, sin un ritmo discordante subyacente. Aparte de las reuniones en casa de sus padres, aquélla era la primera fiesta a la que Nerissa había asistido donde nadie bebía demasiado, nadie desaparecía en un dormitorio con un desconocido, donde la conversación no era aguda y malintencionada y el lenguaje no degeneraba en la obscenidad. Por lo tanto, tenía que haber sido una velada aburrida, pero no lo era. Los temas de conversación tampoco se centraron en la política nacional y el mercado inmobiliario. Su hermano y su cuñada eran abogados y hablaron de casos que se habían visto recientemente en los tribunales. Pasaron al tema del mercado de valores, sobre el que Darel habló encantado, con el mismo gusto con el que habló de política. Todo el mundo tenía opiniones diversas, aunque no malhumoradas, sobre la guerra de Iraq. El señor Jones era un director de colegio con opiniones informadas y radicales sobre la educación. Si bien Nerissa echó de menos los cotilleos, le gustó mucho que le preguntaran lo que pensaba y que no la trataran como la modelo cabeza hueca de la que sólo cabía destacar su belleza y su dinero. Una sola vez se sintió incómoda, y fue cuando Andrew mencionó un caso del que había llevado la acusación y en el que la acusada era una adivina. Todos los presentes, aunque de manera comedida y civilizada, condenaron la adivinación, junto con la astrología, diciendo que no eran más que tonterías. Darel fue particularmente mordaz. Nerissa no dijo nada, pues no quería dar la impresión de ser la única que conocía los nombres de las cartas del Tarot y a la que, de hecho, le habían predicho el futuro.

Sin embargo, le desconcertaba el motivo por el que Darel la había invitado. No se le ocurría ninguna razón, pero veía su visita como un preludio de algo más. Cuando la velada llegara a su fin, seguro que habría una continuación. Y ella intentaría parecerse más a la clase de mujer que a él le gustaba. Aprendería a ser más ordenada y más metódica, leería más para así poder comprender mejor aquello sobre lo que conversaba la gente como los Jones y hablar como lo hacían ellos. Se compraría algún cedé de música clásica y dejaría de poner *hip-hop* y esa canción sobre la chica más guapa de la ciudad.

Sus padres fueron los primeros en marcharse y Darel los acompañó a la puerta. Nerissa se había fijado en que, con la puerta cerrada, los que estaban en el salón no oían nada de lo que se decía en el vestíbulo. Sólo resultó audible la voz de Darel diciendo adiós y el sonido de la puerta al cerrarse.

Dejó que se marcharan también su hermano y su cuñada, consciente de que no tenía que ser la última en irse. De todos modos, ¡cuánto le hubiese gustado serlo! Estaba enamorada de Darel Jones, y lo sabía perfectamente porque nunca había estado enamorada. Él nunca la había besado, nunca había hecho nada más que estrecharle la mano, pero ella sabía que quería pasar el resto de su vida con él. Se creía condenada a pensar en él todo el tiempo que pasara despierta, sin esperanzas de que su amor fuera correspondido. Pero seguro que aún quedaba un poco de esperanza, ¿no?

Al cabo de cinco minutos de marcharse su hermano, Nerissa se levantó para irse, se despidió del señor y la señora Jones de manera educada, si bien no excesivamente obsequiosa, y salió de la habitación acompañada por Darel. Cuando éste cerró la puerta del salón tras él, un escalofrío de expectación recorrió la espalda de la joven. El anfitrión fue a por su abrigo, se lo sostuvo para que se lo pusiera y, cuando ella ya pensaba que iba a guardar un silencio absoluto hasta la despedida, dijo:

—¿Has tenido más problemas con ese tipo que te seguía?

—Pues no —respondió ella, pero pensó que por qué iba a mentirle precisamente a él—. Bueno, sí, la verdad es que sí. Hoy mismo. No voy a entrar en detalles, es una larga historia, pero me habló. Lo cierto es que casi pegó su rostro al mío y me dijo cosas. Nada horrible, no, sólo cumplidos.

—Entiendo —guardó silencio, pensativo—. La próxima vez que te ocurra, la próxima vez que ocurra cualquier cosa, ¿me llamarás? Toma, aquí tienes mi tarjeta con mi número de móvil. ¿Lo harás?

—Pero es que estás muy lejos de mi casa.

—Tampoco tanto, y conduzco deprisa. Tú llámame. Sobre todo por la noche. No dudes en hacerlo después de anochecer.

—De acuerdo —asintió—. Adiós. Gracias por invitarme, lo he pasado estupendamente. Eres muy buen cocinero.

—Buenas noches, Nerissa.


El domingo por la noche, antes de acostarse, Shoshana comprobó el correo electrónico. Sólo le había llegado un mensaje que decía:

> Shoshana: después de madurarlo, he decidido que lo más sensato es que llames al director ejecutivo de la empresa. La teratomancia me ha revelado que el nombre de ese individuo es Desmond Pearson. También te he preparado un hechizo que no voy a arriesgarme a enviarte por Internet, sino por correo convencional, aunque sea más lento. Es un hechizo muy efectivo que paraliza temporalmente la espina dorsal del sujeto y dura hasta una semana, aunque es renovable. Tuya en las sombras, Hécate.

Muy satisfactorio. Lo primero que haría al día siguiente por la mañana (es decir, a las diez, lo más tarde que este tipo de personas entraban a trabajar) sería telefonear a Desmond Pearson y contarle que Mix Cellini estaba incumpliendo las reglas al haber firmado un contrato de mantenimiento con ella, y en cuanto le llegara el hechizo, ya pensaría en las formas de administrarlo. Siempre se le ocurría algo, era un don que tenía.

## 20

El huésped podía estar en casa, o no. Por una vez, Gwendolen no tenía ni idea. Estaba demasiado débil para preocuparse, demasiado soñolienta para escuchar sus idas y venidas. La estupidez de aquella mañana, unos jóvenes comportándose sin control, como ella nunca se había comportado, la había dejado sin fuerzas. Estaba convencida de que, si todo el mundo se hubiese marchado en cuanto ella llegó a casa, ahora se encontraría mucho mejor en lugar de sentirse débil como un gatito. Hablando de gatos, entre las pocas cartas que había recibido, había una del señor Singh quejándose de que *Otto* había matado a sus dos gallinas de Guinea y se las había comido. Le escribía que, como era un hombre amante de la paz, no tenía intención de «llevar el asunto más lejos». Sólo quería que fuera consciente de los «instintos depredadores» de su «mascota salvaje». Mientras tanto, el hombre había adquirido dos gansos que podían dar mucha guerra a la «bestia ornitófaga». A Gwendolen le importaban muy poco las gallinas de Guinea y, a decir verdad, *Otto* tampoco le importaba demasiado, pero comparó con tristeza el dominio del idioma de aquel «nativo» magníficamente culto, su uso de palabras polisílabas y su ortografía perfecta con el inglés analfabeto de la generación actual. Ni siquiera ella estaba completamente segura de si «ornitófago» significaba «que se alimenta de aves».

El resto del correo consistía en la factura de la electricidad, el menú para llevar de un restaurante vietnamita y una invitación para asistir a la inauguración de una nueva tienda en Bond Street. No había nada de Stephen Reeves. Quizás estuviera de vacaciones. Siempre había viajado mucho y sin duda eso no habría cambiado. Gwendolen nunca olvidaría, ni siquiera después de que al fin se reencontraran, que, mientras ella había esperado y esperado a que viniera, él estaba de luna de miel. Dondequiera que estuviera ahora, probablemente regresaría aquel mismo día, o al siguiente.

El nuevo orden en la cocina, que inspeccionó después de dormir un poco, le dio rabia. ¿Qué derecho tenían esas dos a ponerse a ordenar su casa? Ahora no sería capaz de encontrar nada. Toda la comida enlatada estaba en un armario, todos los cepillos y trapos del polvo en otro. Alguien había lavado los trapos y había sacado la mugre incrustada con los años que los había transformado cómodamente de amarillos a grises, de grises a un marrón oscuro. Ahora volvían a ser más o menos amarillos. Indignada, cerró la puerta del armario de golpe. ¿Y qué había pasado con todas las cosas que guardaba en el lavadero?

La bombilla de la lámpara del techo se había fundido. En su estado actual de salud no iba a subirse a ninguna silla para cambiarla. Olive o Queenie podían hacerlo al día siguiente. Buscó la linterna que debería haber estado en el frigorífico, pues allí siempre la encontraba cuando, al abrir la puerta, se encendía la luz. La linterna no estaba allí y tuvo que buscarla hasta que al final la descubrió en el estante de un armario junto con algunos abrecartas, un destornillador y una caja con enseres para limpiar zapatos. ¡Esas Olive y Queenie y su dichosa obsesión por el orden! Levantó la tapa del caldero en la penumbra. Anteriormente había contenido un montón de ropa. Aunque eran prendas que ya no se podían llevar, hubieran resultado útiles para hacer trapos con ellas y tapar el fregadero, pues el tapón original se había deteriorado años atrás. Olive y Queenie, en su prepotencia, se habían desecho de todo. Enfocó el interior con la linterna para iluminar el fondo.

¿Qué era eso que había en el fondo? Era un objeto misterioso a ojos de Gwendolen. Al principio lo vio como una honda, el tipo de arma que, según recordaba haber aprendido en la escuela dominical, David había empleado contra Goliat, después pensó que seguramente sería una prenda de ropa. ¿Una especie de braguero? No daba precisamente la impresión de ser tan fuerte como para contener una hernia. Quizá fuera una correa para colgarse algo al cuerpo, pero, de ser así, carecía de cualquier cosa propia de un bolso. Después de varios intentos, consiguió sacarlo mediante un palo que tenía un gancho en la punta pensado originariamente para abrir un tragaluz. Se lo enseñaría a Olive o a Queenie. Esa cosa debía de pertenecer a una de las dos.

Sus exploraciones la dejaron agotada, por lo que se fue a la cama y durmió profundamente hasta la mañana.


Nerissa iba a pasar el domingo fuera, con unos amigos que tenían una propiedad frente al río en Marlow, y se fue de casa en el coche de Rodney diez minutos antes de que Mix llegara a pie. Éste había leído en una revista que la estrella de cine de los años treinta Ramón Novarro mantenía la figura caminando un kilómetro y medio por Hollywood cada día, apretando el ombligo hacia adentro, lo más cerca posible de la columna vertebral. Mientras lo emulaba en aquel paseo bastante largo, pues seguro que había un kilómetro y medio desde Saint Blaise Avenue, bajando por Ladbroke Grove y siguiendo por Holland Park Avenue hasta Campden Hill Square, Mix se dio cuenta de que sentía unas punzadas en la espalda. No se parecían en nada al dolor que había sufrido la otra noche e intentó no hacerles caso.

El coche de Nerissa estaba aparcado fuera. Bien. Temía haber salido demasiado tarde y que ella se hubiera ido. Estuvo esperando en la plaza durante más o menos media hora, caminando de un lado a otro. Llegó el lechero y depositó la botella en el umbral a pleno sol. La joven debía contar con que la brisa mantendría la temperatura baja. Cuando Mix se estaba preguntando si ya habría cogido el periódico, lo trajeron y lo depositaron en el felpudo junto a la leche.

Alguien podría robárselo, y la leche también. Ella le daría las gracias por llamar a su puerta y entregarle la botella de leche y el enorme periódico dominical. Tal vez incluso le fuera posible no tan sólo entregárselos, sino entrárselos en casa. Si hacía eso, seguro que ella le pedía que se quedara a tomar un café. Probablemente sólo iría medio vestida, en *déshabillé*, como solían decir. Se la imaginó con un camisoncito apenas cubierto por una bata transparente, se dirigió a la puerta con paso firme y pulsó el timbre.

No hubo respuesta. Pegó la oreja a la rejilla del portero automático. Silencio. Llamó de nuevo. Nerissa no estaba en casa. Debía de haber salido a pie, quizás a correr o a coger un tren para ir a alguna parte. Mix quedó amargamente decepcionado. ¡Tan cerca y aun así tan lejos!, se dijo mientras volvía a bajar las escaleras, pero se quedó un rato por si acaso ella regresaba de correr.

Nadie se pasaba dos horas haciendo *footing*. Ya volvería a probarlo mañana. Entonces, mientras caminaba de regreso a casa, recordó que sería mejor que mañana acudiera a trabajar y recordó también que el viernes no había llamado a la oficina central para avisar que estaba enfermo, no les había dicho absolutamente nada. Y tampoco había mirado si tenía mensajes en el móvil ni había comprobado el contestador. Claro que eso no era importante. Después de todos sus años de servicio, ¿quién si no él podía tomarse una tarde libre sin tener que arrastrarse ante la dirección como un aprendiz? Esperaba haber recibido mensajes de al menos uno de los tres clientes que había dejado plantados el viernes, pero resultó que le habían telefoneado los tres, uno defraudado y suplicante, otro furioso y el tercero amenazándolo con prescindir de sus servicios y buscarlos en alguna otra parte. No había nada de la oficina central. Nada de parte de Jack Fleisch. A Mix le hubiese asombrado que el señor Pearson se molestara con él y tampoco había ningún mensaje suyo. Sin duda se lo había pensado mejor antes de hacerle más reproches a un empleado tan valioso para la compañía como era Mix, con su experiencia y eficiencia.

El día era cálido. Los gansos del hombre hindú se arreglaban mutuamente el plumaje al sol, debajo de una palmera. Era el único árbol que había en el jardín. Mix fue capaz de identificarla y la reconoció de una ilustración que había en la

Biblia de su abuela. No tenía ni idea de qué había pasado con aquella Biblia, pero recordaba la imagen. La palmera del hindú daba la impresión de llevar allí años y años, desde mucho antes de que él y su esposa se trasladaran a vivir a la casa. A Mix le sorprendió que sobreviviera a los inviernos cuando Notting Hill era un lugar mucho más frío que Jerusalén. Hasta aquella mañana no se había fijado en el árbol. Pero lo cierto es que no había pasado mucho tiempo observando el jardín tal y como lo estaba haciendo entonces.

Mix podía distinguir a primera vista los dos trozos de tierra recién removida, el que había cavado al principio y en el que la dureza del suelo lo había hecho desistir y el otro que había elegido para que fuera la tumba de Danila. No podía hacer nada al respecto. Tendría que esperar a que volviera a crecer la maleza y no tenía ni idea de cuánto tardaría en hacerlo. ¡Ojalá hubiese dispuesto de más tiempo para cavar más hondo! Le preocupaba un poco que el cuerpo yaciera a tan sólo un metro de profundidad o menos aún, en realidad, porque, si bien la chica era delgada, una sección de su caja torácica mediría casi un palmo. De todos modos, ¿quién iba a mirar?

La vieja Chawcer nunca salía allí fuera, o al menos nunca lo había hecho que él supiera, y ahora era menos probable que lo hiciera. Mix nunca había visto ni a la abuela Winthrop ni a la abuela Fordyce aventurarse a salir al jardín. Por lo que Mix sabía, el anciano vecino, el del jardín de invierno, nunca miraba por encima del muro. La casa del otro lado era toda de pisos, pero el apartamento del sótano, o «planta baja con jardín», llevaba vacío desde que Mix se había mudado allí y había oído decir que la humedad lo hacía inhabitable. Nadie se interesaría por dos pedazos de tierra removida. Según decía el doctor Camps en su libro *Investigaciones médicas y científicas en torno al caso Christie*, los cadáveres enterrados en la tierra se convertían en esqueletos al cabo de pocos meses. O ni siquiera eso. La próxima primavera, de la chica ya no quedarían más que huesos.

Mix la había dejado tal como estaba, desnuda y envuelta en la sábana roja. Le había quitado la bolsa de plástico y la había llevado a su piso, donde la había cortado minuciosamente en pedazos pequeños que depositó en una bolsa de basura. Había comprobado dos veces el caldero para asegurarse de que no se dejaba nada. El lavadero estaba oscuro y resultaba imposible ver el fondo de la tina, pero Mix vio que no había espacio para que se hubiese dejado nada olvidado...

Un escalofrío recorrió su cuerpo. El tanga. ¿Qué había pasado con el tanga? Entonces recordó claramente haberse percatado de que llevaba el bulto en el bolsillo y haberlo tirado al caldero después de haber metido dentro el cuerpo. No lo había recuperado, de eso estaba seguro. Aún debía de estar ahí dentro. Pensó que no tenía importancia, que nadie miraría allí, hacía años que esa mujer no había levantado la tapa y lo más probable era que no volviera a hacerlo nunca. Además, podía ir a cogerlo prácticamente cuando quisiera. En aquel mismo momento, por ejemplo. Estaba casi seguro de que, cuando regresara de su paseo hasta Campden Hill, la vieja Chawcer seguiría en la cama y que, cuando se levantara, se iría directa a ese sofá del salón.

Mix se metió las llaves en el bolsillo y salió al rellano. La brillante luz del sol entraba a raudales por la ventana de las escaleras, por lo que, por supuesto, el fantasma de Reggie se hallaba escondido en algún rincón oculto. Cuando empezaba a descender por los peldaños embaldosados, oyó que se abría la puerta principal y una voz que indudablemente pertenecía a la abuela Fordyce exclamó:

—¡Hola, Gwen! ¿Sigues en el mundo de los vivos?

¡Esa vieja idiota! Ahora Mix tendría que esperar a que se marchara y podrían pasar horas antes de que lo hiciera.

Con la esperanza de no tener que subir todas esas escaleras, Olive entró directamente al salón cargada con las dos bolsas de comida que había comprado por el camino. Llevaba sus pantalones nuevos negros y una chaqueta de lino de color limón que hacía juego con su nuevo tinte de pelo. Para su alivio, Gwendolen estaba levantada, aunque seguía con la ropa de dormir, tumbada en el sofá.

—Te he traído unas cuantas cosas ricas, querida.

—*Timeo Danaos et dona ferentes* —dijo Gwendolen.

—No conozco a ningún Tim, Gwen —repuso Olive con una sonora carcajada—, y no entiendo ni una palabra de esa jerigonza. ¿Cómo te encuentras?

—Tan bien como se puede esperar. No tengo apetito, de modo que no hacía falta que te molestaras con las «cosas ricas», como tú las llamas.

—¡No seas tan cascarrabias! Intento ayudar. Voy a preparar café, no tardaré.

Mientras estuvo ausente Gwendolen investigó las bolsas. Chocolate (bueno, eso sí podía comérselo), galletas, frutas de mazapán, un bizcocho repugnante con sucedáneo de nata… De todos modos, Olive no lo había hecho mal. Al menos no había un montón de cosas para hacer ensalada y manzanas verdes que no sabían a nada.

Su amiga reapareció con unos cafés con leche y un plato con galletas de jengibre.

—Eres tan delgada que puedes comer todo lo que quieras. ¡Anda que no tienes suerte!

—No me digas que estás a dieta. ¿A tu edad?

—Yo siempre digo que nunca eres demasiado mayor para enorgullecerte de tu aspecto.

—Hablando de aspecto, ¿esto es tuyo?

El objeto que le puso entre las manos hizo que Olive soltara una risita.

—¿Estás de broma, Gwen? ¿Acaso se trata de alguna especie de juego?

—Lo encontré en el fondo de *mi* caldero, en *mi* lavadero. ¿Es tuyo? ¿Qué es?

—Bueno, Gwen, tú no has estado casada y sabía que eras ingenua respecto a muchas cosas, pero no imaginaba que llegaras a este extremo. —De esta manera Olive se vengó de años de grosería e ingratitud—. ¡Hasta un niño sabría lo que es!

—Gracias. Ya has dicho bastante. Ahora tal vez quieras explicarme qué es.

Esto resultaba un poco embarazoso para Olive, pero intentó que no se le notara.

—Pues bien, es un… una especie de par de…, bueno, de bragas. Las llevan las chicas. Antes habría dicho que sólo lo llevaban esa clase de chicas, pero las cosas han cambiado, ¿no? Hoy en día hasta las buenas chicas las llevan, quiero decir las que no son actrices o…, bueno, las que hacen *striptease*, no sé si me entiendes…

—Oh, sí, claro que te entiendo. A pesar de mi profundo candor y mi semejanza a un niño retrasado…

—Yo no he dicho eso, Gwen. —Pese a no ser una esclava de la corrección política, Olive se estremecía cuando oía algunas de las cosas que soltaba la lengua de Gwendolen.

—¿Ah, no? Pues a mí me parece que sí. Pese a todas mis deficiencias cerebrales, resulta que sé más o menos lo que quieres decir. No me digas que es tuyo, por favor, no me lo digas.

Olive ya había llegado al punto de la indignación.

—¡Pues claro que no es mío! ¿Piensas que me rodearía las caderas con esto, aun en el caso de que fuera tan… tan…

—¿Una meretriz? ¿Licenciosa? ¿Concupiscente? ¿Vanidosa?

—Mira, no tengo paciencia para esto. De no ser porque estás mal y no sabes lo que dices, me enfadaría de verdad.

Al final Gwendolen vio que se había pasado de la raya. Aquel día no era capaz de hacer acopio de energía suficiente para mantener un altercado semejante. Se bebió el café, que, tuvo que admitir (aunque no en voz alta), estaba muy bueno.

—¿Crees que podría ser de Queenie?

—Por supuesto que no. Esto lo ha llevado una mujer joven. Una chica de veinte años.

Gwendolen pensó de inmediato en Nerissa y, acto seguido, en el huésped, Cellini. Cuando llegó a casa, él salía de su cocina. ¿Por qué? Ya disponía de una cocina para él solo.

—¿Queenie o tú pusisteis mi bolsa de ropa vieja encima del caldero?

—De ninguna manera. Encontré una bolsa de ropa en el lavadero y la dejé allí. Las prendas olían mucho a humedad, pero se quedaron allí…, no es cosa mía.

—En efecto, no lo es —dicho lo cual, Gwendolen decidió mostrarse cortés—. Has sido muy amable al comprarme el chocolate y todo lo demás. ¿Cuánto te debo?

—Nada, Gwen. No seas ridícula. Si quieres mi opinión, y me atrevería a decir que no la quieres, ese tal señor Cellini trajo una chica a esta casa mientras tú estabas en el hospital y estuvieron haciendo el tonto allí donde no debían. Hoy en día la gente…, bueno, no me gusta hablar de estas cosas, pero…, bueno, se bañan juntos y es posible… Verás, en un caldero podrías permanecer de pie mientras que en un baño normal no podrías hacerlo.

—No tengo ni idea de a qué te refieres —dijo Gwendolen—. Necesito algo para leer que sea más ligero que Darwin. Antes de marcharte, ¿querrías ver si encuentras *La copa dorada*? Henry James, ya sabes.


Vio marcharse a la abuela Fordyce, y en cuanto la vio desaparecer por la esquina, bajó por las escaleras procurando pisar con suavidad. La puerta del salón estaba abierta y en el sofá vio a la vieja Chawcer tumbada de espaldas, dormida con la boca abierta. Como siempre fue de los que se fijaban en el orden doméstico y en su contrario, observó que la cocina estaba volviendo rápidamente a su caos habitual. Y eso que la mujer sólo llevaba en casa veinticuatro horas.

Seguro de que encontraría el tanga allí donde lo había dejado, entró al lavadero de puntillas y alzó la tapa del caldero. Por supuesto, resultaba imposible ver el fondo. ¿Cómo sacarían las mujeres el agua de allí dentro? Tal vez no lo hacían. Quizá siempre quedara un poco de agua estancada y maloliente en lo más hondo. Tenía que haber una linterna en alguna parte. Estaba casi seguro de que una vez había visto a la mujer con una en la mano, de modo que recorrió la cocina sin hacer ruido, mirando en los armarios y abriendo cajones. Ni rastro de la linterna, pero lo que sí encontró fueron una vela y una caja de cerillas. Como tenía miedo de que la vieja hubiera oído prenderse la cerilla, aguardó y escuchó, con la vela encendida en la mano. Cuando estuvo seguro de que no se estaba levantando penosamente del sofá, metió la mano con la vela y la bajó cuanto pudo hacia el profundo pozo del caldero. La luz era suficiente para mostrarle las paredes, una base que al parecer estaba hecha de una especie de cerámica azulada... y nada más. Nada. El tanga no estaba. El caldero estaba vacío.

Aun así, sostuvo la vela allí como si el hecho de continuar iluminando el espacio hueco acabara por revelar que no estaba vacío como había creído en un primer momento. Se quedó mirando abajo, cerrando los ojos y abriéndolos de nuevo hasta que una gota de cera ardiendo que le cayó en el pulgar lo hizo retroceder de un salto y casi soltar un grito. En cambio, soltó una maldición entre dientes, apagó la llama con los dedos y volvió a dejar la vela y las cerillas allí donde las había encontrado. Regresó caminando despacio y pasó por delante de la puerta del salón. La vieja Chawcer continuaba dormida. ¿Había encontrado ella el tanga? ¿O había sido alguna de las otras dos? A Mix le parecía que habrían sabido de inmediato que había pertenecido a la chica desaparecida cuya fotografía aparecía en los periódicos casi a diario. Sólo que aquel día aparecía con un llamativo titular: ¿HABÉIS VISTO A DANILA?

Una vez en su piso, Mix se preguntó si debería hacer algo. ¿Preguntárselo a la vieja Chawcer o a una de las otras? Sin embargo, era muy consciente de lo embarazoso del tema. ¿Cómo iba a explicar qué estaba haciendo él en el lavadero, qué razón tenía para tocar siquiera el caldero? Querrían saber a quién pertenecía el tanga. A él no se le ocurría ninguna manera de explicar cómo había llegado el tanga hasta allí si no era con la verdad. Tal vez no se lo preguntaran. Mix no tenía mucha idea de cómo podrían reaccionar otras personas a sus actividades, o si tal vez podían tener un concepto muy distinto de cosas que él consideraba normales y corrientes. No obstante, por algunos comentarios de las tres ancianas, Mix tenía el leve presentimiento de que una prenda tan ostensiblemente sexual como un tanga podría incomodar a las personas de esa otra generación mucho mayor que la suya. De ser así, tal vez no lo mencionarían, quizá preferirían fingir que no se lo habían encontrado, quizá lo tirarían asqueadas u horrorizadas. «Esto es lo que tú querrías», se dijo, pero empezaba a pensar que podría darse esa posibilidad.

Mientras la vieja seguía dormida, Mix entró en su dormitorio y examinó los frascos y cajas que la mujer había traído del hospital y había dejado en su mesilla de noche. Entre ellos había un bote con una etiqueta en la que se leía: «Tomar dos por la noche para inducir el sueño». Seguro de que no las habría contado, Mix se agenció ocho pastillas. Si después de cuatro noches necesitaba más, siempre podía volver. En lugar de dos, se tomó tres y durmió profundamente durante tres horas, tras las cuales se despertó y pasó el resto de la noche intranquilo.

No dejaba de idear argumentos en contra de su teoría optimista de que las tres ancianas (o una o dos de ellas) se deshicieran del tanga. Supongamos que la abuela Fordyce, por ejemplo, hubiera leído todo eso de que Danila trabajaba en lo que los periódicos llamaban un «salón de belleza y gimnasio», supongamos que supiera muy bien lo que era un tanga y que decidiera que era más que probable que una chica en un lugar como aquél llevara tanga… Suponiendo todo esto, ¿acudiría a la policía? Resultaba fácil saber, como había descubierto Mix bajo la brillante luz del sol de la tarde, que era una idea descabellada y rocambolesca. Durante la madrugada parecía razonable.

Mix tenía que pasar a ver a la mujer de Holland Park a las nueve y media y llegaba con veinte minutos de retraso. Ella se puso tan contenta de que hubiera acudido que no le reprochó el retraso. De camino a Chelsea comprobó las llamadas y se sorprendió mucho al ver un mensaje de la secretaria personal del señor Pearson. ¿Haría el favor de llamar para concertar una entrevista urgente con el director ejecutivo? Mix se quedó helado al ver este mensaje, pero fue una sensación muy distinta al temblor que lo había sacudido cuando recordó el tanga desaparecido. Seguro que Pearson no estaba en absoluto preocupado por el hecho de que se hubiese saltado unas cuantas visitas. Mix había sido muy educado con el hombre de Chelsea y le enseñó cómo ajustar él mismo la cinta de la máquina de correr, siempre y cuando ese alfeñique tuviera fuerza suficiente para utilizar la llave inglesa. A pesar de todo el ejercicio que hacía, el tipo seguía teniendo la musculatura igual de desarrollada que una chica anoréxica. Desde sus proezas con el pico y la pala, Mix había empezado a enorgullecerse de su fortaleza física.

Como no quería por nada del mundo que pareciera que tenía prisa, fue primero a Primrose Hill para colocar una nueva cinta en una máquina y luego llamó a la secretaria personal del señor Pearson. Ésta era una joven fría que se creía muy importante.

—Te lo has tomado con calma —le dijo—. No tiene mucho sentido dejaros mensajes si no los miráis.

—¿A qué hora quiere verme?

—Inmediatamente. A eso de las doce y media.

—¡Por el amor de Dios, pero si ya son las doce y cuarto!

—Entonces será mejor que te des prisa, ¿no te parece? —De pronto se convirtió en casi humana, si bien de un modo desagradable—. Está que echa humo. No me gustaría estar en tu pellejo.

Mix se dio prisa, o mejor dicho, condujo con toda la rapidez que le permitió el tráfico por el Outer Circle y Baker Street. Aún no era la una menos cuarto cuando la secretaria personal lo hizo pasar al despacho del señor Pearson. Pearson era la única persona que Mix había conocido que llamaba a la gente, en este caso a sus empleados, sólo por el apellido. Mix asociaba esta costumbre con lo que sabía del ejército, de los hombres encarcelados o en los tribunales, y no le gustaba.

—¿Y bien, Cellini?

¿Cómo se suponía que debía responder a eso?

—Su adusta respuesta fue no contestar —dijo Pearson, riéndose de su chiste malo. Entonces, como si se le hubiera ocurrido en el último momento, le espetó—: Vamos a tener que prescindir de sus servicios.

## 21

Gwendolen vio llegar al cartero desde su sofá del salón. Vio que se acercaba por el sendero y oyó el ruido del buzón cuando el hombre depositó en él la carta de Stephen Reeves que cayó sobre el felpudo. Como ya se sentía más fuerte, se levantó del sofá sin demasiado esfuerzo y fue a buscar la carta a la puerta principal. No era de Stephen, sino de una organización benéfica que solicitaba fondos para la investigación de la fibrosis cística. Su desencanto no tardó en dar paso a la razón. Si Stephen estaba de vacaciones, no debía de haber regresado hasta el sábado o el domingo, por lo cual difícilmente podía haberle hecho llegar aún una carta.

Cuando acababa de regresar al sofá pensando que al cabo de una hora más o menos subiría y se daría un baño, llegó Queenie, quien se negaba a ir cargada con bolsas y había traído sus ofrendas en un carrito de la compra.

—Olive y tú debéis creer que tengo un apetito enorme —comentó Gwendolen, que examinó sin entusiasmo el paquete de galletas Dutchy Originals, la bolsa de malvaviscos, los dos tubos de caramelos Rolos, los yogures sin lactosa y la ensalada de cuscús—. Quizá quieras ponerlo todo en la nevera. ¡Ah! Y, por favor —añadió mientras su amiga se iba—, no me pierdas la linterna otra vez.

Queenie se preguntó qué clase de excéntrica rareza o capricho haría que alguien guardara la linterna en la nevera, pero la dejó donde estaba y, al regresar, tomó asiento mansamente en una silla situada frente a Gwendolen. Como hacía un calor anormal para la época, se había puesto su traje nuevo de color rosa y, aun sabiendo que era poco probable que sucediera, había albergado la esperanza de que su amiga alabara su aspecto. En cambio, lo que ésta hizo fue enseñarle una cosa roja y negra con forma de bolsa en una especie de cinturón estrecho y, aunque nunca había visto nada parecido, ella supo de inmediato que formaba parte del vestuario (si es que se podía denominar así) de cierto tipo de bailarinas. El hecho de darse cuenta hizo que se ruborizara intensamente.

—Supongo que sabes lo que es y ése es el motivo por el que te has puesto colorada.

—Pues claro que sé lo que es, Gwen.

La mujer había hablado como siempre, con suavidad, pero Gwendolen optó por verlo como obstinación por su parte.

—De acuerdo, no es necesario que me eches una bronca, Olive cree que podría pertenecer a una… esto… amada del señor Cellini.

—¿Y acaso importa, querida? No tiene aspecto de haber costado mucho.

—No me gustan estos misterios —repuso Gwendolen—. Significa que él o ella, o ambos, han estado en mi lavadero.

—Podrías preguntárselo.

—Es lo que pienso hacer. Pero, claro, ahora mismo está fuera, haciendo lo que sea que hace —Gwendolen suspiró—. Creo que voy a darme un baño dentro de un momento.

Era una indirecta para que su amiga se marchara, pero Queenie se lo tomó de otra forma.

—¿Quieres que te ayude, querida? No me importaría en absoluto. Bañé a mi querido esposo todos los días cuando estuvo tan enfermo.

Gwendolen se estremeció de manera artificiosa y afectada.

—No, muchas gracias. Puedo arreglármelas perfectamente. A propósito —dijo, aunque no venía a cuento—, ese hindú me ha escrito para decirme que *Otto* se ha comido sus gallinas de Guinea —y, olvidándose de la habilidad prosística del señor Singh, añadió—: Claro que ningún inglés decente infringiría la ley teniendo esa especie de pollos en un entorno urbano, prácticamente en el centro de Londres.

Había pocas cosas que provocaran a Queenie, pero, como trabajadora voluntaria en la Comisión para la Igualdad Racial, podía enfurecerse mucho cuando se hacían comentarios discriminatorios.

—Ya sabes, Gwendolen, o quizá no lo sepas, que si dices algo así en público podrían procesarte. Lo cierto es que estás cometiendo una infracción —añadió en un tono menos altanero—. El señor Singh es un hombre encantador. Es muy inteligente, fue catedrático en el Punjab.

Gwendolen estalló en carcajadas.

—¡Mira que llegas a ser ridícula, Queenie! Tendrías que oírte. Y ahora iré a bañarme, de manera que será mejor que te vayas enseguida.

Al salir, Queenie se encontró a *Otto* en el vestíbulo. Estaba sentado en un peldaño, cerca del pie de las escaleras, con parte de un ratón entre las mandíbulas y la cabeza a su lado, sobre la alfombra desgastada.

—¡Lárgate, monstruo! —le dijo al gato.

*Otto* le dirigió una mirada que hizo que Queenie se alegrara mucho de ser un ser humano bastante corpulento, en lugar de una criatura de cuatro patas cubierta de pelo. El animal se las arregló para recoger la cabeza del ratón además de sus cuartos traseros y, rápido como el rayo, se dirigió al primer piso con su presa. En aquel momento Mix entró por la puerta principal, le dijo algo incomprensible a Queenie entre dientes y siguió al gato hacia arriba.

El señor Pearson había insistido en que siguiera trabajando hasta final de semana, aunque a Mix le hubiese gustado marcharse en aquel preciso instante. ¡Como para trabajar las cuatro semanas de preaviso…! Le pagarían hasta finales del mes siguiente, que ya era algo. Naturalmente, el motivo que había hecho que Pearson lo echara del trabajo no había sido las visitas que no había realizado ni las llamadas que no había respondido, sino la llamada que había recibido aquella misma mañana de parte de esa vieja bruja, Shoshana. Mix subió el tramo de escaleras embaldosadas compadeciéndose de sí mismo, pensando que desde que se había relacionado con el gimnasio de Shoshana no había tenido más que problemas. Para empezar, él sólo había acudido allí con la esperanza de que le serviría como medio para presentarse a Nerissa, pero había acabado conociéndola de todos modos, ahora ya casi era su amigo y lo había conseguido por determinación propia y no gracias a la ayuda del gimnasio. Eso sólo le había reportado una relación con Danila, que lo había insultado y provocado de manera que tuvo que reaccionar con violencia contra ella. Francamente, lo había obligado a matarla. Si Mix había accedido a prestarle servicio de mantenimiento, también había sido por Danila, y ahora el resultado de ello era que Shoshana había llamado a Pearson para contárselo y luego había tenido el valor de afirmar que él no había cumplido su parte. Semejante resentimiento y malevolencia dejaron a Mix sin aliento. ¿Qué le había hecho él? Nada, aparte de no arreglarle dos máquinas, no porque no se hubiera ocupado de ello y no le hubiese dicho lo que les ocurría, sino porque todavía no había podido conseguir las piezas de recambio. Entró en su piso y sacó una Coca-Cola *light* de la nevera. Tras tirar de la lengüeta y abrir el agujero en la tapa, bebió un poco menos de dos centímetros y rellenó la lata con ginebra. Así estaba mejor. Tendría que buscarse otro trabajo, por supuesto. Ello implicaba recurrir a la Oficina de Empleo y probablemente cobrar un subsidio durante un tiempo. El Departamento de Servicios Sociales le pagaría el alquiler, gracias a Dios. Ya era hora de que sacara algo del Gobierno, estaba en su derecho, ya había pagado bastante. Claro que no había sido únicamente la traición de Shoshana la que lo había incriminado, también fue Ed al acudir a la oficina central en lugar de estarse calladito unos días cuando Mix no había hecho esas dos visitas por él. Ahí había empezado todo.

Pearson podía estar seguro de una cosa. Mix iba a llevarse a tantos clientes como pudiera persuadir para que se quedaran con él. Ofrecería sus servicios a un precio más bajo que el de su antigua empresa... ¿Por qué no iba a poder establecerse con un negocio propio? Podría ser el éxito de su vida. Bebió un poco más de la mezcla de ginebra y Coca-Cola. Todo el mundo sabía que era mucho mejor trabajar por cuenta propia que ser el empleado de alguien. En la mente de Mix empezó a formarse una fantasía en la que se veía a sí mismo como fundador y jefe de la mayor empresa de máquinas de hacer ejercicio y accesorios para gimnasios de todo el país, un megaconglomerado que absorbería a Tunturi, a PJ Fitness y, por supuesto, a Multifit. Se imaginó la dicha de sentarse frente a su enorme mesa de ébano en su despacho de paredes de cristal de un trigésimo piso, con dos secretarias sofisticadas vestidas con faldas cortas en la antesala y Pearson acudiría a él con el rabo entre las piernas para suplicarle una pequeña pensión para su jubilación anticipada forzosa…

Mientras tanto, tenía frente a él la libertad. Emplearía el tiempo en consolidar su amistad con Nerissa. Tal vez pensara en otra razón para llamar a su puerta y entrar en su casa. ¿Y si fuera a entregarle un paquete? No haría falta que fuera de verdad, no tendría por qué venir de parte de una empresa de venta por correo ni ser algo que ella hubiera encargado en alguna tienda, podría tratarse simplemente de unas viejas revistas envueltas en papel marrón. En cuanto eso le hubiera granjeado la entrada, ella lo entendería y hablaría con él. O quizá podía fingir que repartía propaganda para alguna campaña electoral, llevarle el manifiesto de algún candidato que antes le hubieran entregado a él. El próximo mes seguro que había elecciones locales de algún tipo, siempre las había, ¿no es verdad? De todos modos, ella no sabría mucho más que él sobre el tema.

En cuanto la llevara por ahí, ante la mirada del público, empezarían a llegarle las ofertas de la televisión, de los redactores de periódicos y revistas de moda. Tal vez ni siquiera fuera necesario que montara un negocio propio. O, si lo hacía, el dinero que obtuviera por ser el nuevo ligue de Nerissa lo ayudaría a despegar. Mientras seguía soñando, hizo una pausa para felicitarse por su resistencia, por la rapidez con la que se estaba recuperando tras haber perdido su empleo, cosa que los que se suponía que sabían denominaban uno de los mayores reveses de la vida, comparable a la muerte de un ser querido.

No obstante, al día siguiente tuvo que ir a trabajar. Tenía la cabeza a punto de estallar por la ginebra y a veces le daba vueltas de una manera que casi le hacía perder el equilibrio, pero tenía que trabajar. En todas las visitas que realizó le contó al cliente que había dimitido de su empleo y que iba a montar un negocio propio. Si les interesaba que él les siguiera ofreciendo sus servicios les haría un precio especial, les cobraría menos de lo que habían estado pagando hasta ahora, y tendrían asegurado un servicio de primera. Tres de ellos dijeron que continuarían con la empresa donde estaban, pero el cuarto accedió a irse con él después de decirle que parecía pálido y de preguntarle si se encontraba bien. En la oficina central se topó con Ed, que le contó que Steph estaba embarazada, por lo que habían decidido posponer la boda hasta que hubiera nacido el bebé.

—Steph dice que no le apetece verse gorda el día de su boda. Su madre cree que la gente dirá que sólo se casa porque está embarazada.

—He dimitido —anunció Mix.

—Eso he oído.

La expresión de Ed le dijo que lo que éste había oído era una versión distinta de los acontecimientos.

—El hecho de que le dijeras a la dirección que te había fallado, lo cual fue una exageración, por no decir más, hizo imposible que me quedara.

—¿Ah, sí? Entonces, ¿tú qué consideras que hiciste? ¿Piensas que actuaste como un compañero? ¿Me sustituiste cuando estuve enfermo?

—¿Por qué no te vas a la mierda?

Fue el final de una hermosa amistad. A Mix no podía importarle menos. Pensó en acercarse en coche al gimnasio y hablar seriamente con Shoshana. Pero no debía olvidar que el local estaba en el número trece, un hecho que tal vez fuera la causa de todos sus problemas. Y cuando pensó en ello, en aquella habitación oscurecida con las colgaduras, las figuras, el mago, el búho y, por encima de todo, la propia Shoshana, quien, según le parecía a Mix, trataba con el amor y la muerte, se dio cuenta de que le tenía miedo. No es que él lo expresara así, ni siquiera en esa parte de su mente que hablaba consigo misma, aconsejando, advirtiendo y solucionando. En aquel momento se dijo que debía ser cauto. Una cosa era que la mujer cogiera el teléfono y levantara calumnias contra él; de lo que Mix recelaba era de actos más oscuros, como que lanzara algún hechizo o invocara a los demonios. Todo lo cual no eran más que sandeces, por supuesto, pero antes él también había creído que los fantasmas eran una tontería y ahora resultaba que vivía con uno.

El sábado tendría más tiempo, todo el tiempo del mundo, y entonces empezarían sus verdaderos esfuerzos para ver a Nerissa. Mientras tanto, planearía cuál iba a ser su campaña.

Una empresa de cosméticos con una línea de maquillaje para mujeres de color que se estaba expandiendo con rapidez le había pedido a Nerissa que fuera su «Rostro de 2004». Aquel año habían utilizado a una famosa modelo blanca y Nerissa sería la primera mujer negra que desempeñara ese tipo de papel. La paga era alucinante y el trabajo mínimo. Durante su visita al salón de belleza de Mayfair para unas pruebas preliminares, se preguntó por qué no estaba más ilusionada. Pero no se lo estuvo preguntando mucho tiempo. Ya lo sabía.

Darel Jones había dejado claro que la quería sólo como amiga, quizá como a alguien a quien proteger, una compañera, una reserva para completar los invitados a la cena. Su madre decía que un hombre y una mujer no podían ser amigos, tenían que ser amantes o nada. Nerissa sabía que las cosas eran muy distintas. Quizá lo que su madre decía hubiera sido cierto cuando ella era joven. ¿Acaso no era verdad que hoy en día las mujeres tenían una carrera profesional y se acercaban casi a la igualdad? Ella conocía a hombres que no eran homosexuales y que tenían una amiga con la que habían ido a la escuela o a la universidad y con la que habían sido íntimos durante años sin haber intercambiado ni siquiera un beso. ¿Iba a ser así para ella y Darel?

No si podía evitarlo. A veces se sentía segura y otras veces, como en aquellos momentos, un tanto abatida, sin que nada la distrajera de la certeza de que lo que ella quería más que nada en el mundo, que Darel se enamorara de ella, nunca ocurriría. Ese tal Cellini no había aparecido frente a su casa desde que lo había visto el sábado. Lo que menos deseaba era verle, pero, por otro lado, si aparecía en su coche y esperaba a que ella saliera, sería una excusa para llamar a Darel.

Deambuló por la casa, que Lynette acababa de limpiar y ordenar, y decidió intentar mantenerla así. No tenía que ser tan descuidada. Su madre se lo estaba diciendo continuamente, decía que la habían educado para ser una persona pulcra y que su descuido era el resultado de ganar demasiado dinero demasiado pronto. El piso de Darel era un milagro del orden. No siempre sería así, pensó ella al tiempo que recogía un pañuelo de papel que se le había caído en el suelo del cuarto de baño. Sin duda se había esmerado para recibir a sus invitados, pero estaba claro que era un hombre muy disciplinado. En el poco probable supuesto de que él fuera a su casa (cosa que parecía volverse menos probable con cada día que pasaba), reaccionaría con rechazo al ver todas las tazas y vasos que normalmente había por ahí, las revistas tiradas por el suelo y las combinaciones absurdas como un frasco de laca de uñas en el frutero. Nerissa pensaba que tenía su casa tan desordenada como la vieja señorita Chawcer, quien, según decía la tía Olive, guardaba una linterna en la nevera y el pan en el suelo dentro de una bolsa.

El viernes por la tarde, como su padre se había vuelto a llevar el coche de los Akwaa, Nerissa había prometido a su madre que la llevaría en coche a Saint Blaise House. Hazel dijo que sería de buena educación que pasara a ver a la señorita Chawcer para preguntarle cómo se encontraba y si había algo que pudiera hacer por ella. La señorita Chawcer era una mujer anciana y frágil, había estado enferma y la verdad es que debía de estar absolutamente indefensa.

—Ay, mamá, no me lo pidas a mí. Ese hombre vive allí. ¿No puede llevarte Andrew?

—Andrew estará en los juzgados en Cambridge. No es necesario que entres, Nerissa, sólo que me dejes allí.

De modo que la joven había dicho que lo haría. Dejaría a su madre y pasaría a recogerla una hora más tarde. Al fin y al cabo, si veía a ese hombre, o si el hombre la veía a ella y salía para hablarle, podía llamar a Darel desde el teléfono del coche. Se vistió con esmero, maestra como era del aspecto elegante a la par que informal, con unos pantalones nuevos estilo militar de un verde oliva apagado, un *top* escotado y una chaqueta de satén. Pero cuando estuvo lista se dio cuenta de que la ropa pensada para atraer a Darel también le resultaría atractiva a ese hombre, de manera que se lo quitó todo y volvió a ponerse los vaqueros y una camiseta. Además, aunque iba en contra de todo aquello que se esforzaba por conseguir y de todo aquello que las personas para las que trabajaba se tomaban como una doctrina, Nerissa creía que los hombres nunca se fijaban en la ropa de una mujer, sólo en si «estaba bien» o no.

Ya sería mala suerte que se encontrara al hombre esperando fuera, pero allí no había nadie. Campden Hill Square estaba desierta y silenciosa, crepitando por el calor que continuaba en el mes de septiembre. Su coche había estado al sol y el asiento del conductor estaba tan caliente que casi la quemó. Fue a recoger a su madre a Acton, la llevó hasta Saint Blaise Avenue y la dejó delante de la casa de la señorita Chawcer. Allí no había ni rastro de ese hombre y tampoco lo vio conduciendo de camino al supermercado Tesco, en West Kensington, donde hizo la compra de la semana, y donde también compró una gran cantidad de agua mineral con gas, ingredientes para hacer ensaladas, pescado y dos botellas de un Pinot Grigio muy bueno, porque se había fijado que era el que bebía Darel.

●  ■  ●

El maleficio que actuaba sobre la columna vertebral de la víctima llegó por correo ordinario. Hécate siempre había sido tacaña como ella sola. Shoshana se había esperado alguna poción o unos polvos, lo cual la habría obligado a tener que idear una manera de administrarlo y eliminaba a cualquier persona a la que no tuviera fácil acceso, pero aquello consistía únicamente en unos ensalmos que debían realizarse sobre una mezcla humeante en un crisol. Se lo podía haber enviado por correo electrónico.

—Pues será mejor que lo pruebe —dijo Shoshana dirigiéndose al mago y al búho. ¿Quién mejor que ese tal Mix Cellini para probarlo?

Gwendolen había pasado del sofá a un sillón en el que entonces se hallaba sentada y absorta en la lectura del último capítulo de *La copa dorada* con el tanga en el regazo, metido en una bolsa de papel marrón, preparado para enseñárselo a su huésped. Hazel había entrado con la llave de su tía y, aunque Gwendolen no se sobresaltó ni puso cara de que fuera a darle un infarto, no pareció muy contenta de verla.

No preguntó exactamente a su visita qué estaba haciendo allí.

—Tengo que recuperar esas llaves. Supongo que tu tía hizo otra copia. Sin pedirme permiso, por supuesto.

—¿Cómo se encuentra?

—Bueno, pues estoy mucho mejor, querida. —Gwendolen se estaba ablandando. Dejó el libro y utilizó la carta de la organización benéfica contra la fibrosis cística para marcar la página—. ¿Qué llevas ahí? —Uva blanca sin pepitas, peras

Williams, bombones Ferrero-Rocher y una botella de Merlot. Gwendolen estaba menos censuradora que de costumbre. Nunca comía otra fruta que no fueran manzanas asadas, pero disfrutaría de los bombones y el vino—. Veo que tienes más criterio que tu tía y su amiga.

Hazel no supo qué decir. Se había dado cuenta de que iba a resultarle difícil mantener una conversación con aquella anciana a quien una vez, hacía mucho tiempo, su padre había llamado una intelectualoide. Hazel no leía mucho y era consciente de que no podía hablar de libros ni de ningún otro tema de los que probablemente interesaran a la señorita Chawcer. Intentaba encontrar palabras para hacer algún comentario sobre el tiempo, la mejoría de la señorita Chawcer y lo bonita que era su casa cuando sonó el timbre de la puerta.

—¿Quién demonios podrá ser?

—¿Quiere ver a alguien o prefiere que diga que regresen en otro momento?

—Tú quítatelos de encima —repuso Gwendolen—. Di lo que quieras.

Podría tratarse de una carta de Stephen Reeves que llegara por correo exprés. Gwendolen aún no había tenido noticias suyas y cada vez estaba más inquieta al respecto. ¿Y si la carta que le mandó se había extraviado? Hazel fue a abrir la puerta. En el umbral había un hombre de unos sesenta años, alto, atractivo y con turbante. A ojos de Hazel se parecía mucho a un guerrero que había visto en una ocasión en una película sobre la India.

—Buenas tardes, señora. Soy el señor Singh, de Saint Mark's Road, y vengo a ver a la señorita Chawcer, por favor.

—Me temo que la señorita Chawcer no se encuentra muy bien estos días. Ha estado en el hospital. ¿Le sería posible volver mañana? Bueno, mañana no. ¿Qué tal el domingo?

—Por supuesto, señora, volveré el domingo. Vendré a las once de la mañana.

—¿Qué quería? —preguntó Gwendolen.

—No se lo he preguntado. ¿Debería haberlo hecho?

—No tiene importancia. De todos modos, ya lo sé. Viene por lo de sus espantosas gallinas de Guinea. *Otto* debe de habérselas comido. Encontré plumas en las escaleras. Supongo que ahora ese hombre quiere una compensación.

Entre la anciana intelectualoide, el acosador del piso de arriba y ahora una persona con nombre alemán que se comía las aves del vecino, Hazel estaba empezando a pensar que aquella casa era muy extraña. Estaba deseando que Nerissa volviera a buscarla y se sintió aliviada cuando sonó el timbre.

—¿Y ahora quién será? No sé por qué me he vuelto tan popular de repente.

—Es mi hija.

—Ah. —Inevitablemente, Gwendolen asoció a la hija, y la asociaría durante el resto de la vida que le quedara, con el incontrolado comportamiento insinuante en su vestíbulo—. Me imagino que no querrá entrar.

Hazel se tomó sus palabras como un desprecio inmotivado y se alegró mucho de marcharse de allí. ¿Cómo es que la tía Olive nunca le había dicho que la señorita Chawcer era una vieja tan horrible? Le dijo adiós con frialdad y salió a toda prisa para reunirse con Nerissa, que esperaba en la puerta hecha un manojo de nervios por si acaso aquel hombre aparecía de repente.

En cuanto la mujer se hubo marchado, Gwendolen se quedó dormida. Desde que la habían hospitalizado, encontraba que no le bastaba tomarse un descanso por la tarde; necesitaba dormir. No necesitaba soñar, pero el sueño le sobrevino más intenso y vívido que cualquier otro episodio nocturno, parecía real y ocurría en el presente. Ella era joven, como siempre en sus sueños, e iba a visitar a Christie en Rillington Place. La guerra continuaba, la única en la que ella pensaba como en «la guerra», descartando los conflictos en Corea, Suez, las Malvinas, Bosnia y el golfo Pérsico. Sonaban las sirenas cuando llamó a la puerta de Christie, pues en el sueño que parecía real era ella la que estaba embarazada y la que iba a verlo para que le practicara un aborto. Pero ocurrió que, igual que Bertha, aunque en aquella realidad no había ninguna Bertha, tuvo miedo del hombre y huyó de allí decidida a no volver. Al salir de la casa, tal como ocurre en los sueños, en lugar de estar en Rillington Place estaba con Stephen Reeves en el salón de Saint Blaise House y él le estaba diciendo que era el padre de su hijo. Se sobresaltó, para ella fue una sorpresa así como un alivio. Entonces pensó que le pediría que se casara con ella, pero la escena cambió de nuevo. Se hallaba sola en Ladbroke Grove, frente al consultorio de Stephen en un repentino anochecer, y a él no lo veía por ninguna parte. Gwendolen iba corriendo de un lado para otro, buscándole, y entonces se cayó, se golpeó en la cabeza y se despertó.

Tardaba más en recuperarse de esos sueños diurnos que de cualquier pesadilla que la asaltara durante la noche. Permaneció unos momentos en el sillón preguntándose dónde estaba él y cuándo regresaría. Incluso se miró las manos y se maravilló de que, siendo tan joven, las tuviera tan arrugadas, con las venas ramificadas que sobresalían como las raíces de un árbol en la tierra seca. Regresó paulatinamente a una realidad bienvenida y sin embargo poco grata y se incorporó en su asiento.

Mientras dormía, o quizá mientras estaba hablando con Hazel Akwaa, la bolsa de papel marrón que contenía el tanga se había deslizado entre el almohadón del asiento y el brazo del sillón. Gwendolen ya se había espabilado, pero había olvidado que la bolsa estaba allí.

# 22

Mix dejó la empresa para la que había trabajado durante nueve años sin armar ningún escándalo. Se sentía muy enojado porque nadie había sugerido invitarlo a tomar una copa, no lo habían obsequiado ni mucho menos con un reloj o una vajilla y tampoco le habían comentado nada sobre una indemnización por despido. Lo peor de todo fue que tuvo que devolver las llaves del coche que había dejado en el aparcamiento subterráneo de la empresa.

No obstante, se consoló pensando que había conseguido que cinco de sus clientes se comprometieran a seguir contando con él para el mantenimiento y la reparación de sus máquinas. Al comprobar el estado de su cuenta bancaria en un cajero automático descubrió que tenía un saldo a favor de casi quinientas libras. Y eso antes de que le ingresaran lo que la empresa le debía por las tres semanas que no querían que trabajara. Aun así, no se encontraba con ánimos de volver a Camp-J den Hill Square. Cuando lo hiciera, no tendría más remedio que ir andando. Por lo menos, el paseo le haría bien.

El viernes fue al cine solo y de camino a casa pasó junto a *pubs* repletos de clientes que invadían las aceras y cafeterías donde los comensales ocupaban sus asientos en las mesas situadas en el exterior. Para cenar compró comida china para llevar, dos botellas de vino y una de Cointreau para preparar sus Latigazos. Hacía tanto calor como en el mes de julio, y la atmósfera era igual de seca. Una tarde había llovido copiosamente, la primera lluvia desde hacía semanas, y mientras la observaba saboreó la idea de que aquella cantidad de agua estimularía el crecimiento de los hierbajos sobre la tumba del jardín.

El regreso a casa siempre le suponía un verdadero suplicio, aunque no tanto si se podía organizar para hacerlo cuando aún era de día. Cosa que no tardaría en resultar difícil, puesto que cada vez oscurecería más temprano. Cargado con sus pesadas bolsas, mantuvo la vista al frente mientras subía el último tramo de escaleras, fijando la mirada de manera hipnótica en la puerta de su piso. Algo le había pasado a la farola que había justo enfrente de la casa, de manera que por la ventana Isabella no entraba ninguna luz. El descansillo superior estaba oscuro como boca de lobo, pero en cuanto entró en su piso estuvo bien. Estaba a salvo. Y ya no le dolía la espalda. Debía de estar muy en forma para haberse recuperado con tanta rapidez de una lesión de espalda.

Leyó *El asesino extraordinario*, miró la televisión con un Latigazo como acompañamiento, cenó y escuchó los zumbidos y suspiros de la Westway. Si la policía fuera a interrogarlo sobre Danila, a estas alturas ya lo habrían hecho. Podía ser que, al cabo de unos años, después de la muerte de la vieja Chawcer, para lo cual quizá faltaran siglos, alguien comprara la casa y cavara el jardín. No iban a profundizar más de un metro, ¿verdad? Para entonces ya haría tiempo que él se habría marchado de allí, lejos de aquella casa encantada. Estaría viviendo con Nerissa, con quien ya se habría casado, y tal vez habrían comprado una casa en Francia o incluso en Grecia. Aunque encontraran el cuerpo de Danila, nunca lo relacionarían con el esposo de Nerissa Nash, el famoso criminólogo.

El dolor de espalda lo despertó de madrugada. Era tan fuerte que soltó un gemido en voz alta, encendió la luz y vio que pasaban diez minutos de las tres. Ya era mala suerte que le pasara eso cuando se había estado felicitando por su total recuperación. Aquel dolor parecía el mismo que decían que sentías cuando tenías una hernia de disco. Cuatro ibuprofenos y una copa de ginebra lograron que volviera a dormirse, pero se despertó a las siete. Era imposible empezar con su régimen de ejercicios tal como tenía intención de hacer aquel día. Daba la sensación de que aquel dolor de espalda no iba a ser pasajero y era muchísimo peor que la última vez. Parecía afectarle la espina dorsal en toda su longitud.

Un baño caliente y dos ibuprofenos más lo calmaron un poco, aunque lo dejaron algo mareado. Tomó el autobús en Westbourne Grove y se bajó en el mercado de Portobello porque tenía que comprar comida. El mercado siempre estaba abarrotado de gente, sobre todo en torno a los puestos, pero los sábados sólo podías moverte si te convertías en parte de la multitud e ibas adónde ésta te llevara. Compró comida preparada, un pollo asado, pan y pasteles y un racimo de plátanos que fueron su única concesión a eso que los periódicos llamaban «comida sana». La espalda le dolía tanto que si adquiría algo más no sería capaz de cargar con todo.

Compró el *Evening Standard* en un intento desganado de echar un vistazo a las ofertas de empleo para poder arreglárselas hasta que montara su propio negocio y fue andando hasta la calle principal de Notting Hill para buscar una farmacia. Sería necesario que tomara más ibuprofeno si no quería tener problemas para dormir y lo mejor sería que comprara algo con lo que hacerse friegas en la espalda. En la puerta de la gran farmacia Boots había un hombre mendigando. Estaba sentado en la acera con una caja de galletas de hojalata abierta frente a él, pero no tenía un perro que se ganara los corazones sentimentales ni ningún letrero declarando que era ciego, o que no tenía hogar, o que tenía cinco hijos. Mix nunca daba dinero a los mendigos y en la caja de aquél ya debía de haber unas veinte monedas más o menos, pero hubo algo que le hizo mirar al hombre, una sensación de familiaridad, tal vez una especie de química entre ellos. Se encontró mirando fijamente a Reggie Christie. Era clavado a él, la mandíbula bien definida, los labios estrechos, la nariz grande y las gafas sobre unos ojos gélidos.

Mix entró rápidamente en Boots y compró el analgésico. De haber habido otra salida la hubiera utilizado, pero como no la había no tuvo más remedio que salir por donde había entrado. El mendigo ya no estaba. Mix cruzó la calle para esperar un autobús que lo llevara a casa. No había ni rastro de Reggie en ninguna parte. ¿Había estado allí realmente? ¿Lo habría inventado su propia mente como resultado de pensar tanto en él y de mirar esas fotografías? ¿Y acaso era consecuencia del estrés? La idea espantosa de que el fantasma de Reggie lo hubiera seguido hasta allí o hubiera acudido esperando verle era demasiado aterradora para considerarla.


Gwendolen había buscado por todas partes el objeto que había acabado llamando «la cosa». Suponía que la habría guardado en «un lugar seguro», por lo que investigó, entre muchas otras posibilidades, el horno y el espacio que quedaba detrás de los diccionarios en una de las numerosas librerías. Llegó incluso a abrir la cremallera del estómago del cocker spaniel de juguete que servía para guardar el camisón y que su madre le había regalado en su vigésimo quinto cumpleaños. No estaba en ninguno de esos escondrijos potenciales. La frustración la irritó. ¿Cómo iba a llamarle la atención a su huésped sin tener la cosa que constituía la prueba del delito?

No había llegado ninguna carta de Stephen Reeves. Ahora ya estaba segura de que él le había escrito y la carta se había extraviado. Era la única explicación. Hablaría con el huésped antes de volver a escribirle. ¿Acaso no era posible que él hubiera cogido la carta, ya fuera por error o con mala intención? Gwendolen empezaba a pensar que muchos de sus problemas actuales provenían de Cellini. Antes de que él se mudara, rara vez se le habían presentado misterios ni desgracias. Lo más probable era que él le hubiera contagiado el germen que le provocó la neumonía.

Tenía intención de sorprenderlo cuando lo oyera bajar las escaleras para marcharse. O cuando entrara en casa. Pero, desde su enfermedad, se quedaba dormida con mucha más facilidad que antes y temía haberse adormilado la última vez que él entró o salió de casa. En aquellos momentos Gwendolen no podía con los cincuenta y dos escalones que había hasta su piso, aunque no lo hubiese reconocido ante nadie. Tampoco les habría dicho a Olive ni a Queenie que subir a su dormitorio y prepararse para meterse en la cama la dejaba tan sumamente agotada que apenas tenía fuerzas para lavarse la cara y las manos.

El huésped había entrado en la casa en algún momento a última hora de la mañana, sin duda. Gwendolen estaba prácticamente segura de haber oído sus pasos por las escaleras. ¿Habría vuelto a bajar? No sabía si se hubiera enterado porque estuvo dando cabezadas toda la tarde. Olive vino a eso de las cinco, pero no se ofreció a subir para ver si él estaba en casa. No es que ella estuviera débil tras una enfermedad, pensó Gwendolen con desdén, pero estaba demasiado gorda.

—Podrías llamarle por teléfono.

Gwendolen se escandalizó.

—¡Llamar por teléfono a una persona que vive en la misma casa? *O tempora, o mores.*

—No sé qué dices, querida. Tendrás que hablarme en inglés.

—Significa: «¡Oh, tiempos! ¡Oh, costumbres!» Fue mi reacción cuando sugeriste que telefoneara a un individuo que vive en el piso de arriba.

Olive decidió que Gwendolen debía de estar exhausta para hablar de esa manera tan ridícula y se ofreció diciendo: «Esta noche te prepararé la comida, Gwen». La categórica negativa de su amiga no surtió efecto. Había traído consigo todos los ingredientes para comer con ella.

—No digas «comida», Olive —objetó Gwendolen débilmente—. «Comida» no, por favor. Di cena… o merienda, si no hay más remedio.

En cuanto Olive se marchó, Gwendolen se dispuso a irse a la cama. Tardó una hora en llegar al dormitorio y ponerse el camisón. La casa estaba silenciosa, más silenciosa que de costumbre, le daba la impresión, y el ambiente no era en absoluto cálido. En el parte meteorológico que había escuchado por la radio dijeron que haría un buen día, que la temperatura no bajaría de los veinticinco grados, fuera lo que fuera lo que quisieran decir con eso, y que la noche sería excepcionalmente suave para la época. Se suponía que el viento sería del oeste y, por lo tanto, cálido, pero ella notaba que el frío penetraba por las ventanas que no encajaban bien y por las grietas del revoque. En su dormitorio había dos ventanas, pero desde la que daba a la fachada no pudo ver nada más que oscuridad y ramas grises. La farola de la calle se había apagado y tenía el cristal roto. Probablemente matones que vagaban por el barrio serían los responsables del acto de vandalismo. Desde la otra ventana veía el jardín, donde los arbustos se combaban y retorcían con el viento y las ramas del árbol se balanceaban de un lado a otro.

Antes había oído graznar a los gansos del señor Singh, pero ahora estaban silenciosos, encerrados para pasar la noche. El viento azotaba el jardín en el que no había ni un solo ser vivo aparte de *Otto*, que estaba encaramado al muro comiendo algo que había atrapado. Desde la ventana sumida en la oscuridad, pero cuyo cristal se hallaba iluminado por una luz amarillenta, Gwendolen apenas pudo ver o adivinar que el animal había encontrado su cena en la paloma que se posaba en el sicomoro. Se echó una chaqueta de lana gruesa sobre los hombros, se metió en la cama y se quedó dormida antes de poder tirar de las sábanas para taparse.


Desde que murió su abuela, los domingos no habían significado nada para Mix. Ahora no eran más que una versión pálida de los sábados, bastante desagradable y molesta porque algunas tiendas estaban cerradas, las calles estaban vacías y los hombres que tenían novias, esposas o familias las llevaban fuera en sus automóviles. De todos modos, también era el día en el que había decidido reanudar su campaña para llegar a conocer de verdad a Nerissa. Todavía no se había acostumbrado a estar sin vehículo y, tal como había hecho el día anterior, bajó a las nueve y media y salió como si tal cosa con la intención de conducir hasta Campden Hill Square. El coche no estaba y, al recordar entonces que ya no disponía de él, maldijo. Echó a andar con la espalda entumecida por las fuertes dosis de ibuprofeno.

Aquella mañana el viento era más frío. Ya llegaba el otoño. Acostumbrado al cálido interior de un vehículo, Mix se había vestido de manera poco adecuada con una camiseta y caminaba temblando. Al aproximarse a casa de Nerissa y ver que su Jaguar estaba aparcado frente a la vivienda se animó. Se le había olvidado algo para depositar ante la puerta, propaganda política o un sobre en el que introducir un donativo para una institución benéfica infantil, de manera que lo único que podía hacer era esperar y confiar en la inspiración del momento.

Empezó a temblar y se le puso la carne de gallina en los brazos. Para entrar en calor caminó cuesta abajo con paso resuelto por Holland Park Avenue y volvió a subir por el otro lado de la plaza. Cuando llegó otra vez arriba, estaba sin aliento, pero no se le había pasado el frío. Para su horror, vio que el Jaguar daba marcha atrás. Nerissa se le había escapado.

El coche de la joven pasó cuesta abajo y, aunque Mix la saludó con la mano, ella no podía haberlo visto. Mantuvo la mirada fija al frente y no le dirigió una sonrisa como repuesta.

No había más remedio que regresar a casa, aunque, una vez allí, no tenía nada que hacer, aparte de darse una friega en la espalda con lo que había comprado y escribir solicitudes para los dos empleos que había visto en el *Evening Standard*, los dos en los que parecía tener más posibilidades que en los demás.

El huésped llevaba ya casi cuatro meses viviendo en su casa y en ocasiones habían transcurrido semanas enteras sin que ella lo viera. Sólo habían hablado cuando se encontraban por casualidad y no durante mucho rato. No era una persona de su agrado, se había dicho, y, sin duda, ella tampoco lo era del suyo. Por consiguiente, se le hacía extraño lo mucho que necesitaba verlo. Le parecía esencial que en algún momento de aquel domingo pudiera encararse con él y plantearle el asunto de la «cosa» y de la carta extraviada. También estaba el tema de que, según Olive y Queenie, no había dado de comer a *Otto* durante su ausencia. Su propia indiferencia hacia *Otto* no era la cuestión. La obligación de Cellini era dar de comer al gato, lo había prometido. Además, Gwendolen tenía la certeza de que, de haber estado bien alimentado, *Otto* no hubiese matado a esas gallinas de Guinea ni a esa paloma para comérselas.

Al pensar en las gallinas de Guinea recordó que el señor Singh iba a ir a verla a las once. Estaba tan segura de que el hombre iba a llegar tarde, puesto que últimamente todo el mundo lo hacía, que se asombró con incredulidad cuando el timbre sonó puntualmente a esa hora. Al levantarse se sintió tan mareada que tuvo que agarrarse al respaldo del sofá, por lo que tardó unos minutos en llegar a la puerta; el hombre llamó de nuevo, cosa que le dio una excusa para irritarse.

—Ya voy, ya voy —dijo en el vestíbulo vacío.

Era un hombre atractivo, más alto y pálido de lo que ella se había esperado, con un pequeño bigote de color gris acero y en lugar de ir vestido con esa prenda de ropa que ella había previsto y que parecía una camisa de dormir, llevaba unos pantalones de franela, una cazadora y una camisa rosa con corbata rosa y gris. La única incongruencia (a ojos de Gwendolen) era su turbante blanco como la nieve y enrollado de forma intrincada.

El hombre la siguió hacia el salón, acomodando pacientemente el paso a la lentitud de ella.

—Tiene usted una casa magnífica —comentó.

Gwendolen asintió con la cabeza. Ya lo sabía. Por eso se había quedado allí. Tomó asiento y le indicó con un gesto que hiciera lo mismo. Siddhartha Singh se sentó, pero lentamente. Estaba mirando a su alrededor, fijándose con detenimiento en los espacios y rincones, en las paredes desconchadas, el techo agrietado, los tambaleantes y astillados marcos de las ventanas, los radiadores que databan de la década de los años veinte y las alfombras, una sobre otra, todas apolilladas y con aspecto de haber sido mordisqueadas por pequeños mamíferos. Él sólo había visto un grado de desintegración semejante en los barrios pobres de Calcuta, años atrás.

—Si es por lo de sus pájaros —empezó a decir Gwendolen—, la verdad es que no sé qué se supone que...

—Discúlpeme, señora —El señor Singh era de habla educada—. Discúlpeme, pero el episodio de los pájaros es una cosa del pasado. Ya es historia, por decirlo así. Corté por lo sano y volví la hoja. Y en cuanto a este tema, quizás usted que, obviamente, es una dama inglesa, pueda decirme el porqué de «hoja». ¿Quiere decir tal vez que vamos de excursión al bosque y volteamos una hoja para descubrir un secreto debajo de ella?

En circunstancias normales Gwendolen hubiese replicado con mordacidad, pero aquel hombre era tan atractivo (y no solamente para ser oriental) y encantador que se sentía muy débil en su presencia. Como la reina de Saba frente a Salomón, ya no le quedaba fortaleza.

—En este caso «hoja» significa página —explicó con vacilación—. Pasar página, se suele decir. Una página en…, bueno, en el libro de la vida, supongo.

El señor Singh sonrió. Fue una sonrisa como aquella con la que podría obsequiarte el dios del sol; amplia, benévola, que iluminó su bello rostro y reveló la misma dentadura que poseían los adolescentes norteamericanos, reluciente, blanca y uniforme.

—Gracias. En ocasiones, aun cuando llevo treinta años en este país, tengo la sensación de habitar en un nuevo Siglo de las Luces.

Gwendolen, desarmada, le devolvió la sonrisa. Hizo una oferta de las que no había hecho extensiva a un visitante ocasional desde que Stephen Reeves desapareció de su vida.

—¿Le apetece tomar un té?

—Oh, no, gracias. He pasado sólo un momento. Permítame que vaya al grano. Cuando estuvo enferma y no se encontraba en casa, vi a su jardinero trabajando, un joven de lo más laborioso, y le dije a la señora Singh, mira, este joven es justo lo que necesitamos para que arregle las cosas aquí. Y es por eso por lo que vine a verla. Para que, si me hace el favor, me diera el nombre y número de teléfono de su jardinero, con la esperanza de que pueda hacerse cargo del trabajo que quiero encomendarle.

Fueron varias las emociones que se enfrentaron en la cabeza de Gwendolen. No sabía por qué había sentido que se le caía el alma a los pies cuando oyó mencionar a una señora Singh, aunque sí comprendía el asombro y la ira incipiente que empezaron a invadirla al mismo tiempo. Se irguió en el asiento mientras se preguntaba fugazmente si podría ser que él la considerara diez años más joven de lo que era en realidad y dijo:

—Yo no tengo jardinero.

—Oh, sí, señora, claro que sí. Lo tiene. Tal vez se le haya olvidado. Entiendo que ha estado usted indispuesta e ingresada en el hospital. Fue entonces cuando estuvo aquí. No hay duda de que lo contrató y el hombre vino a hacer su trabajo en su ausencia.

—Yo no le contraté. No sé nada al respecto. —El hombre la miraba con lástima, como si viera en ella a una mujer no diez años menor de lo que era, sino a una anciana que padecía demencia senil—. ¿Qué aspecto tenía? —le preguntó.

—A ver... De unos treinta años aproximadamente, cabello tirando a rubio, rostro británico, ojos azules, creo, y atractivo. No era tan alto como yo ni... —la miró como si la midiera, con ojo crítico— como usted, con todos mis respetos, señora.

—¿Qué estaba haciendo exactamente?

—Cavando el jardín —respondió el señor Singh—. Cavó en dos sitios. El suelo, sabe usted, es muy duro, duro como la roca, como... piedra diamantina —se aventuró a fantasear.

Gwendolen pensó que incluso hablaba el mismo lenguaje que ella. Si hubiera conocido antes a su vecino, ¿hubiera reemplazado a Stephen Reeves en su afecto?

—El hombre del que me está hablando —dijo ella, y la furia afloró de nuevo— es mi inquilino. Vive arriba, en el piso superior.

—Entonces le pido disculpas por haberla molestado.

El señor Singh se puso de pie permitiendo así a Gwendolen el lujo de volver a ver su alta figura de porte marcial, su estatura y su estómago plano como una tabla. Le entraron ganas de gritar: «¡No se vaya!» En cambio, le dijo:

—Se llama Cellini y no se le permite el acceso a mi jardín.

Otra sonrisa, pero en esta ocasión triste.

—No le diré que no estoy desilusionado. No, por favor, no se levante. Es una mujer convaleciente y que, si se me permite decirlo, ya no tiene quince años. —Vio su propio reflejo en uno de los muchos espejos llenos de manchas de moscas y con el plateado desvaído—. ¿Y quién los tiene? —añadió con más tacto—. Bueno, pues ahora le digo buenos días, gracias por las molestias y me voy.

El enojo de la mujer era mayor que antes. Ahora sí que iba a quedarse a esperar a Cellini, bebería café, haría lo que fuera para permanecer despierta hasta que lo oyera entrar. La cosa, la carta y ahora esto, pensó. Tenía que deshacerse de él y encontrar a una dama agradable que ya no tuviera quince años. ¡Cómo la había herido esa frase! Aunque él se hubiera incluido en dicha categoría. ¡Pero ese Cellini! Iba a desahuciarlo en cuanto tuviera ocasión.

# 23

Mix caminaba de vuelta a casa, pero al pasar junto a una parada de autobús vio que venía uno y lo cogió. Era un día demasiado absurdo para que pasear resultara placentero. Unas cuantas hojas amarillentas caían ya de los plátanos y se arremolinaban al otro lado de las ventanillas del autobús. Parecía que algo le estuviera pellizcando la columna vertebral con dedos de hierro y, fuera lo que fuera, le provocó unas punzadas en la zona lumbar cuando se bajó en la esquina de Saint Mark's Road. Tuvo que hacer el resto del camino a pie y el dolor aminoró un poco con el movimiento.

Como de costumbre, los automóviles ocupaban las plazas de estacionamiento del aparcamiento para residentes de Saint Blaise Avenue, y Mix se fijó en una cosa en la que hasta entonces no había tenido necesidad de fijarse. Uno de los vehículos, un viejo Volvo, tenía un letrero de «Se vende» en el parabrisas con el precio debajo: trescientas libras. Un Volvo era un buen coche, se suponía que duraba años y aquél parecía estar muy bien conservado. Mix rodeó el automóvil y miró el interior por las ventanillas y entonces, de una de las casas situada en la misma acera que Saint Blaise House, salió una mujer que se acercó a él.

—¿Le interesa?

Mix respondió que no lo sabía, que podría ser que sí. Pese a que ya no era joven, era una mujer bastante guapa, con esa silueta de reloj de arena que a él le gustaba.

—Es de mi marido. Somos los Brunswick. Brian y Sue Brunswick. Brian está de viaje, pero regresará el miércoles. Él iría con usted a dar una vuelta de prueba, si quiere.

—¿Usted no conduce? —No le hubiera importado ir con ella a dar una vuelta de prueba de cualquier clase.

—Me temo que hace años que no me pongo al volante de un coche.

—Es una lástima —dijo Mix—. Me lo pensaré.

Cruzó el vestíbulo de Saint Blaise House sin hacer ruido, con la palma de la mano apretada contra la parte baja de la espalda y al fijarse en que la puerta del salón estaba entreabierta atisbó por ella. La vieja Chawcer estaba tumbada en el sofá, profundamente dormida. Mix empezó a subir las escaleras. Si bien hacía fresco en comparación con los días anteriores, había salido el sol y el día era radiante. Los rayos de sol que caían sobre las paredes de la escalera ponían de manifiesto hasta la última de las grietas, tanto si eran anchas como si se trataba de líneas delgadas, las manchas de las moscas en los cuadros que colgaban torcidos y las propias moscas que se habían metido entre el grabado y el cristal y que habían muerto allí, y las telarañas que se aferraban a los marcos, cables e instalaciones para las bombillas. Se preguntó adónde iría el fantasma de Reggie durante el día y se dijo que no pensara en ello a menos que no quedara más remedio. El dolor que sentía en la región lumbar se intensificó. Si no mejoraba, tendría que ir al médico.

•  •  •

En lo primero que pensó Gwendolen al despertar fue en la revelación que le había hecho el señor Singh. Aquel hombre no era para ella y lo sabía, en tanto que Stephen Reeves sí lo era. Se había dejado llevar momentáneamente por su atractivo y encanto, pero, de todos modos, ella no aprobaba los matrimonios interraciales (lo que cuando era joven llamaban mestizaje) y el hecho de que hubiese una esposa suponía una traba considerable. Gwendolen apartó de su mente a la desconocida y oculta señora Singh como a una «vacilante mujer autóctona con velo». Lo que le había contado el señor Singh excluía entonces de su mente prácticamente cualquier otra cosa.

Mientras ella estaba ausente y, además, enferma en el hospital, ese hombre, el dichoso inquilino, había estado en su jardín, dos veces, y había cavado agujeros en los arriates. Hubo un tiempo, en la época de prosperidad de los Chawcer, en que un jardinero de verdad se había ocupado de los temas de horticultura y en los arriates florecían lupinos, espuelas de caballero, cinias y dalias, los arbustos estaban bien podados y la textura del césped era como la de una moqueta de terciopelo. Gwendolen lo seguía viendo de la misma manera hasta cierto punto, o lo veía como un poco venido a menos, pero nada que un hombre habilidoso y un cortacésped no pudieran arreglar en cuestión de una hora más o menos. Y el inquilino se había aventurado a salir con una pala (casi seguro que con la suya) a aquel pequeño paraíso y cavar hoyos. Había salido al jardín a cavar hoyos sin su permiso, sin ni siquiera intentar obtener su consentimiento, y para hacerlo debió de haber pasado por su cocina, por su lavadero y, de paso, probablemente hubiera depositado la cosa en el caldero. ¿Por qué lo había hecho? Para enterrar algo, por supuesto. Era posible, o mejor dicho, probable, que le hubiese robado algún objeto y lo hubiese enterrado allí hasta que encontrara un comerciante de mercancía robada. Gwendolen tendría que ir por toda la casa y averiguar lo que faltaba. Volvió a ser presa de la furia y le palpitaron las sienes. No era de extrañar que, ahora que estaba despierta, se sintiera decididamente extraña, la cabeza le daba vueltas y su cuerpo estaba muy débil.

A pesar de todo, lo más probable era que hubiera intentado subir las escaleras, despacio y descansando en cada rellano, de no ser porque Queenie Winthrop llegó justo cuando Gwendolen se estaba decidiendo. Al oír que se abría la puerta tuvo la esperanza de que fuera su huésped y le evitara tener que remontar cincuenta y dos escalones, pero todas sus esperanzas se truncaron cuando oyó la voz de Queenie que la llamaba:

—¡Yujuuu! Soy yo.

Gwendolen se preguntó cuánto tiempo seguirían ella y Olive con esto, viniendo a verla todos los días con regalos. Tal vez semanas, o meses. ¿O quizá siempre? Ella no quería más bombones, barritas de cereales, peras ni uvas. La botella de oporto que Queenie sacó de su carrito de la compra era mucho más aceptable y Gwendolen se animó y hasta le dio las gracias a su amiga y todo.

—Espero no estar convirtiéndome en una alcohólica —dijo—. Si por ti y Olive fuera, seguro acabaría siéndolo. Claro que es mi inquilino quien me ha empujado a ello. Antes no bebía nada más fuerte que zumo de naranja.

Iba a contarle a Queenie lo de su encuentro con el señor Singh y lo que éste le había revelado sin ser consciente de ello. Sin embargo, no sabía por qué, pero no quiso hablar de su vecino con su amiga ni con nadie más, y no podía describir los delitos del huésped sin involucrar al señor Singh. En cambio, dijo:

—La verdad es que no me gusta pedírtelo. Parece una imposición, pero ¿podrías subir, llamar a su puerta y decirle que me gustaría verle esta tarde a las seis? Por favor —dijo, aunque eso iba en contra de sus principios—. Tengo que tratar varios asuntos con él.

—Bueno, querida. Si no te importa esperar un poco. He venido andando y todavía no he recuperado el aliento. Estuve esperando el autobús un buen rato, pero no vino ninguno. Subiré antes de irme, te lo prometo. Y ahora, ¿quieres que te prepare algo de comer? —Queenie miró la botella con ansia—. ¿O una copa?

—Podríamos tomarnos un vasito de oporto.

—Sí, ¿verdad? Al fin y al cabo es domingo.

—Me parece a mí que lo que se bebe el domingo es el vino de la comunión y no oporto.

—Es posible, querida, pero como no soy practicante no sabría decirte. ¿Sirvo yo?

Gwendolen se estremeció.

—Es vino reconstituyente, Queenie, no es té.

Ella consideraba deplorable esta costumbre de llevar un regalo a una amiga enferma y luego esperar compartirlo. No obstante, jamás se le ocurriría beber sin invitar a una visita. Observó a Queenie, quien sirvió una cantidad de vino que ella consideraba excesiva en el tipo equivocado de copas, alzó la suya y dijo lo mismo que el profesor solía decir en circunstancias parecidas:

—¡A tu salud!

Tomaron un refrigerio de queso con galletas, fruta y una porción cada una del pastel de zanahoria que era un regalo de la hija mayor de Quennie. Gwendolen dispuso sobre la mesa unos viejos y amarillentos manteles individuales ribeteados de encaje que había encontrado en uno de los cajones del aparador.

—Tienes aspecto de que vas a quedarte dormida en cualquier momento —comentó Queenie.

—La «cosa» no es el único tema por el que tengo que quejarme al inquilino —dijo Gwendolen como si su amiga no hubiese hablado—. Durante mi estancia en el hospital esperaba una carta muy importante. Debería haber llegado y por lo visto no ha sido así. —No tenía intención de desvelar muchos detalles sobre la naturaleza de esa carta o de su remitente a Queenie—. Sospecho que Cellini la ha interceptado. —Hacía tiempo que ya no lo llamaba señor—. A menos que Olive o tú hayáis tocado mi correo, lo cual —añadió en un tono más conciliador— me parece poco probable.

—Pues claro que no lo hemos hecho, querida. ¿De dónde tenía que llegar esa carta que dices?

—Probablemente el matasellos fuera de Oxford. Y ahora quiero dormir, de verdad, por lo que tal vez podrías ir arriba a ver al inquilino. Tiene que presentarse aquí a las seis en punto.

Queenie subió pesadamente las escaleras, pero antes, al pasar junto al teléfono, lo miró con anhelo. Sin embargo, hubiera bastado con levantar el auricular para que Gwendolen la oyera y hubiese arremetido contra ella como una tonelada de ladrillos. A pesar de ser mayor, Gwendolen tenía mejor oído que ella. En el primer rellano se quitó los zapatos de tacón alto que le maltrataban los pies y, respirando más profundamente aún, siguió adelante con esfuerzo, con los zapatos en la mano. Si el hombre no estaba en casa, le diría cuatro cosas a Gwendolen. Su amiga no tenía necesidad de creerse con el derecho exclusivo a la grosería. Donde las dan las toman.

Él estaba en casa. Acudió a la puerta con una chaqueta de punto atada sobre los hombros y los pies descalzos.

—Ah, hola. ¿Qué pasa?

Desde que tenía quince años, Queenie había creído que si querías algo de un hombre, si simplemente querías existir en su presencia, tenías que mostrarte exageradamente educada, dulce, encantadora e incluso coqueta, y ella había actuado según su convicción. Ello no había contribuido a su bienestar, pero sí a la felicidad de su matrimonio.

—Señor Cellini, lamento mucho molestarle, y además en domingo, pero la señorita Chawcer dice si sería usted tan amable de dedicarle tan sólo cinco minutos de su tiempo a eso de las seis de esta tarde. Si pudiera bajar un momento y hablar con ella, estoy segura de que no lo entretendrá mucho, de modo que si pudiera...

—¿De qué quiere hablarme?

—No me lo ha dicho —Queenie le dirigió una enorme sonrisa enseñando los dientes, de las que, una vez, un hombre le había dicho que le iluminaban el rostro, y pasó a servir a Dios y al diablo—. Ya sabe cómo es, señor Cellini —dijo, traicionando a Gwendolen sin ser consciente de que lo hacía—, terriblemente quisquillosa por cualquier nimiedad. Aunque nadie lo diría, a juzgar por el estado de su casa, ¿verdad?

—Ya lo creo. —Mix quería ver el partido que había grabado hacía un par de semanas del Manchester United jugando con algún equipo de Europa Central—. Dígale que estaré abajo sobre las seis. Bueno, adiós.

Cuando Queenie regresó al salón, Gwendolen estaba dormida. En un pedazo de papel, escribió: «El señor Cellini vendrá a las seis. Ánimo. Queenie».

En el piso de arriba Mix se desentendió del partido de fútbol. Había recibido el mensaje sin pensar demasiado, pero en cuanto estuvo a solas fue presa de las dudas. Pensó que la mujer debía de haber encontrado el tanga. Alguien lo había encontrado, y ¿quién más probable que la vieja Chawcer? Debía inventar algún motivo para que la prenda estuviera en el caldero y lo único que se le ocurrió, decir que le había hecho la colada a una amiga porque se le había estropeado la lavadora, estaba claro que no era viable. ¿Quién lavaba la ropa en unos agujeros anticuados como aquél? ¿Qué tenía de malo la lavandería? De todos modos, no explicaba el hecho de que él no debería haber estado en el lavadero.

Tal vez pudiera convencerla de que no sabía nada al respecto. Puede que eso fuera lo mejor. Si podía arreglárselas, sería mejor aún sugerir que la abuela Fordyce o la abuela Winthrop tenían algo que ver con ello. Hasta podía decir que había visto a una de ellas con el tanga en la mano. «No te preocupes —se dijo—. No pienses en ello siquiera. Piensa en otra cosa.» ¿Cómo cuál? ¿En que Frank, el del Sun in Splendour, podría estar hablando con la policía en aquel preciso momento? ¿En que Nerissa había salido con otro tipo? No, pensaría en la posibilidad de ofrecerle a Brian Brunswick doscientas cincuenta libras por el Volvo. ¿Por qué no volvía a la casa al día siguiente y le pedía a Sue Brunswick que fuera a dar una vuelta en el coche con él? Ella no tendría que conducir, sólo ir sentada a su lado. Eso sería genial. Podía llevarla hacia Holland Park o, mejor aún, a Richmond y sugerir que comieran en uno de esos *pubs* de moda. Si quería vender el coche, no podría negarse. Y después, estando el viejo ausente, ese tal Brian, cuando volvieran a su casa…

Probablemente sería una cosa excepcional, y tanto mejor. Cuando hubiera entrado en casa de Nerissa y hablado con ella frente a una taza de café ya no iba a necesitar mujeres mediocres como Sue Brunswick ni coches de segunda mano, tendría el Jaguar y, por encima de todo, tendría a Nerissa. El próximo domingo sus circunstancias podrían haber cambiado por completo. Puede que ni siquiera estuviera allí, en ese piso, por atractivo que fuera, se mudaría a Campden Hill Square, ya no necesitaría un empleo, ni un coche, ni tendría que preocuparse por lo que una panda de viejas pensara de él. En casa de Nerissa no habría el fantasma de un asesino. Le contaría lo del tanga y se reirían juntos un rato, sobre todo de cuando le había dicho a la vieja Chawcer que el tanga pertenecía a la abuela Winthrop. ¡Como si fuera posible que se lo pusiera con su gordo trasero!

Se tomó tres ibuprofenos de cuatrocientos miligramos, se puso los calcetines y los zapatos, pasó los brazos por las mangas de la chaqueta de lana y bajó cuando pasaban diez minutos de las seis. Gwendolen no estaba tumbada, ni siquiera sentada, sino que caminaba de un lado a otro de la habitación porque el huésped llegaba más de diez minutos tarde. Cuando él apareció, estaba tan enojada que no pudo controlarse.

—Llega tarde. ¿Es que acaso la hora ya no significa nada para la gente?

—¿Qué quería?

—Será mejor que tome asiento —dijo Gwendolen.

¿Era verdad que la furia te provocaba un aumento de la tensión arterial y que podías sentir cómo subía y te martilleaba la cabeza? A veces pensaba en sus arterias, que a estas alturas debían de estar cubiertas de una cosa parecida a la placa que se forma en los dientes. La cabeza le daba vueltas. Tuvo que sentarse, aun cuando hubiera preferido quedarse de pie para descollar sobre él. Pero tenía miedo de caerse y de que eso la hiciera vulnerable ante su presencia.

—Un vecino mío encantador vino a verme esta mañana —dijo, y respiró profundamente—. Los inmigrantes podrían enseñar a muchas personas de por aquí lo que son las buenas maneras. Sin embargo, sea como sea, tenía algo que decirme. Supongo que puede imaginarse de qué se trataba.

Mix se lo imaginaba. Aunque había estado dando vueltas a las posibles razones por las que la vieja Chawcer quería verle, aquélla no era una de ellas. No tenía ninguna explicación que ofrecer. Con creciente consternación, escuchó la larga versión de la mujer sobre la visita del señor Singh, del malentendido del hombre en cuanto a la presencia de Mix en el jardín y de su propia indignación.

—Y ahora quizá quiera decirme qué estaba haciendo.

—Cavando el jardín —repuso Mix—. No me dirá que no le hace falta.

—Eso no es asunto suyo. El jardín no tiene nada que ver con usted. —Gwendolen había decidido no mencionar la «cosa». Lo de la carta era otro asunto—. Y tengo motivos para creer que ha estado hurgando mi correo.

—Eso es mentira, para empezar.

—A mí no me hable así, señor Cellini. ¿Cómo se atreve a insinuar que puedo ser una mentirosa? Todavía no me ha dado ninguna razón por la que estaba cavando en mi jardín, por no hablar de que entró en mi cocina y en mi lavadero.

En su instituto de secundaria había una profesora como ella. Mix se acordaba incluso de su nombre: señorita Forester. Había dado clases a su madre antes que a él, y a su abuela también, que él supiera. Pero los niños de su generación se lo hicieron pasar muy mal y tuvo que marcharse antes de acabar sufriendo una crisis nerviosa. Él había sido uno de esos niños, pero en aquella época no tenía nada que perder. Lo de entonces era distinto. Le gustaría haber dicho lo que recordaba haberle dicho a la señorita Forester, pero, sin saber por qué, las palabras «Vete a la mierda, vieja imbécil» murieron en sus labios.

—O me da una explicación satisfactoria de su conducta o le entregaré una notificación para que abandone el piso.

—No puede hacer eso —replicó Mix—. Es un piso sin amueblar. La ley protege mis derechos de inquilino.

Gwendolen lo sabía perfectamente, aunque fuera injusto, pero aun así lo había probado.

—¿Qué fue lo que enterró? Alguna de mis pertenencias, supongo. ¿Una joya valiosa? ¿O tal vez la plata? Lo comprobaré, no tema, voy a hacer un inventario de cosas desaparecidas. ¿O acaso ha asesinado a alguien y enterró el cadáver? ¿Es eso?

Pese a la mancha en la base de la figura de Psique, Gwendolen no pensó ni por un momento que fuera eso lo que había ocurrido. Eso era cosa de ficción y, como tal, algo que ella había leído muchas veces a lo largo de los años. No lo dijo porque lo creyera cierto, ni siquiera porque lo considerara remotamente probable, sino para insultarlo. No se percató de que Mix había palidecido y que su rostro inexpresivo ya no tenía un gesto perdido. Pero él no dijo nada, sólo bajó la mirada, que hasta entonces había tenido clavada en ella.

Triunfalmente, Gwendolen vio que lo había derrotado por completo y ahora terminaría el trabajo.

—Mañana por la mañana sin falta informaré a la policía. Cuando salga de la cárcel, dudo que quiera volver aquí, aunque le esté permitido hacerlo.

—¿Ha terminado? —preguntó Mix.

—Casi —contestó Gwendolen—. Sólo le repito que mañana por la mañana voy a informar a la policía de sus actividades.

Cuando Mix se hubo marchado, la mujer tuvo que echarse. En cuanto oyó que se cerraba la puerta de su piso (del portazo que dio pareció que temblaba la casa entera), se levantó como pudo del sofá y empezó a andar lentamente hacia las escaleras. Más tarde quizá no tuviera fuerzas suficientes para subir, pues ya carecía de ellas para iniciar el ascenso. Permaneció unos diez minutos sentada en el suelo y luego empezó a subir los peldaños a gatas. Tuvo la impresión de haber tardado horas en llegar a su dormitorio y entrar en él.

Dios quisiera que no tuviera que instalar la cama en el piso de abajo. De momento ni Queenie ni Olive lo habían sugerido, pero lo harían, lo harían… Nunca se sometería a eso, pensó mientras luchaba infructuosamente por desvestirse y ponerse el camisón. Lo que sí consiguió fue quitarse el anillo de rubí y meterlo en el joyero, pensó en lavarse las manos, pero sólo lo pensó. Le parecía tan imposible llegar al baño como ir andando hasta Ladbroke Grove y volver, por decir algo. Se tumbó y cerró los ojos. La flaqueza debilitaba todo su cuerpo, pero el sueño que había sobrevenido con tanta facilidad y de manera tan irresistible durante la última semana, que la embargaba cuando ella no quería e incluso cuando intentaba resistirse, ahora la rehuía, desterrado por la cólera.

No era tan sólo la ira provocada por el comportamiento del inquilino, aunque eso ya era bastante grave, sino la furia de toda una vida que la iba invadiendo, borbotando y arremolinándose en sus venas. Furia contra su madre, quien le había enseñado a ser una dama a expensas de la libertad de palabra, del cultivo de la mente, de la libertad de movimientos, del amor, de la pasión, de la aventura y de la búsqueda de la felicidad; furia contra su padre, quien ocultaba su negativa a que recibiera una verdadera educación bajo un manto de protección contra la maldad del mundo y que la tuvo en casa para que fuera su enfermera y amanuense; furia contra Stephen Reeves, que la había defraudado, se había casado con otra y no había respondido a sus cartas; furia contra aquella enorme casa ruinosa que se había convertido en su prisión.

Durante largo rato, no supo cuánto, se sintió como si no tuviera existencia física y fuera sólo una mente en la que bullían la rabia y las ideas vengativas. Entonces, en un momento pasó de estar furiosamente enojada a quedarse tranquila con la mente en blanco. Era como dormir y sin embargo no lo era. Lo primero que pensó al emerger de ese estado fue que al menos podía castigar al inquilino con la policía. Intentó incorporarse y no pudo. No bastaría con eso, al menos aquella noche; tenía que comprobar si el resto de las alhajas estaba en el joyero, ver qué era lo que faltaba, si es que faltaba algo, y estaba enterrado en un agujero embarrado en el jardín. Tenía que bajar y mirar en el armario donde estaba la plata, que no se había utilizado en muchos años, envuelta en paño verde.

Tuvo la impresión de haber perdido la consciencia unos momentos. No sabía si podría sostenerse de pie. En aquella ocasión no era porque tuviera miedo a que el mareo pudiera provocarle una caída, sino por una aparente imposibilidad de mover el lado izquierdo del cuerpo. Calambres, por supuesto. De vez en cuando sufría de calambres y normalmente ocurría por la noche. Se frotó la pierna izquierda, luego el brazo izquierdo, y aunque creyó recuperar un poco la sensibilidad, sólo fue capaz de poner los pies en el suelo con un esfuerzo enorme. El brazo le colgaba inútil. Cuando estaba pensando que debería intentar llegar al interruptor de la luz y luego a la puerta, ésta se abrió poco a poco y entró *Otto* tranquilamente. La tenue luz de las farolas de la calle que aún funcionaban ennegreció su elegante forma de color chocolate e hizo brillar sus ojos, que tenían el mismo color que las limas que vendían en la tienda de la esquina. Gwendolen se encontró pensando, extrañamente, puesto que nunca lo había pensado antes, que el animal tenía unos ojos preciosos y que, con su juventud y su agilidad, era la única cosa perfecta que veía alguna vez. Él no le hizo caso, se sentó frente a la chimenea vacía y, con sus dientes blancos y afilados, empezó a sacarse trocitos de ramitas y piedras diminutas de entre las almohadillas de las patas.

Valiéndose de la mano derecha, Gwendolen tiró de su pierna izquierda para volver a meterla en la cama. El esfuerzo la dejó exhausta. Cuando terminó de hacerse la manicura, *Otto* saltó a la cama con gracilidad y se hizo un ovillo junto a los pies de la anciana.

# 24

Desde la ventana de su dormitorio, Mix observó al señor Singh que colocaba unas luces de colores en las hojas de la palmera. No era Navidad ni tampoco esa fiesta que celebraban los hindúes más o menos en la misma época, de modo que... ¿a qué estaba jugando? «Quizá sea mejor que no podamos tener armas como en Estados Unidos. Si ahora mismo tuviera un arma, le pegaría un tiro a ese tipo.» El señor Singh bajó de la escalera, entró en la casa y encendió las luces, que, rojas, azules, amarillas y verdes, titilaron en aquel árbol exótico. Entonces salió la señora Singh vestida con un sari de color rosa y ambos se quedaron contemplando el árbol, admirando el efecto.

Incluso a aquella hora, los lugares del jardín en los que Mix había cavado se distinguían claramente desde la distancia, una pequeña zona de tierra removida y otra más grande. Debería de haberse puesto a cavar al amparo de la oscuridad, entonces lo supo, pero eso hubiera implicado hacerlo después de medianoche. Las casas de la calle del señor Singh tenían las luces encendidas, pero desde el lado en el que él se encontraba, Mix no podía ver la parte trasera de las viviendas adosadas, sólo sus jardines. Uno de ellos tenía iluminación exterior a lo largo de la pared y entre las plantas de hoja perenne. Reconoció a una mujer que había salido a recoger una sábana y un par de vaqueros del tendedero como a Sue Brunswick. En aquellos momentos la idea de comprar el automóvil de su esposo le parecía como un sueño medio olvidado, por no hablar del hecho de haberse fijado en ella. Incluso Nerissa, en quien a menudo pensaba de manera romántica a aquella hora del día como una canción en la penumbra, se había desvanecido de su mente. No importaba nada, ni los empleos, ni el sustento, ni el hecho de no tener coche, ni el amor…, nada que no fuera impedir que la vieja Chawcer llamara a la policía.

Sin embargo, el miedo lo había paralizado desde que había subido arriba. La cabeza le daba vueltas por todo el ibuprofeno que se había tomado y que, si bien excedía con mucho la dosis máxima recomendada, no había hecho demasiado por su dolor de espalda. Ni siquiera había sido capaz de prepararse algo de beber, pensar en la comida o sentarse, sino que se había quedado allí de pie frente a la ventana, sujetándose al alféizar para sostenerse y mirando fuera. Mix estaba seguro de que la mujer lo haría. No había intentado disuadirla porque sabía con certeza que lo haría. Sólo lo aplazaría hasta el día siguiente porque pertenecía a esa generación que pensaba que los domingos no había que llamar a la policía o al médico ni ir a comprar. Su abuela era igual. Ellos veían el lunes como el día que te ponías a hacer las cosas, de manera que lo primero que haría por la mañana sería cumplir su amenaza.

Las ascuas gemelas que eran los ojos de *Otto* no se veían por ninguna parte. Mix, que anteriormente nunca había pensado mucho en el gato, se imaginaba entonces cuán maravilloso sería ser él, con casa y comida gratis, sin trabajo ni ninguna necesidad de tenerlo, sin saber lo que era el insomnio, con libertad para recorrer un rico terreno de caza durante todo el día y toda la noche si se le antojaba. Insensible al dolor, ágil, intrépido y dueño de matar cualquier cosa que se cruzara por su camino. Sin sexo, por supuesto. Mix estaba seguro de que a *Otto* lo habían capado. De todos modos, el sexo era una molestia y no podías echar de menos algo que nunca habías tenido.

Esta pequeña distracción de sus problemas llevó a Mix hasta el salón, donde se preparó un Latigazo con un poquito más de Cointreau de lo habitual. Debería haber atinado a hacerlo hacía un par de horas. Entonces quizá no se habría sentido tan mal. El cóctel surtió su prodigioso efecto y casi al instante hizo que tuviera la sensación de que no había problema que no pudiera resolver. Había que mirar las cosas con perspectiva, tenías que tener claras tus prioridades. En el momento y situación actuales, su prioridad era evitar que la vieja Chawcer hablara con la policía. Mix pensó que era probable que ella no supiera el efecto que sus palabras causarían en ellos. Él sí lo sabía. Ellos estaban buscando el cuerpo de Danila al tiempo que andaban a la caza de su asesino, por lo que se pondrían sobre aviso de inmediato ante la posibilidad de hallarlos a ambos y llegarían en cuestión de diez minutos. Había que detener a esa mujer.

Mix sabía cómo hacer que una mujer se callara. Ya lo había hecho antes.


Gwendolen a duras penas sabía cómo había logrado salir de la cama. Lentamente, consiguió avanzar unos cuantos centímetros. En el jardín del señor Singh había una palmera que se había convertido en una araña de luces de colores. Debían de ser imaginaciones suyas, algo le había pasado en el cerebro. Le resultaba imposible llegar a la puerta, para qué hablar de las escaleras, el salón y el armario de la plata. Le hubiera gustado llamar al médico o incluso a Queenie u Olive, pero para hacerlo hubiera tenido que dejarse caer rodando escaleras abajo. No obstante, que ella supiera, era domingo, aún era domingo y, por muy enojada que hubiera estado con su madre muerta hacía muchos años, el principio de la señora Chawcer de no telefonear a nadie que no fuera de la familia los domingos (y nunca, ningún día de la semana, después de las nueve de la noche) no era algo que se perdiera fácilmente. Así pues, retrocedió como pudo, sin fuerzas para lavarse ni para lo que su madre llamaba «aliviarse», vio que el árbol imaginario seguía allí, brillando con estrellas centelleantes de colores, y cayó en la cama aún totalmente vestida, aunque se las arregló para descalzarse un pie que utilizó para quitarse el otro zapato.

Se quedó allí tumbada boca arriba y con la mano derecha, la que tenía bien, tiró de la colcha para taparse. Ya se imaginaba lo que le ocurría, se lo había figurado hacía una hora, pero hasta entonces no fue capaz de expresarlo con palabras silenciosas. Había sufrido un ataque de apoplejía.

Mix había salido al rellano porque la mujer hacía mucho ruido para salir de la cama. ¿Qué le pasaba? Quizá siempre hiciera el mismo ruido cuando se iba a dormir. No sabría decirlo, no recordaba haberse fijado en ello antes.

Se preguntó si sería capaz de matarla a sangre fría. Con Danila había sido distinto. Esa chica lo había enfurecido con sus insultos y su ataque no provocado contra Nerissa. La luz del rellano se apagó y la luz que proyectaba la ventana Isabella había desaparecido desde que la farola se apagó. «Cuando esté aquí solo voy a cambiar todas las luces para que tarden más en apagarse y voy a comprar bombillas normales, de cien o ciento cincuenta vatios, no esta porquería que hay ahora. No será por mucho tiempo. Pronto me iré de aquí», pensó.

Volvió la mirada hacia el fino haz de luz que salía de la puerta de entrada de su piso, ligeramente entreabierta, y cuando sus ojos se acostumbraron a la oscuridad, la dirigió al pasillo de la mano izquierda. Una figura se alejaba caminando en silencio de espaldas a Mix, como si hubiese salido de la habitación más próxima. Al llegar a la puerta del fondo se volvió, lo vio y se quedó inmóvil. Mix distinguió el brillo de las gafas que llevaba sobre su nariz aguileña. Entonces el fantasma se encogió levemente de hombros. Tendió las manos en esa clase de gesto que indica dudas o desesperación y sus labios se separaron. De ellos no salió ni un sonido. Mix cerró los ojos y cuando volvió a abrirlos el fantasma ya no estaba.

El miedo que normalmente sentía parecía haberse desvanecido en parte por el terror aún mayor de la policía. No se movió de donde estaba, con la vista clavada en el espacio que había ocupado el fantasma. Ese encogimiento de hombros tenía algún significado. El fantasma había intentado decirle algo. Quizás hubiera querido aconsejarle que hiciera lo que Mix ya prácticamente había decidido hacer. Él, Reggie, había matado a seis mujeres y no se había inmutado demasiado. Nadie sabía por qué había matado a su propia esposa, pero la opinión era que ella había averiguado lo de los asesinatos y no sólo se negó a protegerlo, sino que amenazó con hacer precisamente lo que la vieja Chawcer iba a hacerle a él. Así pues, ¿era eso lo que su fantasma le había estado diciendo? «Mátala. Yo no me lo pensé dos veces. Mátala y haz lo que hice yo con Ethel.»

Las ideas habían empezado a abandonar la cabeza de Gwendolen, dejándola prácticamente vacía. Stephen Reeves apareció de forma fugaz antes de desaparecer por una calle larga por la que corrían dichas ideas y donde, en la distancia, al borde de algo indefinible, Gwendolen distinguía unas formas borrosas que tal vez fueran sus padres, o puede que no. Estas formas también se desvanecieron paulatinamente y se deslizaron hacia el otro lado de ese borde por el que Stephen se había marchado. Ella estaba sola en el mundo, pero eso no tenía nada de extraño. Siempre había estado sola. Y en aquellos momentos, mientras algo retumbaba y murmuraba allí donde habían estado las ideas, supo que iba a marcharse de este mundo sola. Por ningún motivo en especial, sin ningún deseo concreto, ordenó a sus manos y brazos que se movieran, pero éstos ya no la obedecían y ella estaba demasiado cansada para volver a repetírselo. Respiró con lentitud, inspiró y espiró, inspiró y, al cabo de mucho rato, espiró, inspiró de nuevo muy levemente y espiró con un prolongado suspiro vibrante. De haber habido observadores, éstos hubiesen esperado a la próxima inhalación y, al ver que ésta no tenía lugar, se hubieran levantado de sus asientos, le hubieran cerrado los ojos y tapado la cara con la sábana.

La brillante luz de la luna entraba a raudales en el dormitorio. Cuando se metió en la cama, Gwendolen estaba demasiado enferma y demasiado cansada como para correr las cortinas y, en las cuatro horas que habían transcurrido desde entonces, una luna casi llena había remontado el cielo despejado de nubes. Debido a la posición de la gran cama doble y a la altura y anchura de la ventana, la luna situada entre las cortinas medio abiertas extendía una franja pálida sobre la ropa de la cama, una banda de blancura, y sumía el rostro de la mujer en la oscuridad. Las luces de la casa del señor Singh se habían apagado antes de lo que era habitual y el árbol con luces de colores también estaba a oscuras.

Para su consternación, Mix se sorprendió temblando al entrar en el dormitorio, no solamente por la temperatura, sino también de miedo. De todos modos, allí dentro no había nada que debiera temer. Aquella vez el fantasma ni siquiera le había producido escalofríos. Todas las puertas de abajo estaban cerradas con llave y, allí donde era posible, con el cerrojo echado. Estaban los dos solos. El fantasma estaba en el piso de arriba, por supuesto, pero Mix había tenido la sensación, y todavía la tenía, de que Reggie aprobaba lo que estaba a punto de hacer. Y el dolor de espalda se le había pasado de un modo desconcertante. No había tomado más ibuprofeno y aun así había desaparecido. Ahora iba a estar bien.

Al acercarse a la cama, una forma negra se desenroscó y retrocedió arqueando el lomo. Los ojos verdes parecían más grandes y brillantes que de costumbre.

—A ti también te mataré —dijo Mix.

Arremetió contra *Otto*, que esquivó su mano con facilidad, bufó como una serpiente, saltó en dirección a la puerta abierta y salió a las escaleras. La mujer de la cama estaba completamente inmóvil. «Hazlo rápido —se dijo—, hazlo ya. No la mires. Hazlo sin más.» Ella tenía la cabeza apoyada en una almohada y había otra a su lado, con una tercera apoyada en vertical contra la cabecera. Mix agarró la almohada situada en vertical con las dos manos temblorosas y, al tiempo que apartaba la mirada, la apretó contra el rostro de la mujer con toda la fuerza de la que fue capaz.

Ella no se movió. No iba a oponer resistencia. Permaneció absolutamente inerte. Mix mantuvo las manos donde las tenía y sujetó la almohada mientras contaba hasta cien, doscientos… Al llegar a quinientos aflojó las manos y al hacerlo sus dedos rozaron la piel del cuello de la mujer. Estaba frío como el hielo. Mix nunca había tocado a una persona tan vieja (su abuela había muerto a los setenta años) y se preguntaba si todas las ancianas estaban tan frías, si el calor de la sangre, la calidez de la vida, se enfriaban gradualmente con la edad.

Mix volvió a dejar la almohada allí donde la había encontrado y retiró la ropa de cama del cuerpo de la mujer. Se sorprendió al verla completamente vestida. Quizá siempre se fuera así a la cama y no se quitara la ropa. Sacó la sábana encimera de debajo de la manta y la colcha y empezó a envolver el cuerpo con ella. Como ya tenía cierta experiencia en ese tipo de cosas, estaba menos temeroso y torpe. El temblor que no podía explicar había cesado por completo. Se sentía muy calmado y resignado. Había tenido que hacerlo. Antes de rodearle la cabeza y la cara con el extremo de la sábana se obligó a mirar. Los ojos de la mujer, abiertos de par en par, le hicieron pensar en los de Danila. Pero los de la chica habían sido jóvenes y limpios, y su cuerpo cálido al tacto. Aquellos otros, legañosos y turbios, descansaban en un nido de arrugas. Y la anciana estaba helada.

Pesaba mucho más que Danila y Mix tardó un buen rato en arrastrarla por las escaleras hasta el piso de arriba mientras el cuerpo iba golpeando cada uno de los peldaños. Se esperaba que volviera a dolerle la espalda, pero no fue así. En cuanto hubo metido el cuerpo en su piso y se tomó un trago, un vaso grande de ginebra, regresó al dormitorio de la mujer y arregló la cama para dejarla tal y como creía que lo habría hecho ella, de un modo un tanto descuidado. Debía de haberse quitado los zapatos antes de meterse en la cama y Mix los metió en el armario, donde se sumaron al revoltijo que ya había dentro. Iba a decirle a todo aquel que preguntara que la mujer había decidido marcharse para recuperarse y lo dejaría todo tal y como lo hubiese hecho ella si se hubiera marchado de verdad.

Mientras la arrastraba hasta el piso de arriba no dejó de pensar en que podría volver a hacerse daño en la espalda, pero no sentía ningún dolor. Y no sabía por qué, pero tenía la certeza de que así continuaría siendo, a menos que le sobreviniera más tarde, como había ocurrido la última vez. En el juicio de Timothy Evans, Reggie había hecho creer al tribunal que él no podía haber matado a la esposa de Evans porque tenía la espalda tan mal que no hubiese podido levantarla. «Yo no voy a tener que acercarme a ningún tribunal —se dijo Mix con resolución—. Me deshago de ella para evitar ir a juicio.»

Bajó para descorrer los cerrojos de la puerta principal por si la abuela Winthrop o la abuela Fordyce decidían pasar por allí a primera hora de la mañana y les extrañaba que la puerta estuviera cerrada. Mix no quería que nadie creyera que había algo raro. Por la noche aquella casa era espantosa, tanto que no debería permitirse que existiera un lugar semejante, pensó el hombre. Si vivías en ella durante mucho tiempo, debías de acabar volviéndote loco. Con la sensación de que todo se desmoronaba y se pudría lentamente a tu alrededor, de que la madera, las colgaduras y las viejas alfombras se desintegraban por horas, por minutos. Si te quedaras quieto y escucharas, casi podrías oírlo, leves goteos y sonidos de cosas que se desprendían, el mordisqueo de las polillas, la pintura desconchándose, astillas, herrumbre y moho convirtiéndose en polvo. ¿Por qué había pensado alguna vez que quería vivir allí? ¿Por qué se había gastado tanto dinero en hacer habitable una pequeña parte de la casa?

Cuando volvió a las escaleras, vio a *Otto* sentado en el primer rellano. ¿La mujer habría dado de comer al gato? Siempre lo hacía antes de irse a la cama y también lo habría hecho antes de marcharse por la mañana para realizar ese viaje al que se suponía que había ido. Mix fue a ver por si una de esas dos viejas lo comprobaba y encontraba demasiado extraño que el plato del gato estuviera vacío. O bien *Otto* ya había comido, o bien no le habían puesto comida. Mix abrió una lata y le llenó el plato.

—Echaría veneno en la comida si tuviera —dijo en voz alta.

*Otto* bajó las escaleras y él intentó darle una patada, pero el gato dio un salto al tiempo que arremetía contra su tobillo desnudo con unas garras como rastrillos. Mix soltó un grito, se llevó la mano a la pierna y la retiró llena de sangre. Profirió una maldición y escudriñó con la mirada la oscuridad iluminada por la luna buscando esa forma y esos ojos, pero *Otto* había desaparecido, dejando la comida intacta.

Mix fue tras él, sangrando. La luz de la luna entraba por allí donde podía encontrar una ventana sin cortinas o una grieta entre una puerta y su jamba, vertiendo motas y haces de luz blanca. También entraba por las ventanas del rellano y se colaba por la puerta del dormitorio de la mujer, que Mix había dejado entreabierta. Por encima de él, vio a *Otto* que subía por el tramo embaldosado sin hacer ruido. Al llegar arriba, el gato no vaciló, cruzó el gran cuadrado de luz de luna y torció por el pasillo de la izquierda. Cuando Mix subió, ya no vio al animal por ninguna parte. Había desaparecido en la morada del fantasma, como el familiar de alguna bruja. Mix estaba demasiado asustado para seguirlo hasta allí.

Se le ocurrió volver a buscar los somníferos de Gwendolen, pero le dio miedo. Sabía que era irracional tener tanto miedo, igual que la horrible fantasía que tenía de que si se dormía demasiado profunda y largamente, cuando se despertara adormilado, se encontraría a la policía en el piso, la puerta principal derribada a patadas y a la abuela Fordyce desenvolviendo el fardo en el que estaba el cuerpo de Gwendolen. Tenía que mantenerse alerta, tumbarse a descansar, pero sin dormir. Por la mañana tenía quehaceres que no podían esperar.


A Queenie la habían invitado a un almuerzo familiar de los Fordyce y los Akwaa. Consideró muy amable por su parte que lo hubiesen hecho porque los asistentes serían Olive, su hermana, su sobrina Hazel y los dos hijos de ésta con sendas esposas y dos niños pequeños; ella sería la única persona ajena a la familia. A Gwendolen también la habían invitado, pero ella había rechazado la invitación, cosa que Olive ya sabía que haría y que tal vez fuera el motivo por el que le había preocupado tanto pedírselo.

Gwendolen era una persona difícil. Todo el mundo que tenía contacto con ella lo sabía, pero había que tener en cuenta su edad, diez años más que la propia Queenie, y su soltería. Era bien sabido que uno se volvía egoísta después de tantos años soltero. Queenie y Olive hablaban a menudo de la grosería y «terquedad» de Gwendolen y estaban de acuerdo en que debían aguantarlo y no plantearse retirarle su amistad. También coincidían en que, en su estado actual, era impensable dejarla sola más de unas cuantas horas. Queenie sería la que pasaría por Saint Blaise House por la mañana y Olive intentaría hacerlo más tarde, pues antes estaría muy ocupada con el almuerzo.

Aun siendo temprano, no tenía más alternativa que ir a las nueve de la mañana. Todavía tenía cosas que hacer antes de ir a casa de Olive. Seguía pendiente el controvertido tema de qué iba a ponerse. ¿El vestido rosa o el traje pantalón blanco nuevo que había tenido la suerte de conseguir en una talla cuarenta y ocho?

Lo más probable era que Gwendolen estuviese aún en la cama. Queenie entró en la casa exclamando «¡Yuujuu!» como siempre hacía porque no quería darle un susto a su amiga. Primero miró en el salón. La botella de oporto seguía sobre la mesa, así como los dos vasos con los restos carmesí en el fondo de cada uno. La cocina estaba desordenada como de costumbre. No había nada de raro en ello. Queenie sabía que el orden y la limpieza que habían logrado Olive y ella no iban a durar. El cuenco de comida de *Otto* estaba medio lleno. Queenie se sintió aliviada al ver que Gwendolen había tenido fuerzas suficientes para darle de comer antes de irse a la cama.

Era inevitable, tendría que subir esas dichosas escaleras. Dos veces, probablemente, pues seguro que Gwendolen querría una taza de té. Resolvería ese problema preparándolo entonces. La vieja tetera, recubierta de quemaduras por el exterior y sin duda con una capa de sarro en el interior, tardó una eternidad en hervir. Finalmente Queenie pudo hacer el té, una taza para Gwendolen y otra para ella, con una dosis generosa de azúcar granulado para que les diera energía. Puso las dos tazas en una bandeja e inició el ascenso.

Tanto el dormitorio como la cama de Gwendolen estaban vacíos. La cama estaba hecha, no al estilo de Queenie con las sábanas remetidas, sino exactamente de la manera que Gwendolen consideraría adecuada. Las cortinas estaban medio corridas sobre las ventanas y el ambiente tan cargado como de costumbre. Salió y oyó que una voz le decía desde arriba:

—¡Eh, hola!

Queenie pensó que era muy raro en él. ¿Por qué era tan agradable?

—¿Es usted, señor Cellini? Buenos días. ¿No sabrá por casualidad dónde está la señorita Chawcer?

Mix bajó. A ella le pareció que tenía muy mala cara; su rostro redondo tenía un aspecto demacrado, con los ojos hundidos y la tez con un brillo húmedo. El vientre le sobre-salía por encima de los vaqueros e iba con los cordones de las zapatillas de deporte desatados.

—Se ha marchado —respondió—. Dijo que para recuperar-se. A algún lugar cerca de Cambridge. Tiene unos amigos allí.

Que Queenie supiera, la mujer no tenía más amigos que a Olive y a ella. Entonces recordó que Gwendolen había men-cionado que estaba esperando una carta de Cambridge (¿o había dicho de Oxford?), ésa de cuya sustracción había prác-ticamente acusado al señor Cellini. ¿Acaso Gwendolen había recibido una carta de esos amigos y no les dijo nada ni a ella ni a Olive? Era más que posible. Sería propio de ella. O po-día ser que esa gente de Cambridge la hubiera telefoneado la noche anterior. De todos modos, había sido con muy poca antelación. Y Gwendolen no parecía estar ni mucho menos en condiciones de…

—¿Cuándo se fue?

—Debió de ser sobre las ocho. Bajé a recoger el correo y la encontré en el vestíbulo con las maletas hechas esperando que llegara un taxi.

Queenie no se imaginaba a Gwendolen llamando a un taxi, y todavía menos que tuviera una cuenta con alguna em-presa de taxis, pero ¿qué sabría ella? ¿Cómo iba a saberlo?

—Supongo que le pidió que le diera de comer al gato, ¿no?

—Claro, y le dije que me ocuparía de ello.

—¿Sabe cuándo volverá?

—No me lo dijo.

—Bueno, pues no tiene sentido que me quede, señor Cellini. Tengo que asistir a un almuerzo. —Queenie estaba orgullosa de que la hubiesen invitado, aun siendo una viuda sin particular importancia, a lo que venía a ser una reunión familiar de otra persona—. Es una comida conjunta de Olive y su sobrina la señora Akwaa.

Mix se la quedó mirando.

—¿Asistirá la señorita Nash?

¡Qué hombre tan ridículo! Se acordó de las cosas que le había dicho a Nerissa el día que Gwendolen había abandonado el hospital. Era evidente que estaba loco por ella, que estaba coladito, como solía decir su difunto esposo.

—Lamentablemente, no. —A Queenie le desagradaba que un hombre mostrara preferencia por cualquier mujer que no fuera ella. Obtuvo cierto placer malévolo, algo del todo impropio de ella, negando al señor Cellini la oportunidad de enviar algún mensaje acaramelado—. En esta época del año ella siempre pasa un día fuera con su padre y habían quedado para hoy. Se ha convertido en toda una tradición.

La mujer bajó las escaleras y, para su sorpresa, Mix la siguió.

—¿Ha venido hasta aquí en coche? —le preguntó cuando estuvieron en el vestíbulo.

—Yo no tengo coche. ¿Por qué lo pregunta?

—No importa. Es que pensé que si tenía, tal vez podría usted acercarme hasta esa tienda de bricolaje que hay en la North Circular.

Queenie, quien habitualmente carecía de la mordacidad de Olive, se olvidó por una vez de ejercer su encanto sobre un hombre y, con acritud excesiva en ella, dijo:

—Le aseguro que lamento decepcionarlo. Tendrá que ir en autobús. —En la puerta principal se dio media vuelta—. Olive y yo volveremos juntas. Querremos llegar al fondo de este misterioso viaje de Gwendolen.

## 25

Mix no había pensado que le resultaría tan difícil comprar una bolsa de plástico larga y gruesa. No encontró nada tan resistente como la que se había llevado del almacén de la empresa (¿por qué había sido tan idiota de cortarla en pedazos y tirarla?) y tuvo que conformarse con una funda de colchón de cama pequeña diseñada para que fuera a prueba de orina. Durante todo el camino de vuelta en el autobús estuvo pensando en el olor del cadáver de Danila cuando empezó a descomponerse. El tiempo volvía a ser más cálido. Hubo días en los que la temperatura sobrepasó con creces los veinte grados. De todos modos, sabía que sería imposible enterrar el cuerpo de Gwendolen en el jardín. Al salir de la tienda de bricolaje, cuando daba la vuelta al edificio, había empezado a sentir punzadas de dolor, unos pinchazos como si unos cuchillos diminutos se le clavaran en la columna. Pensó que si intentaba hundir la pala en ese suelo arcilloso duro como el cemento podría quedarse inválido de por vida.

Mix había envuelto el cadáver de la mujer en una de las sábanas gastadas que ella tenía. Estaba en el suelo del pequeño vestíbulo de su piso. Desenvolvió la funda de colchón y se dio cuenta enseguida de que no serviría. Era demasiado fina y (se estremeció) demasiado transparente. Si la utilizaba, estaría metido en el mismo lío que la última vez... o peor aún, porque al final se realizaría una búsqueda de la vieja Chawcer. No podía hacer otra cosa que esperar al día siguiente para tratar de encontrar una bolsa más fuerte y gruesa.

Volvía a dolerle la espalda. No tendría que haber arrastrado ese cuerpo mucho más pesado por todas esas escaleras. Pero ¿acaso tenía otra alternativa? E iba a tener que arrastrarlo un poco más, no fuera a ocurrir algo que le hiciera imposible negarle la entrada a alguien que tuviera que acceder al piso. Además del dolor de espalda, también tenía el tobillo dolorido allí donde le había arañado el gato. Tenía toda esa zona enrojecida e hinchada y se preguntó si *Otto* no tendría las zarpas infectadas de bacterias inmundas. No obstante, pensó que su vida era más importante que el dolor y arrastró el cuerpo hasta el salón, lo dejó en una esquina y empujó el mueble bar para ocultarlo.

La presencia del cadáver en el piso lo obsesionaba y primero tuvo que irse a la cocina y luego al dormitorio. ¿Cómo ibas a relajarte en una habitación con un cadáver, por oculto que estuviera, envuelto en un rincón? En el dormitorio se sentía mejor, un poco mejor. Se tumbó en la cama y pensó: «Mañana encontraré un sitio en el que comprar una bolsa más gruesa y resistente, entonces la meteré dentro y bajo las tablas del suelo. Después me lo quitaré de la cabeza, no volveré a pensar más en ello».

Nerissa había salido con su padre. Ella era su única hija y la más pequeña y, aunque no podía decir que la quisiera más que a sus hijos varones, sí era cierto que la quería de una manera distinta, en parte porque ella era la niña que había deseado y en parte porque tenía la piel casi tan oscura como la suya. Sus hijos tenían los rasgos de su madre y la piel más clara que la de él. Eran altos, apuestos, tenían éxito en lo que hacían y él estaba orgulloso de ellos, pero, a diferencia de Nerissa y de su propia madre anciana, no tenían el aspecto de los miembros de su tribu, cuyas mujeres eran famosas por su belleza. Así pues, no por motivos religiosos ni rituales, sino porque, sencillamente, siempre lo hacían, él se tomó el día libre y se fue con Nerissa a la residencia de ancianos de Greenford donde vivía su madre y, también sin ningún motivo en particular, salvo el de que siempre lo hacían, le llevaron una planta africana en floración y los mejores mangos que pudieron encontrar (lamentablemente, no habían madurado al sol ni tenían esa pulpa dorada rebosante de jugo), además de un ramo de banksias rosadas, rojas y doradas de la provincia de El Cabo, aunque ella no provenía de esa parte del continente, pero fue lo máximo que pudieron hacer.

Durante el trayecto en coche hacia allí, Nerissa se envolvió la cabeza con un maravilloso turbante de color blanco, rosa y esmeralda porque, para su abuela, era eso lo que se ponían para salir las mujeres que vestían apropiadamente, y junto con el caftán verde esmeralda ribeteado de rojo rubí que llevaba, parecía la esposa de un jefe. Después de haber hecho feliz a la madre de Tom y, en su compañía, de haber comido y bebido toda clase de cosas que Nerissa sabía que tendría que compensar matándose de hambre, subieron de nuevo al coche y se dirigieron allí adonde fuera que iban a pasar el día. Cada año era un lugar diferente. La última vez habían ido a la Barrera del Támesis y al Museo Marítimo de Greenwich y en aquella ocasión sería el palacio de Hampton Court. Antes de llegar allí, Nerissa se quitó el turbante, volvió a sujetarse el cabello en una cola de caballo y se puso unas gafas de sol grandes para que no la reconocieran. El caftán se lo dejó puesto.

Mientras paseaban por allí contemplándolo todo en aquel magnífico y cálido día, a Nerissa le salieron las palabras de sopetón y le contó a su padre que se había enamorado de Darel Jones.

—Pero no puede decirse que lo conozcas demasiado bien, ¿no? —dijo Tom.

—Supongo que no. No lo he visto desde que fuimos todos a su casa a cenar. Pero lo sé. Sé que llevo muchos años enamorada de él. Desde que se mudaron a la casa de al lado.

—¿Y él está enamorado de ti, cariño?

—Yo diría que no, papá. No lo he pensado ni por un momento. Si lo estuviera, haría algo al respecto. No se limitaría a invitarme a cenar en compañía de todos vosotros.

Comieron en un restaurante italiano de Hampton que había descubierto Tom, a quien se le daban muy bien los restaurantes. Mientras saboreaban el *zabaglione* (o mejor dicho, mientras Tom se comía el suyo y Nerissa fingía no poder terminárselo), su padre le dijo que como era tan hermosa y él, personalmente, creía que también era una persona muy agradable, ni su aspecto ni su carácter podían ser responsables de la indiferencia de Darel.

—Sencillamente podría ser un caso de doctor Fell —dijo Tom.

—¿Quién es el doctor Fell?

*No te amo, doctor Fell,*
*Aunque no sabría decir por qué,*
*Pero esto sí lo sé, y lo sé bien,*
*No te amo, doctor Fell.*

—Pues espero que no —repuso Nerissa—, porque de ser así no habrá manera de arreglarlo.

—Es muy extraño el amor. Tu madre era muy hermosa, y lo sigue siendo, en mi opinión, pero no sé por qué me enamoré de ella y sabe Dios por qué se enamoró ella de mí. Tu abuela diría que las cosas eran mucho más fáciles cuando los padres del pretendiente y de la chica concertaban la boda y el tipo obtenía un rebaño de cabras y unas cuantas fanegas de grano junto con la novia.

—Darel no podría tener cabras en los Docklands —dijo Nerissa—, y no creo que supiera qué hacer con fanegas de grano. Lo que sí me dijo fue que si volvía a acosarme ese hombre que me acecha, que lo llamara y él vendría. A cualquier hora del día o de la noche, dijo.

—¿Te están acosando? —Tom parecía preocupado.

—La verdad es que no. Hace una semana que no lo veo.

—Bueno, pues si lo ves, llama a Darel y así matarás dos pájaros de un tiro.

Nerissa lo consideró.

—La verdad es que no quiero esperar a que ese tipo vuelva.

—Piénsalo mejor —replicó Tom—. Quizá sí que quieres.

A primera hora de la mañana siguiente, Queenie y Olive se encontraron en Saint Blaise House y tuvieron una conversación de mujer a mujer. Ambas estaban indignadas con Gwendolen por haberse marchado sin decirles nada. Habían desplegado dos servilletas limpias sobre el asiento del sofá y se encontraban en el salón bebiendo un café instantáneo que Olive había preparado y comiendo unas pastas de la caja de la confitería que había traído Queenie, pues a ninguna de las dos le atraía demasiado la comida que salía de la cocina de Gwendolen.

—Esta habitación está mugrienta —comentó Olive—. Toda la casa está hecha un asco. —Había esterilizado las tazas con agua hirviendo y jabón antiséptico Dettol antes de echar el café en ellas.

—Bueno, querida, eso ya lo sabemos, pero nosotras no tenemos que vivir aquí, gracias a Dios, y si estás pensando en hacer limpieza de toda la casa mientras la pobre Gwendolen está fuera, yo no lo haría. Ya sabes cómo se puso cuando limpiamos la cocina. Creo que no deberíamos meternos en sus cosas.

—No entiendo en absoluto su marcha. En todos los años que hace que la conozco nunca ha estado fuera.

—Y nunca ha mencionado que tuviera amigos en Cambridge.

—No, pero puede que el profesor tuviera conocidos allí. De hecho, es bastante probable.

—Puede ser —asintió Queenie—, pero ¿por qué no nos lo ha dicho nunca? Y ya sabes, querida, que las personas de su edad —Gwendolen tenía diez años más que ella y doce más que Olive— tardan siglos en prepararse para ir a pasar unos días a cualquier parte. Recuerdo que mi querida madre, con ochenta y tantos años, tardó unas dos semanas en hacer los preparativos cuando tan sólo iba a visitar a mi hermano. Y hasta que al final se marchó, todos los días discutía los pros y los contras del viaje. ¿Debía marcharse por la mañana o por la tarde? ¿Qué tren tenía que coger? ¿Podía pedirle a mi hermano que fuera a buscarla o él ya lo haría igualmente? Ese tipo de cosas, ya sabes. Y con Gwendolen ocurriría exactamente lo mismo. No, ella aún sería peor.

—Pues no sé qué decirte. Bébete el café antes de que se te enfríe.

—Lo siento, Olive, pero no puedo. Sabe a desinfectante. ¿Crees que tendrá una agenda de direcciones en alguna parte? Podríamos echar un vistazo. Debe de escribir la dirección de la gente en algún sitio.

Recorrieron la habitación haciendo comentarios sobre la suciedad y las telarañas y estaban sacando libros de la librería y soplando el polvo de los lomos cuando Mix bajó al vestíbulo. Él había empezado a bajar con la intención de iniciar una vez más su búsqueda de una bolsa de plástico gruesa y fuerte y entonces las oyó entrar en la casa. En un primer momento se retiró a su piso y después, más tarde, decidió que lo mejor sería hacerles frente y, lo más importante, pedirles que le devolvieran la llave de la casa.

Momentos antes de que Mix entrara en el salón, Olive había encontrado una vieja libreta de direcciones en un cajón entre pedazos de papel, lápices rotos, imperdibles, gomas elásticas, anticuados enchufes de quince amperios y unos cincuenta talonarios de cheques usados en los que sólo quedaban las matrices. Cuando entró Mix, ella levantó la vista de las anotaciones de la letra B, que era hasta donde había llegado, y en tono desagradable dijo:

—Ah, buenos días, señor Cellini.

—Hola —repuso Mix.

—Nos estábamos preguntando si por casualidad no sabría usted el nombre de los amigos con los que está la señorita Chawcer.

—No, no lo sé. No lo dijo.

—Estamos deseosas de saberlo —comentó Queenie—. No es propio de ella marcharse sin decir ni una palabra. —Pero le dirigió a Mix una de las sonrisas que tan encantadoras habían sido cuando tenía dieciocho años y le puso la mano en el brazo. Al fin y al cabo, era un hombre—. Pensamos que podría ser que hubiese confiado en usted.

Mix no respondió.

—¿Pueden devolverme la llave?

—¿Qué llave? —preguntó Olive con brusquedad.

—La llave de esta casa. Ahora que ella está bien ya no van a necesitarla.

—Sí, sí que la necesitaremos. Tendremos que venir a echar un vistazo mientras ella está fuera. Y otra cosa. Esta llave se la devolveré a la señorita Chawcer y a nadie más que a ella. ¿Queda claro?

—De acuerdo, tranquila, mujer. —Mix dio media vuelta para marcharse y por encima del hombro añadió—: No querrá que le suba la tensión a su edad.

El comentario fue una imprudencia por su parte, aunque Olive no pareció reaccionar en absoluto. La mujer no dijo nada, ni a Mix ni a Queenie, incluso cuando oyó que la puerta de la calle se cerraba tras él, sino que retomó su asiento junto a la mesa en el sofá cubierto por una servilleta y siguió pasando las páginas de la libreta de direcciones de Gwendolen.

—¡Mira que llega a ser grosero! —comentó Queenie.

—Sí. En esta libreta no hay ni una sola dirección de Cambridge, Queenie.

—Quizá la conozca tan bien que no necesita apuntársela.

—Cuando se tiene su edad uno se olvida hasta de cómo se llama si no lo anota.

Olive cerró la libreta.

—¿Qué vamos a hacer? No podemos dejarlo así. Cuando vi a Gwen el sábado, me pareció que tenía muy mala cara. Pensé que por su aspecto debería haber estado en la cama. Y luego nos enteramos que a primera hora de la mañana siguiente se va a Cambridge a ver a unas personas de las que nunca hemos oído hablar. ¿En taxi? ¿Cuándo has visto tú que Gwen fuera a alguna parte en taxi? Y eso suponiendo que supiera cómo pedir uno.

—Bueno, querida, yo no me fiaría ni un pelo de ese Cellini.

—Entonces, ¿qué hacías sonriéndole de esa manera tan insinuante?


Mix ya debería estar recorriendo las ferreterías y los establecimientos de bricolaje, pero tenía miedo de dejar a esas dos brujas solas en la casa. Seguro que la registraban. ¿Y si resulta que la vieja Chawcer había tenido una llave de su piso? Mix no se lo había preguntado y, que él supiera, la mujer no había entrado mientras él estaba ausente. Por otro lado, ella nunca le había dicho que poseyera una llave de su piso y él no se lo había preguntado. Si tenía una, ellas la encontrarían. No osaba arriesgarse a salir.

Se sentó en el último peldaño del tramo embaldosado, frente a su puerta, y escuchó. Las oyó salir del salón. Oía sus voces estridentes mientras cotorreaban la una con la otra. Como aves de presa, pensó, como cuervos o lo que fueran esas criaturas que veías picoteando cosas muertas en las cunetas de las autopistas. Cosas muertas... La comparación le recordó el cadáver que había detrás del mueble bar, envuelto de manera inadecuada, a tan sólo unos cuantos pasos de donde él se encontraba. En el piso hacía calor. Al recordar lo que había ocurrido con el cuerpo de Danila cuando empezó a hacer calor, abrió las ventanas del piso.

Por lo visto, esas dos habían entrado en la cocina. Bajó al piso inferior muy despacio, sintiendo unas punzadas de dolor que le recorrían la espalda. Desde allí oyó que andaban haciendo ruido por la cocina y el lavadero. ¿Qué estaban buscando? Regresaron al vestíbulo y Mix volvió a subir hasta la mitad del último tramo de escaleras. No es que hubiera muchas posibilidades de que lo vieran o lo oyeran. El pesado ascenso de las dos mujeres era demasiado lento para eso, pues subían resoplando, jadeando y descansaban, Mix imaginó que aferradas a la baranda. Estaba claro que se dirigían al dormitorio de la vieja Chawcer y su presencia allí hizo que Mix se sintiera más inquieto que nunca. Desde el rellano superior, a través del barrote de la barandilla, las vio entrar en la habitación. Para alivio de Mix, las mujeres no cerraron la puerta. Las oyó caminar por allí, moviendo muebles pequeños, cambiando de lugar los adornos. Una de ellas tosió, sin duda por el polvo que levantaron al mover las cortinas o rebuscar en un estante.

A Mix no le gustaba que estuvieran allí, donde la había matado y todavía se preguntaba si no habría dejado alguna prueba de su presencia y sus actividades. Entonces recordó que había sacado la sábana encimera de la cama de la mujer para envolverla. Lo invadió una oleada de calor. Seguro que las ancianas se daban cuenta de ello, era el tipo de cosa en el que se fijarían. Vio que le temblaba todo el cuerpo y que las manos se le agitaban de manera descontrolada.

Sin embargo, las mujeres salieron de la habitación al cabo de diez minutos y, mientras bajaban por las escaleras, Mix oyó que la abuela Fordyce decía:

—Estoy segura de que hemos pasado algo por alto, Queenie. Es una sensación que tengo.

—Yo también la tengo, querida. En esta casa hay algo que si pudiéramos encontrar nos diría de inmediato dónde está y qué se trae entre manos.

—De eso ya no estoy tan segura.

La abuela Fordyce continuó hablando, pero él ya no pudo oír lo que dijo. Para entonces la mujer ya había alcanzado el vestíbulo y lo único que llegó a oídos de Mix fue el parloteo de sus voces. Escuchó hasta que la puerta de la calle se abrió y se cerró.

Mientras se ponía el abrigo, Queenie comentó que volvía a hacer calor. Había algo que no era normal. ¿A Olive no le parecía?

—Es el calentamiento global —afirmó Olive—. Supongo que la Tierra acabará desintegrándose, pero al menos ya no estaremos aquí para verlo.

—Vamos, querida, ¿no te parece que es una idea un poquito morbosa?

—Es realista, nada más. He estado pensando en la sábana que faltaba. Gwen es una mujer muy rara, quizá nunca usaba la sábana encimera, sólo la bajera y el edredón.

—Oh, no, querida. No quiero decir que no sea rara. En ese punto estoy absolutamente de acuerdo contigo. Pero, en cuanto a lo de la sábana encimera, sé que sí la usaba. Me acuerdo perfectamente de haberla visto las veces que subimos a su dormitorio antes de que ingresara en el hospital. Además, estaba mugrienta.

—Entonces, ¿dónde está? —dijo Olive mientras las dos mujeres cerraban la puerta principal al salir, y luego caminaron por Saint Blaise Avenue.


Hasta primera hora de la tarde, Mix no consiguió comprar una bolsa de plástico lo bastante grande y resistente. El dolor de espalda, que por la mañana se le había calmado un poco, volvió a acometerle entonces con hirientes punzadas y una especie de cosquilleo muy desagradable, como si unas agujas al rojo vivo recorrieran sus vértebras de un extremo a otro. Una vez satisfecho su cometido, Mix había tenido intención de acercarse a la Oficina de Empleo, pero resultó que apenas podía caminar derecho y el peso insignificante de la bolsa de plástico casi era demasiado para él. Si entraba así en la Oficina de Empleo, creerían que había ido a solicitar un subsidio por incapacidad. Al paso que iba, aún podría ser que llegara a ese extremo...

Cuando estuvo de nuevo en casa, un poco reconfortado por un generoso Latigazo (se había quedado sin ginebra), se dispuso a sacar el cuerpo de la sábana que lo envolvía y meterlo en la bolsa de plástico. Se acercó a él a gatas, pero cuando se puso de pie agarrándose al mueble bar supo que, aunque éste era relativamente ligero, le resultaría imposible moverlo sin lastimarse la espalda quizás irreversiblemente, y no había otra manera de sacar el cadáver de ahí detrás, pues las dos esquinas posteriores del mueble bar estaban pegadas a las paredes que se unían formando un ángulo recto.

Mix fue presa del pánico. Las lágrimas asomaron a sus ojos y se puso a golpear el suelo con los puños. Al cabo de un rato, haciendo todo lo posible para no perder el control, se arrastró hacia la cocina, volvió a ponerse de pie sujetándose como pudo y se tomó cuatro ibuprofenos de los fuertes que tragó con los restos de Latigazo.


Olive regresó a Saint Blaise House al cabo de unas horas acompañada por su sobrina Hazel Akwaa. Tenía la sensación de que necesitaba el apoyo de una persona sensata y más joven. El sol se estaba poniendo y una luz carmesí iluminaba el cielo sobre Shepherd's Bush y Acton cuando las dos mujeres salieron al jardín. Al otro lado del muro, donde la palmera con luces de colores competía con el crepúsculo, el señor Singh echaba grano a sus gansos.

—Buenas tardes, señoras mías —dijo con modales exquisitos.

—Me encanta su árbol —comentó Hazel—. Es precioso.

—Es usted muy amable. A falta de un jardinero, a mi esposa y a mí nos pareció que a este lugar le hacía falta una pizca de embellecimiento. ¿Cómo se encuentra la señorita Chawcer?

—Por lo visto se ha ido fuera para recuperarse, a casa de unos amigos.

—Supongo que se habrá ido al campo, ¿no? Eso le hará bien.

Olive buscaba a *Otto* con la mirada.

—¿Sabe una cosa? —dijo—. Desde anteayer que no he visto al gato.

—Pues ahora que lo dice, yo tampoco —repuso el señor Singh—. Debo decir que no es que lo lamente. Ese animal es tan depredador que temo que mis pobres gansos puedan correr la misma suerte que mis gallinas de Guinea.

Echó un último puñado de grano a las aves, dedicó una especie de reverencia cortés a Olive y Hazel y entró en su casa. Los gansos parparon.

—Echa un vistazo a ese arriate —dijo Hazel—. ¿No parece como si alguien hubiese cavado una tumba?

—Tienes demasiada imaginación, Hazel.

—Eso es porque siempre que vengo por aquí pienso en Christie, el asesino. Vivía a un tiro de piedra de aquí. Yo era un bebé cuando ocurrió, pero de pequeños solíamos acercarnos a Rillington Place y nos quedábamos mirando su casa.

—Lo recuerdo muy bien —repuso Olive—. Primero le cambiaron el nombre y luego la echaron abajo. Si no me falla la memoria, creo que eso no ocurrió con ningún otro lugar en el que hubiera vivido un asesino.

—Es como lo que los romanos hicieron con Cartago. Tom me contó que la arrasaron y araron la tierra de lo que había sido su emplazamiento. Christie enterró a varias de esas mujeres en su jardín.

—Bueno, pues a Gwendolen no la ha enterrado nadie. Esa tierra hace tiempo que se ha removido. Ya empiezan a crecer los cardos. Pero lo que sí me pregunto es qué ha pasado con el gato. Diga lo que diga Gwendolen, estoy segura de que le tiene mucho cariño, y si se ha perdido, cuando regrese de adondequiera que haya ido, adivina quién se va a llevar la culpa.

Entraron de nuevo en la casa y se marcharon paseando con calma de vuelta a casa de Olive en aquella tarde anormalmente cálida al tiempo que escudriñaban la calle esperando encontrarse el cadáver de *Otto* junto a una alcantarilla.


Tal vez fuera por el efecto de las pastillas, por el fuerte licor o por ambas cosas, pero la cuestión era que, después de haber dormido un rato, Mix se despertó mareado, el dolor no había desaparecido, pero era más débil, como el recuerdo de un achaque anterior o el anuncio de uno aún por sufrir. Cuando se había tumbado y cerrado los ojos, lo hizo con la inquietante sensación de que antes había ocurrido algo que era de vital importancia, pero que por alguna razón él no lo había reconocido así. Lo acosó un cierto desasosiego que se desvaneció cuando se quedó dormido. En aquellos momentos, el mareo remitía y pareció que se le despejaba la cabeza. Ya sabía qué era lo que había ocurrido antes y comprendió ahora la importancia de lo que significaba; debió estar más receptivo.

La abuela Winthrop le había tocado el brazo, el brazo desnudo, con un dedo. Fue cuando le estaba preguntando si la vieja Chawcer había confiado en él. La mujer lo había tocado con el dedo y estaba caliente, tan caliente como la piel con la que hizo contacto. Y eso tendría que haberle dicho que la gente mayor no estaba fría al tacto, que tenían la misma temperatura que los jóvenes, pero no lo supo hasta entonces. De manera que, si la vieja Chawcer estaba fría como el hielo, era porque… ¡ya estaba muerta!

Estaba muerta antes de que Mix entrara en el dormitorio, antes de que la mirara, antes de que la tocara. Por eso su piel estaba helada al tacto y por eso no había forcejeado cuando le tapó la cara con la almohada. Le empezaron a sudar el rostro y las palmas de las manos y sin embargo un enorme escalofrío le recorrió el cuerpo. Había matado a una muerta. Le pareció un acto horrible y estúpido. Había matado a una persona que ya estaba muerta.

En cierto sentido fue como lo que hizo Reggie. No era de extrañar que el fantasma le pareciera comprensivo. Él no había tocado a la mujer como hacía Reggie, por supuesto, la idea lo horrorizó y le provocó más sudores. No obstante, existían ciertas similitudes. Así pues, ¿se hallaba bajo la influencia de Reggie? ¿Había sido el fantasma el que había dirigido sus actos?

Se levantó y cruzó la habitación hasta donde estaba el cuerpo. Puso las manos sobre el mueble bar y se apoyó en él. Poco a poco fue tomando conciencia de que, de haberlo sabido, de haberse percatado, sencillamente podría haberla mirado, tocado esa piel fría y haberla dejado allí. No podría haber dicho nada a la policía. Estaba muerta. En cambio, él le había puesto una almohada en la cara y había contado hasta quinientos. Había retirado una sábana de la cama y había envuelto en ella a una mujer que llevaba horas muerta. Para que el cuerpo estuviera tan frío, debían de haber transcurrido horas.

Al hacer eso se había incriminado, porque ¿quién iba a creerse ahora que había muerto por causas naturales? Se había llevado su cadáver y lo había escondido, había sacado una sábana de la cama, tal vez hubiera dejado su ADN (de eso sabía muy poco) adherido a la piel de la mujer, les había explicado a esas dos ancianas que la vieja Chawcer se había marchado y les había dicho que la había visto esperando un taxi. Y ahora tenía su cadáver ahí arriba. ¿La policía sería capaz de averiguar que falleció de muerte natural? ¿O un forense? La cosa no debía llegar a ese punto.

Le pasara lo que le pasara en la espalda, aun si se quedaba lisiado para toda la vida, tenía que meter el cuerpo en la bolsa aquella misma noche y esconderlo bajo las tablas del suelo. El tobillo le dolía más que nunca, con unas punzadas pulsátiles bajo la piel tirante y purpúrea.

## 26

Entró en la habitación que estaba oscura como boca de lobo, como el interior de una caja negra, y pensó que podría retrasar su tarea hasta que amaneciera a las seis y media de la mañana. Pero sus ojos se fueron acostumbrando paulatinamente a la ausencia de luz. Al otro lado de la ventana, el cielo empezaba a adoptar un aspecto transparente y luminoso y no había luna. Apagó la linterna y aun así tuvo luz suficiente para ver. Cerró la puerta. Al arrodillarse para ponerse manos a la obra se dijo que no pensara en el fantasma, que se obligara a sacárselo de la cabeza no fuera que el miedo le paralizara las manos.

Al terminar, comprobó que las tablas volvían a estar exactamente igual que la primera vez que colocaron el suelo: encajadas, paralelas y con los bordes bien nivelados. Había metido el cuerpo dentro del pesado plástico que había sellado atando primero la boca de la bolsa con alambre y después, para que su confianza en la seguridad de aquel precinto fuera absoluta, utilizó cola de contacto. Le estuvo doliendo la espalda todo el tiempo que duró su trabajo, a veces era un dolor continuo y otras parecía que unos instrumentos de tortura le martillearan la columna. En estas últimas ocasiones quedaba incapacitado durante unos minutos y tenía que inclinarse hacia delante, hasta que su pecho prácticamente tocaba las rodillas, y hacer presión con las manos en el cóccix.

Cuando hubo terminado y el cuerpo ya no estaba a la vista, se sintió más que aliviado. Fue como si él u otra persona lo hubiera destruido por completo, quizá quemándolo o mediante algún proceso químico. O como si no hubiera muerto, como si sólo se hubiera escondido, sin poder hablar con la policía, sin poder regresar a aquella casa. Una vez retiradas todas las herramientas, la cola y el alambre, la habitación volvió a tener el mismo aspecto de siempre en la penumbra. Allí estaba la vieja lámpara de gas, la cómoda alta con el espejo agrietado encima, el armazón desnudo de la cama y la ventana que se negaba a abrirse. Las telarañas seguían colgando del techo y el polvo seguía cubriendo el alféizar. Era la hora de más calma en la Westway, cuyas grandes olas estaban prácticamente acalladas y sus suspiros amortiguados.

Mix tuvo la sensación de haberse quitado un peso enorme de encima. Aún le dolía la espalda, seguía teniendo punzadas en el tobillo y estaba muy cansado, pero tenía la impresión de que pronto se terminarían sus problemas. Durante el tiempo que había permanecido allí dentro había logrado mantener alejados los pensamientos del fantasma, pero éstos volvieron cuando salió al rellano. Una vez dentro de su piso, intentó relajarse, ponerse a leer hasta quedarse dormido el único libro sobre Christie que todavía no había abierto aun cuando lo tenía desde hacía semanas. Tumbado en la cama, pasaba las páginas de *El hombre que hizo llorar a un juez*, pero todos los títulos de capítulo que leía y todas las ilustraciones que miraba reavivaban sus temores de que podría haberse dejado alguna prueba que lo incriminara. El libro, además, le recordó la suerte que correría si lo descubrían y que, si bien no sería la misma que corrió Christie, dado que sus asesinatos habían tenido lugar en la época de la pena capital, no sería en absoluto buena. Fue en aquel instante cuando cayó en la cuenta de que había dejado de llamar Reggie al asesino y en su mente había empezado a referirse a él por su apellido.

Para dejar de repetirse constantemente «Maté a una muerta, maté a una muerta», se puso a pensar en el problema de adónde se suponía que había ido Gwendolen. Era imposible que pudieran demostrar que no se había ido, no tenían manera de descubrir si la mujer se había marchado o no. Esas dos viejas no tardarían en cansarse de especular sobre ella. La casa permanecería vacía un tiempo, sólo estaría él. En ausencia de la vieja Chawcer no tendría que pagar el alquiler y se quedaría donde estaba hasta que se convirtiera en novio de Nerissa.

Ahora ya no parecía haber ningún impedimento para llegar a conocerla en toda regla. Ella había sido siempre tan simpática con él que probablemente estaba esperando que fuera a verla, puede que incluso estuviera decepcionada por el hecho de que aún no hubiera ido y estuviera pensando que la había defraudado. Aquel mismo día iría a Campden Hill. De este modo se tranquilizó.

Ya eran las dos de la madrugada. Se untó la espalda con el preparado antiinflamatorio que el farmacéutico le había recomendado y notó que el creciente calor que producía se extendía por sus músculos. Se tomó dos ibuprofenos, se desnudó y se tumbó en la cama, pensando: «Maté a una mujer que ya estaba muerta».

Aunque la noche de la fiesta de Darel había decidido que no volvería a acercarse nunca más a una adivina, que estaba claro que no eran más que tonterías y que no tendría que haberse dejado engañar, pues todo el mundo lo decía, Nerissa iba a consultar de nuevo a Madam Shoshana. Sería la última vez, lo tenía decidido, pero necesitaba saber la opinión de la adivina sobre si tenía alguna posibilidad con él o no la tenía. Antes de salir ordenó el dormitorio, tiró los pañuelos de papel y pedazos de algodón usados al cubo de la basura y recogió las prendas que se había quitado y las echó en el cesto de la ropa sucia. Hasta retiró el edredón para que se ventilaran las sábanas y el colchón antes de que viniera Lynette e hiciera la cama. En el piso de abajo ya estaba todo ordenado. Fue una tarea atroz y la dejó agotada, pero mientras llevaba los vasos sucios a la cocina se imaginaba la aprobación de Darel cuando al fin viniera a su casa, que pensaría que ella estaba hecha para ser su novia e incluso que sería una esposa excelente.

Johnny Cash y la chica que amaba al vecino que trabajaba en la confitería ya no estaban en el reproductor. En aquellos momentos había un cedé de Dvořák. Sobre la mesa de centro, de la que se había retirado todo lo demás, había dos libros adquiridos en la librería Hatchards, uno sobre la política europea en el periodo posterior a la Guerra Fría y el otro llamado *Denuncia del ocultismo*. ¡Ojalá viniera Darel y viera en qué entorno tan refinado e incluso intelectual vivía!

Mientras conducía hacia Westbourne Grove la inquietaba el miedo a encontrarse con Mix Cellini en las escaleras del gimnasio. Se había puesto unos vaqueros anchos y una sudadera gris porque sabía que esa ropa no la favorecía y tampoco se había maquillado. De todos modos, no se le había escapado el hecho de que el maquillaje no hace mucho en una mujer negra que ya es hermosa. Su padre incluso decía que se la veía mejor sin, pero, claro, ¡qué iba a decir él! Sólo le quedaba esperar que no fuera el día en que Cellini hacía lo que fuera que hiciera con las máquinas del gimnasio. Si tenía que verle, prefería que fuera en Campden Hill Square, donde al menos tendría un motivo para llamar por teléfono a Darel.

Llegado el momento, subió las escaleras sin encuentros de ningún tipo. Llamó a la puerta y ocurrió algo sin precedentes. Shoshana le pidió que aguardara un minuto. Que tomara asiento y esperara un minuto nada más. Al mirar su reloj se dio cuenta de que había llegado con dos minutos de antelación. Aprender a llegar puntual también formaba parte de la campaña para agradar a Darel. En aquel diminuto rellano no había ningún asiento, a menos que se hubiera sentado en el suelo, por lo que Nerissa se quedó de pie pensando en Darel Jones, en su trabajo del «Nuevo Rostro de 2004», en la sesión fotográfica para *Vogue*, en Darel Jones y en los libros que tenía intención de leer para complacerlo. Entonces Madam Shoshana la llamó con esa voz baja e intrigante:

—Pasa.

Le había pedido a Nerissa que esperara porque, por una vez, la chica había llegado pronto, y cuando ésta llamó a la puerta, ella estaba ocupada con el hechizo que lesionaba la columna y que le había proporcinado Hécate. Lo había hecho una vez más y entonces decidió que era hora de decir basta. No porque sintiera lástima por Mix Cellini, en absoluto, sino por su propia frugalidad. El hechizo podía utilizarse cuatro veces, ella sólo lo había hecho dos, pero ¿y si aparecía alguien más que mereciera un dolor de espalda? Al fin y al cabo, iba a tener que pagar por él. El hecho de que Hécate no le hubiese hecho llegar una factura no significaba que no fuera a cobrárselo. Hécate era como uno de esos médicos o dentistas de categoría que te enviaban la cuenta y te daban una sorpresa desagradable meses después de haber terminado el tratamiento y cuando tú ya te habías olvidado del tema.

La mesa todavía estaba llena de toda la parafernalia necesaria para el hechizo. No se trataba exactamente de ojos de tritón ni de dedos de rana, pero sí de varios recipientes de agua destilada, un vial de ácido sulfúrico y otro de orina de embarazada (cosa que era difícil de obtener, pero que Kayleigh, quien vivía con Abbas Reza y esperaba un hijo suyo, le había proporcionado de buen grado), un frasco de bicarbonato de sosa y una botella de tinta verde. No es que Shoshana fuera a utilizar nada de todo aquello, pues ese Cellini ya habría sufrido sus dos semanas de dolor, pero tenía que tirar la orina, colocar el bicarbonato en el armario que le correspondía y volver a echar el ácido sulfúrico en su botella estriada de color verde. Había que guardarlo todo eso antes de que Nerissa entrara para que las gemas pudieran ocupar su lugar en la mesa.

Nerissa siempre se había sentido intimidada en presencia de Madam Shoshana. Aquella mujer le daba bastante miedo y no le gustaban nada el mago ni el búho, la suciedad (aunque no el desorden) le repugnaba y la fealdad de la propia Shoshana le provocaba aversión. Aquel día la adivina se había puesto unas vestiduras en tonos grises y azulados con ribete emplumado y un penacho de plumas negras en la cabeza, de manera que, a ojos de Nerissa, parecía una malvada ave rapaz. Sus manos como garras se movían de forma misteriosa por encima del círculo de piedras.

—Cuando hayamos hecho esto —dijo Nerissa con vacilación—, ¿podré hacerte una pregunta?

—¿Y por qué no se lo preguntas a las piedras? ¿Cuáles son las que sientes que se acercan a tus dedos?

Como sabía perfectamente que, nombrara las que nombrara, Shoshana diría que había elegido las piedras equivocadas, Nerissa dijo los primeros colores que se le pasaron por la cabeza.

—La amarilla y la malva.

—¿De verdad? No creo que te estés concentrando. Está claro que las que atraes hoy son la cornalina de color sangre y el cuarzo rosa pálido. Haz tu petición a la cornalina.

—De acuerdo. —Los invitados a la fiesta de Darel podrían haberse dado por satisfechos si hubieran visto lo estúpida que se sentía Nerissa preguntándole su opinión a un pedazo de piedra. No obstante, ruborizada, se lo preguntó—: Hay un hombre... —empezó a decir, y se le entrecortó la voz. Carraspeó—. Hay un hombre y quiero saber, quiero tener alguna idea de si él..., bueno, de si me querrá algún día.

El cristal de color rojo oscuro permaneció en silencio, lo cual no era sorprendente. Nerissa se sintió mejor ahora que había pronunciado aquellas palabras, y estuvo a punto de reírse tontamente al pensar que la piedra hablara. «Aunque si se pusiera a hablar no creo que me hiciera ninguna gracia», pensó. Shoshana asumió el papel de intérprete y lo que dijo provocó en Nerissa algo muy distinto a la hilaridad.

—Tendrás que pedirle que venga. Llámalo y él vendrá. Y entonces, cuando haya venido, todo dependerá de cómo le hables. Lo que digas entonces decidirá tu destino... para el resto de tu vida. —Shoshana levantó la vista y miró a Nerissa a los ojos—. Esto es todo. La cornalina ha hablado.

En cuanto hubo pagado las cincuenta libras, pues Madam Shoshana había subido su tarifa, Nerissa volvió a bajar por las escaleras con miedo a encontrarse con Mix Cellini. Únicamente vio a una mujer, la siguiente cliente de Shoshana, que esperó abajo, puesto que las escaleras eran demasiado estrechas para que pasaran dos personas.


Cuando Mix se despertó, le seguía doliendo la espalda, pero el dolor se había hecho más tenue y sordo y los arañazos de la pierna se le estaban curando. Había dormido bien, salvo por una pesadilla. Se dio una ducha, se lavó el pelo y se vistió con esmero, tras lo cual se sintió mucho mejor, aunque no era capaz de olvidarse del sueño. Tenía que ver con su padrastro y con el viaje de Mix a Norfolk para buscar a Javy y matarlo. Era una cosa con la que a menudo había soñado de pequeño y en la que llevaba años sin pensar. Javy había abandonado a la madre de Mix cuando éste tenía catorce años y se había ido a vivir con otra mujer a King's Lynn o alrededores. No obstante, en el sueño le sobrevino de nuevo el deseo de matarlo de una manera dolorosa y verlo morir sufriendo y cuando estuvo completamente despierto, como estaba entonces, Mix no vio en ello nada irracional ni poco práctico. Al fin y al cabo, había matado a dos personas (o creía haberlo hecho) y no le había pasado nada, de manera que no había ningún motivo por el que no pudiera matar a una tercera. Christie no le hubiera dado ninguna importancia, para él hubiese formado parte de su jornada laboral. Javy había hecho más para merecerse ser su víctima que cualquiera de esas dos mujeres, la joven y la vieja.

No tenía mucho sentido acudir a Campden Hill Square antes de las diez. Hacía una mañana estupenda, con un cielo azul y despejado y, mientras desayunaba, dijeron por televisión que iba a hacer un día cálido y soleado con una leve posibilidad de algún aguacero. El paseo que tenía por delante le parecía una perspectiva agradable y lo que le esperaba al final... Mix tenía un plan para entrar en casa de Nerissa y para tal fin se armó con una carpeta de cartón naranja que tenía de su empleo en la empresa, un par de panfletos electorales que había guardado por algún motivo que ya no recordaba y dos bolígrafos. A las nueve y veinte ya estaba listo para salir cuando oyó que se abría y cerraba la puerta principal y que alguien entraba en el vestíbulo de abajo.

Era la abuela Winthrop, por supuesto. Tenía que tratarse de una de ellas dos. Eran como los autobuses, en cuestión de un minuto pasaría otro. Tendría que haberles quitado la llave, de ser necesario hasta por la fuerza. ¡El alboroto que se hubiese armado de haberlo hecho! En un primer momento, con la llegada de la mujer, Mix notó esa tensión en los músculos que era uno de los síntomas del miedo, pero entonces se recordó que no tenía nada que temer. La vieja Chawcer estaba tan escondida e invisible como si de verdad estuviera en Cambridge; oculta en un lugar más seguro todavía, pues allí donde se encontraba nadie podría dar con ella. Así pues, Mix le dirigió un «Buenos días» a la abuela Winthrop cuando se cruzó con ella en el vestíbulo y un «Hace un día estupendo» mientras abría la puerta principal. La abuela Fordyce estaba entrando por la verja.

—¿Otra reunión del Instituto de la Mujer? —le dijo Mix con grosería—. Debe de ser genial tener tanto tiempo libre.

Olive pasó junto a él mirándolo por encima del hombro.


Queenie y ella dedicaron un rato a discutir el comportamiento de Mix con indignación. Luego, con dos cafés con leche con chocolate rallado por encima servido en unas tazas que Queenie había traído consigo y repostería danesa, tomaron asiento en el salón junto a la cristalera abierta y celebraron un concilio para tratar de lo que habría que hacer respecto a Gwendolen. No les había resultado fácil abrir esas ventanas. Los pestillos estaban atascados y no cedieron hasta que Olive los engrasó. Al final consiguió separar las dos puertas de cristal. Aproximadamente unas cincuenta arañas muertas y sus telas acumuladas allí durante un cuarto de siglo cayeron al suelo y una cosa que parecía un nido de golondrina muy viejo y abandonado desde hacía mucho tiempo se desmoronó en los peldaños, esparciendo barro, ramitas y cáscaras de huevo hechas añicos por todas partes.

—¡Cómo se puede vivir así! —exclamó Olive.

Queenie se estremeció de forma exagerada.

—Es horrible. Pero ya sabes, querida, que debemos pensar qué vamos a hacer respecto a Gwen. Si hay que creer a ese hombre, se marchó para coger un tren con destino a Cambridge el lunes por la mañana, hace dos días. ¿Y si resulta que ese hombre se ha inventado lo de Cambridge y lo del tren? ¿Y si se fue a dar un paseo y se desplomó en la calle y ahora está en algún hospital? ¿Quién iba a saberlo? ¿A quién iban a decírselo?

—Sí, pero ¿por qué iba a inventárselo?

—¡Quién sabe lo que pasa por la cabeza de ese individuo! Podría estar planeando echarla de esta casa para hacerse con ella. He oído decir que hay inquilinos sin escrúpulos que lo hacen con ancianos que son sus caseros, y él es exactamente ese tipo de personas.

Olive, que era una mujer más práctica, dijo que podrían probar a llamar por teléfono a los hospitales.

—Sí, querida, pero ¿a cuáles? Debe de haber un centenar en Londres. Bueno, o docenas. ¿Por dónde empezamos?

—Por aquí. Si se fue a dar un paseo, tal como dijiste, si bien a mí me parece muy impropio de Gwen, no debió de ir muy lejos antes de desplomarse. Así pues, vamos a empezar por el Saint Charles, que está a la vuelta de la esquina, o por el Saint Mary Paddington, ¿no? Llamaré al Saint Charles en cuanto me termine el café. ¡Anda! ¡Mira lo que he encontrado metido en este asiento! Es ese tanga del que no dejaba de hablar la pobre Gwen.

—¡Qué raro! Voy a cerrar la cristalera, querida, o entrarán más moscas.


Antes de salir de casa, había reunido fuerzas con dos vodkas. Sin tónica, sólo con un par de cubitos de hielo. En su caso, no fue coraje holandés, sino ruso. Empezó a caminar por Oxford Gardens hacia Ladbroke Grove. El dolor de espalda había desaparecido, salvo por alguna que otra punzada débil que le recordaba lo que había sido, y se sentía cargado de confianza. Al pasar frente a la casa en la que había vivido Danila, se dijo lo tonto que había sido al preocuparse por ella. Había quedado en nada. La mayor parte de las cosas por las que te preocupas no ocurren. Lo había leído en alguna parte y era cierto.

Kayleigh estaba en una de las ventanas del primer piso que ahora compartía con Abbas Reza, mirando la calle. Los árboles, que aún conservaban las hojas, crecían a ambos lados de la calzada, pero delante de aquella casa habían cortado y retirado uno de ellos, con lo que se tenía una buena vista. Iban a salir a comer, lo que tenían pensado hacer en un *pub* junto al río. Kayleigh no tenía que entrar a trabajar en el gimnasio hasta las cuatro y estaba viendo si en la aceras había algún indicio de gotas de lluvia. Ella nunca se preocupaba de llevar paraguas o impermeable, pero Abbas, al ser mayor, se tomaba muy en serio estas cosas.

—No sé qué son esas salpicaduras de la ventana, Abby, pero no son de lluvia. Ven a ver —le dijo.

Abbas se acercó, le rodeó la cintura con el brazo y miró a la calle. Un hombre vestido con ropa «elegante, pero informal» caminaba por la acera en dirección a Ladbroke Grove.

—¡Míralo!

—¿A quién, Abby?

—La persona que acaba de pasar, me crucé en las escaleras con él cuando vino a visitar a la señorita Kovic.

—Bromeas.

—Oh, no. No te engaño, Kayleigh. Es el novio al que todos buscan.

—¿Estás seguro? ¿Estás completamente seguro? Porque si lo estás, tendrás que contárselo a la policía. Así pues, ¿no tienes ninguna duda?

—Bueno, visto así… no, no estoy seguro de poder jurar ante un tribunal que ése era él. Debo pensar. Si es posible que lo vea de cerca. Si voy tras él, si voy ahora…

—No, no vayas, Abby. Vamos a salir, ¿recuerdas? Y si te acercas demasiado y te lo tomas como algo personal será a ti a quien arrestarán y no a él.

No venía ningún autobús, de manera que Mix fue andando hasta Ladbroke Grove y cruzó Holland Park Avenue para dirigirse al domicilio de Nerissa. El coche de la joven no estaba a la vista. ¿Significaba eso que lo tenía en el garaje o podía ser que hubiera salido? «Que no haya salido, por favor», rogó a una deidad en la que no creía y que tenía la vaga sensación de que no lo apoyaría a la hora de eludir su castigo, pero podía ser que lo ayudara a convertirse en el amante de Nerissa. La deidad, o el ángel de la guarda, lo hizo. Mix blandía la carpeta naranja con bastante ostentación delante de la casa de al lado cuando el Jaguar subió la cuesta rápidamente y se detuvo. Ella no podía haberle visto, un arbusto grande lleno de bayas rojas lo ocultaba. Mix pulsó el timbre, y cuando una mujer con unas gafas grandes de montura negra y un traje de raya diplomática fue a abrirle, empezó a resumirle con seriedad su propia valoración de las virtudes de la representación proporcional.

Como de costumbre, Nerissa había recorrido la calle con la mirada mientras conducía para ver si veía el Honda azul. Una vez más, no estaba. No lo había visto por allí desde…, bueno, debía de hacer ya un par de semanas. Pensó que el hombre se había dado por vencido y eso, si bien era lo que ella estaba deseando, la dejaría sin excusa para llamar a Darel Jones.

Aunque se había duchado antes de salir, Nerissa siempre se sentía sucia después de haber ido a ver a Madam Shoshana en su… «guarida»; ésa era la palabra que siempre empleaba para describirlo. De todas formas, iba a salir a comer con la mujer de la revista *Vogue* y lo mejor sería que se fuera preparando. Así pues, cuando Mix llamó a su timbre al cabo de media hora, ella iba vestida con un traje de color amarillo pálido, el cabello peinado en alto con un moño y las piernas calzadas en unas botas de ante de un amarillo pastel.

La mujer del traje austero y gafas se lo había hecho pasar mal a Mix. Le dijo que era una diputada del Parlamento y hasta hacía poco profesora universitaria en la London School of Economics. Lo que ella no supiera de la representación proporcional y, de hecho, de todos los sistemas de análisis electoral, estaba claro que no valía la pena saberlo, en tanto que él no sabía nada más que lo que había leído en un periódico sensacionalista. Mix se marchó sintiéndose injustamente castigado sólo por intentar averiguar si a la gente le gustaba de verdad votar por un individuo, en lugar de por un partido político. El hombre que le abrió la puerta en la casa de al lado no estaba interesado y claramente se exasperó cuando Mix, de un modo un tanto confuso, intentó darle algunas de las explicaciones presentadas por la diputada. En la casa que lindaba con la de Nerissa no había nadie. Mix respiró profundamente, se dijo que no debía tener miedo, sólo era una mujer como cualquier otra, y se acercó a la puerta.

Ella se horrorizó al verlo, pero, mientras otra mujer en su situación podría haberle cerrado la puerta en las narices sin escuchar siquiera lo que tuviera que decir, permaneció sujetando la puerta abierta. La habían educado para tener buenos modales.

Mix había ensayado lo que le diría:

—Hola, buenos días, señorita Nash. No somos precisamente unos desconocidos, ¿verdad? Si no me falla la memoria, la primera vez que nos vimos fue en casa de mi amiga Colette.

—Sí, nos hemos visto antes —repuso ella.

Estaba tan hermosa que Mix a duras penas podía disimular el anhelo de su mirada ni la esperanza de su expresión. Como una rosa amarilla, pensó él, que no estaba acostumbrado a las comparaciones llenas de lirismo, como una reina africana.

—Supongo que no sabía que en mi tiempo libre hago estudios de mercado.

—No —repuso ella—. No, no lo sabía.

—Hoy me gustaría hablarle de las elecciones. Me imagino que ya sabe lo que es la representación proporcional, ¿verdad?

La joven no dijo nada, puso cara de desconcierto y, en cierto modo que Mix reconoció, pero no podría haber explicado, de impotencia.

—¿Puedo pasar?

Era lo último que ella quería. De haberse tratado de un completo desconocido hubiera podido rechazarlo, pero ya habían hablado con anterioridad, en tres ocasiones.

—Tengo que salir —Aún le quedaba una hora por delante—. Que sea sólo un minuto.

En cuanto las palabras salieron de su boca, Nerissa supo que no debería haberlas pronunciado. Tendría que haberse mantenido firme y enérgica, haberle dicho lo mismo que hubiera dicho, cosa que ya había hecho a menudo, con los Testigos de Jehová y los vendedores de artículos de cocina, que muchas gracias, pero que no le interesaba. Sin embargo, antes de que pudiera pensar todo esto, él ya estaba en su casa, cruzando lentamente el vestíbulo al tiempo que iba pasando la mirada de un lado a otro con fascinación, asintiendo con la cabeza y sonriendo de un modo que indicaba claramente su admiración por todo.

Ella no lo hubiera dejado pasar del vestíbulo, lo hubiera mantenido tan cerca como fuera posible de la puerta de la calle, pero él no le dio la oportunidad. Antes de que Nerissa pudiera intentar evitarlo siquiera, él ya estaba en el salón. Aquél era el día en que llegaban las flores. Lynette las había entrado en casa mientras ella estaba con Madam Shoshana y las había colocado en la vasija grande de cerámica color crema y en unos cuencos de cristal grabado. Por un momento Nerissa lo vio con otros ojos, con los ojos de una persona que no estaba acostumbrada a la opulencia decorada con lilas, azucenas y gerberas, y comprendió por qué estaba tan impresionado.

—Tiene una casa preciosa, ya lo creo.

—Gracias —dijo Nerissa en un hilo de voz.

—¿Puedo sentarme, señorita Nash? Y tengo una segunda petición. ¿Puedo llamarte Nerissa?

Ella tampoco supo cómo decirle que no. Negarse a ello parecía una grosería y, en cierto modo, sería como erigirse en alguien superior y desde que empezó a ser conocida y solicitada había decidido no llegar nunca a considerarse mejor que nadie y ni mucho menos demostrarlo. Observó con impotencia a Mix, que se acomodó en uno de los sofás, abrió la carpeta de cartón de color naranja que llevaba y levantóla vista para dirigirle una sonrisa de oreja a oreja mostrando los dientes.

Mix ya tenía mucha práctica, si no exactamente en aquel tipo de cosas, al menos en vender tanto su persona como sus varios productos, en mostrarse agradable y un poco insinuante con las mujeres. La falta de seguridad en sí mismo que hubiera podido tener en otras circunstancias se desvanecía cuando hablaba con una mujer y quería exponer alguna idea. Además, el vodka había empezado a hacer efecto antes de que llamara al timbre de la diputada.

Mix ya no veía ningún motivo para andarse con rodeos y dijo:

—Voy a decir la verdad con toda franqueza, Nerissa, y a contarte que no he venido aquí para hablar de política, de elecciones ni de ninguna de esas cosas aburridas. De todos modos, no sé mucho de este tema, tal como la sabihonda de tu vecina tuvo el detalle de comunicarme a la cara. No, he venido para verte porque lo que te dije cuando nos encontramos en casa de la vieja Chawcer era completamente cierto, hasta la última palabra. Y me gustaría decírtelo otra vez y en esta ocasión elegir mis palabras con un poco más de cuidado, pero, antes de eso, ¿crees que podrías preparar café, vida mía?

Nerissa no hubiera sabido decir si fue por ese «vida mía», por el hecho de que llamara «vieja Chawcer» a la amiga de su tía abuela o por su aspecto y su tono, pero, en cuanto al café, se alegró de tener la oportunidad de salir de la habitación e ir a buscar su teléfono móvil. No es que fuera a llamar a Darel

Jones, por mucho que le hubiese encantado verlo. Pero sabía que no podía hacerle venir. No sería justo hacerle salir del trabajo y sería una sucia jugarreta para ese hombre desagradable. Llevaba semanas anhelando tener la oportunidad de llamarlo, incluso pensando en alentar a ese tipo para tener una excusa y ahora, llegado el momento, no pudo hacerlo. Era a su padre a quien llamaría. Primero puso el café en la cafetera y luego el agua a hervir. A continuación marcó el número del despacho de su padre, y cuando éste contestó, solamente dijo:

—Papá, está aquí, en casa, ese acosador del que te hablé.

—De acuerdo —repuso él—. Yo me ocupo.

Si le hubieran preguntado a la agente de Nerissa y, ya puestos, a su madre, padre, hermanos y a Rodney Devereux, todos hubieran dicho que Nerissa debía de estar muy acostumbrada a tratar con hombres que se le insinuaban de manera poco grata, pero, en realidad, eran muy pocos los que lo habían hecho. La joven tenía algo, cierto aire de doncella de hielo, si bien cálido e inocente, que disuadía a cualquier hombre un poquito más sensato que Mix Cellini. Había habido pocos cuyo acercamiento resultara agradable y todos ellos habían sabido a qué atenerse antes de realizar la tentativa inicial. Mix, en cambio, era incapaz de diferenciar a una mujer que accedía a ofrecerle un café y un asiento porque detestaba la idea de ser grosera y una que lo hacía porque esperaba meterse en la cama con él en breve. Mix tomó la taza que ella le ofreció con un esbozo de sonrisa y una mirada muy sexy y le dijo:

—Ven a sentarte a mi lado.

—Me quedaré aquí, si no te importa.

—Pues la verdad es que sí me importa, me importa mucho —Mix crispó el rostro con una sonrisa obsequiosa—. Pero de momento lo dejaremos correr. Bueno, dime, ¿de dónde sacaste ese nombre tan bonito, Nerissa? Es un nombre precioso, de verdad, y, ¿sabes una cosa?, no creo que lo haya oído nunca.

—Mi madre lo sacó de una obra de Shakespeare.

—¿En serio? Veo que provienes de una familia culta. Creo que este tipo de parejas mixtas es lo mejor, ¿no te parece? Por la mezcla de genes y todo eso. Mi abuelo era italiano. No me importa decírtelo, aunque no es una cosa que le cuente a todo el mundo, fue un prisionero de guerra italiano. Romántico, ¿eh?

—No lo sé —contestó la joven con gesto de impotencia.

—Tal vez sea mejor que vaya al meollo de la cuestión. Por cierto, este café está muy bueno. Muy bueno. Voy a empezar diciendo que me imagino que tenemos mucho en común, tú y yo, el mismo tipo de educación, la misma edad, ambos somos fanáticos de la buena forma física y ambos vivimos en el viejo y bonito distrito 11 Oeste. No me importa decirte que llevo enamorado de ti hace siglos y considero que no se puede decir que yo te desagrade precisamente. Así pues, ¿qué tal si lo probamos?

Nerissa ya se había puesto de pie, seriamente asustada y más aún cuando él también se levantó. No había más de un metro de distancia entre ellos y Mix dio un paso hacia ella.

—¿Qué me dices de un besito para empezar?

La joven se estaba preparando para rechazarlo, para utilizar los tacones de sus botas como arma, si era necesario, pero justo cuando empezó a retroceder sonó el timbre de la puerta, lo cual desconcertó a Mix. No parecía perplejo ni decepcionado, sino furiosamente enojado. Hizo una mueca con el labio superior.

—Disculpa —dijo Nerissa, a sabiendas de que era ridículo decir eso en estas circunstancias. Casi fue corriendo a la puerta para dejar entrar a su padre.

No era su padre. Era Darel Jones.

## 27

—Tu padre me llamó.

Lo primero que pensó Nerissa fue: «Voy a matar a papá», pero entonces se sintió inundada de amor por su progenitor.

—No debería haberlo hecho —dijo la joven.

—Ese tipo… ¿se ha ido ya?

—Aún sigue aquí.

Darel entró en la habitación donde Mix, que seguía de pie, examinaba una estatuilla de cristal muy parecida a la que se había visto obligado a utilizar con Danila. Otra cosa que tenían en común…

—¡Fuera de aquí! —exclamó Darel.

—¿Cómo dice? Creo que no nos conocemos. Mix Cellini. Soy un amigo de la señorita Nash. De hecho, ahora mismo estábamos acordando cómo íbamos a pasar la tarde hasta que nos hemos visto interrumpidos tan bruscamente.

—Le he dicho que se vaya. A menos que quiera que lo eche yo mismo.

—¡Por el amor de Dios! —Mix estaba perplejo—. Me gustaría saber qué es lo que he hecho. Pregúnteselo a ella si no me cree.

—La verdad es que quisiera que te marcharas —dijo Nerissa—. No os peleéis, por favor. Vete.

—Lo haré porque tú me lo pides —repuso Mix—. Sé que no lo dices en serio. Los dos sabemos que volveré cuando tu matón no se interponga. —Intentó avanzar con dignidad hacia la puerta. Pero se estaba dando cuenta de que, si bien un hombre de barriga prominente puede ser muchas cosas, ser digno no se contaba entre ellas. Una vez en la puerta, se dio media vuelta—: Nunca me separaré de ti —anunció, más porque era lo que había que decir que porque lo pensara de verdad. Abrió la puerta de la calle y la cerró al salir.

—Te lo agradezco mucho —dijo Nerissa con voz débil—. ¿Crees que lo decía en serio, lo de que nunca se separará de mí?

—No. Lo más probable es que crea que vivo aquí, que soy tu pareja sentimental, tu compañero o lo que sea.

Nerissa tuvo ganas de decir: «¡Ojalá lo fueras!» y «¿Lo serás?», pero no pudo hacer otra cosa más que quedarse mirando su rostro de rasgos celtas bien dibujados, su cabello negro, la piel pálida con un leve rubor en las mejillas, sus manos delgadas de dedos largos, su estatura.

—Tengo que decirte una cosa, Nerissa. Llevo semanas esperando tener ocasión de decírtelo.

Era imposible resistirse a una réplica.

—Podrías haberme llamado.

—Ya lo sé. Quería pensar detenidamente en lo que sabía y en lo que quería. Necesitaba estar seguro de estar haciendo lo correcto. Ahora lo estoy.

—¿Estás seguro de qué?

Él sonrió.

—Ven aquí. Siéntate a mi lado.

La joven había rechazado sin vacilar la invitación de Mix, pero ahora la misma petición, hecha desde el mismo lugar del sofá, provenía de Darel, y ella la aceptó. Él se volvió a mirarla y la tomó de las manos.

—Cuando nos trasladamos a vivir al lado de tu casa, yo era un adolescente mayor y tú una pequeña. Ya me parecías hermosa en aquel entonces. ¿Y a quién no? Pero no hice nada al respecto. De todos modos, no tardé en tener novia. Me marché a la universidad, me pasé cinco años estudiando y un año en Estados Unidos, y cuando volví a casa, tú eras una modelo famosa.

—Lo recuerdo —dijo ella.

—Se me metió en la cabeza que debías de ser una mujer frívola y boba. Pensaba que todas las modelos lo eran. También creía que serías caprichosa y eso que mi madre llama «estirada», y…, bueno, que tendrías una actitud del tipo «Yo no me levanto de la cama por menos de diez de los grandes». Por supuesto no podía evitar sentirme atraído por ti, pero llegué a pensar que si estaba en tu compañía, tu manera de hablar y de actuar me enojaría. Así pues, no fui con mis padres cuando los tuyos nos invitaron a su casa a tomar unas copas. Sabía que tú estarías allí y por eso no fui con ellos el día antes de mudarme.

—¿Y qué pasó?

—Bueno, sabía que si alguna vez me quedaba a solas contigo seguro que te invitaría a salir, que no podría evitarlo. También estuve pensando en que una vez mi madre comentó que la tuya le había explicado que eras impuntual y muy desordenada con la casa y sabía que no podría soportar eso. Tengo un plan para mi vida, Nerissa, lo tengo todo pensado, adónde voy y cómo voy a llegar hasta allí. Entre otras cosas, quiero una relación seria. Estoy a punto de cumplir los treinta y uno y estoy buscando una pareja a largo plazo, con la que contemplar incluso el matrimonio.

Nerissa asintió con la cabeza y notó que las manos de Darel apretaban las suyas.

—Casarme y tener hijos, también. ¿Por qué no? Pero no quería recorrer este camino desempeñando un papel secundario para una mujer a la que todo el mundo admiraba y adoraba. No quería estar con una mujer que fuera descuidada y…, bueno, disoluta y extravagante. Y no soporto a la gente que siempre llega tarde. Francamente, no estaba dispuesto a ser «el marido de Nerissa Nash», que llega a la clase de fiestas a las que asistes, o la que yo creía que era tu clase de fiesta, una hora tarde y luego no tener a nadie que hablara conmigo porque tú serías el centro de todas las miradas.

Nerissa, que no estaba demasiado segura de entender el significado de disoluta, lo escuchó.

—Pero aquel día que nos encontramos en Saint James Street —continuó diciendo Darel— empezó a cambiarme. Te puse a prueba con pequeños detalles. El día de la cena, por ejemplo. Lo cierto es que llegaste puntual. Y fíjate en este lugar. Supongo que no lo limpiarás tú misma, pero está claro que lo mantienes tal y como lo ha dejado la asistenta. Durante la cena hablaste de política, de moral y…, bueno, incluso de economía. Entonces pensé: «Dejaré pasar un poco de tiempo. Si me llama por teléfono y empieza a mostrarse exigente o caprichosa, si cree que seré suyo siempre que le plazca, entonces se habrá terminado». Pero no lo hiciste —la atrajo un poco hacia sí—. Superaste la prueba. Con gran éxito. Pensé: «Sí, bien, es adecuada para lo que yo quiero, es perfecta». Así pues, ¿qué le parece si cenamos esta noche, señorita Nash?

Nerissa retiró las manos con delicadeza y retrocedió unos centímetros en el sofá. Su corazón, que normalmente latía al ritmo lento y constante de un atleta o de una joven que hacía mucho ejercicio, según le había dicho un médico, en aquellos momentos empezó a acelerarse y a palpitar en su pecho.

—Me parece que no —respondió ella con voz que incluso a sí misma le sonó remota—. No sabía que estaba participando en un concurso, una competición o lo que sea. De haberlo sabido, no lo hubiera hecho.

—¿De qué estás hablando, mi amor?

—No soy tu amor, y nunca lo seré. Yo no hago pruebas para ver si soy una… una candidata apropiada.

—Vamos, Nerissa, venga…

—Yo soy lo que soy. Y quienquiera que vaya a entablar conmigo eso que tú has dicho, una relación permanente, tendrá que aceptarme como soy. Gracias por venir y deshacerte de ese hombre. Te estoy agradecida, pero no volveremos a vernos.

Él se levantó y su rostro denotó una simple falta de comprensión.

—Adiós, Darel —dijo Nerissa.

En cuanto se marchó, la joven cogió el teléfono, marcó el número del restaurante en el que iba a comer con la mujer de la revista *Vogue* y dijo que se retrasaría media hora. Entonces estuvo un rato llorando. Mientras volvía a maquillarse para arreglar el daño que habían hecho las lágrimas sonó el teléfono. Era su padre.

—¿Vino?

—Sí, sí que vino. No tendrías que haberlo hecho, papá. Sé que tu intención era buena.

—Mientras viva, voy a procurar que mi niña tenga lo que quiere siempre y cuando esté en mis manos. ¿Cuándo vas a volver a verle?

—Nunca. Te llamaré más tarde.

Hizo otra llamada antes de salir. El hombre cogió el teléfono después de que sonara dos veces.

—Rodney, ¿querrías llevarme a algún sitio esta noche? A algún lugar horrible. Me apetece ir al Cockatoodle Club del Soho, nunca he estado allí. Saldremos tarde, llegaremos tarde a casa y beberemos champán. No, ya sé que no bebo, pero esta noche voy a saltarme la norma. ¿Quieres? Eres un cielo. Nos vemos.

Mientras subía al taxi pensó que no tenía que tener pareja, que no tenía que casarse. Era joven. ¿Por qué no limitarse a pasárselo bien? Siempre y cuando fuera amable con la gente y no se le subieran los humos a la cabeza ni empezara a pensar que su atractivo era algo que había conseguido y de lo que debía estar orgullosa. Primero iría a su peluquero y le diría que le hiciera unas trenzas cosidas o tal vez incluso unas rastas. Le hacía muchísima falta un gesto desafiante…

«Últimamente me tienen la casa invadida», pensó Mix cuando bajó a recoger el correo. Era al día siguiente, a media mañana, y desde el vestíbulo oía las voces de tres mujeres en el salón, la abuela Winthrop, la abuela Fordyce y… ¿quién era la tercera? Se quedó escuchando. La madre de Nerissa, por supuesto. La señora de nombre impronunciable. ¿Qué sentido tenía que siguieran viniendo día tras día? Hasta que se dio cuenta de lo que estaba haciendo, Mix se sintió indignado por la vieja Chawcer, a la que ni siquiera dejaban que se fuera unos días a ver a unos amigos. ¿Qué les importaba a ellas? Entonces recordó que la mujer estaba muerta.

Lo más probable era que la señora de nombre impronunciable estuviera al corriente de su enfrentamiento del día anterior con el matón. Por otra parte, podría ser que Nerissa no se lo hubiera contado. Puede que ella quisiera deshacerse del matón y entablar una relación con él antes de decirles nada a sus padres. Dejaría pasar un día o dos y luego volvería y se enteraría de qué había pasado después de que él hubiera decidido que lo más maduro era marcharse. Ese matón tenía algo que le recordaba a Javy, la mirada más que nada. A estas alturas Javy ya estaría canoso, pero antes de que Mix se marchara de casa había tenido esa piel olivácea, las mejillas sonrojadas y una buena mata de cabello negro. Las mujeres lo encontraban atractivo, aunque Mix nunca entendió por qué.

Había ido a la Oficina de Empleo y se había registrado. Le habían dado un poco de dinero y le habían ofrecido un montón de trabajos que a Mix no le habían causado muy buena impresión. Ya tendría tiempo de sobra para eso dentro de un par de semanas. Como no quería encontrarse con ninguna de esas tres mujeres, cogió los catálogos de venta por correo de *Dig-it* y *Wall* y se los llevó arriba, aunque, al no ser ni un jardinero ni una mujer, no le iban a servir de mucho. Veintidós escalones hasta llegar al piso donde la mujer había dormido, diecisiete hasta llegar allí donde no dormía nadie y adonde nunca iba nadie y trece más hasta arriba. No siempre los contaba, y menos cuando tenía miedo, pero entonces sí lo hizo, como si pudiera conseguir que fueran catorce.

● ● ●

Hazel Akwaa, con el tanga en el regazo, estaba preguntando a su tía y a Queenie si se les había ocurrido echar un vistazo a la ropa de Gwendolen. Ambas dijeron que no con la cabeza y Olive se encogió de hombros.

—Es que parece tan indiscreto, querida —dijo Queenie—, una invasión de su intimidad. Lo que quiero decir es que ¿a ti qué te parecería si mientras estuvieras fuera tus amigas empezaran a revolver tu ropa? Te sentirías violada.

—Sí, me sentiría así si les hubiera dicho adónde iba y les hubiera dejado la dirección de dónde podrían encontrarme. Pero si yo desapareciera y estuviera perdida me alegraría de que lo hicieran. Querría que me encontraran.

—Visto así, creo que deberíamos hacerlo —admitió Olive. Empezaron a subir las escaleras—. Espero que alguien le esté dando de comer a ese gato.

—Le han puesto comida todos los días, pero no la ha tocado desde el domingo. Se ha ido a alguna parte.

—Parece como si se hubiera ido cuando se marchó Gwendolen —comentó Queenie, que le contó a Hazel lo de la sábana que faltaba.

—¿Estás segura?

—Tiene unas costumbres muy raras. Pensé que podría haber sacado la sábana encimera y haber dejado sólo la bajera y las mantas, pero miré en la lavadora e incluso en ese horrible y viejo caldero, pues con Gwendolen nunca se sabe. Puede que hasta se los llevara consigo.

—¿El qué? ¿El gato o la sábana?

—Bueno, cualquiera de las dos cosas. No hay nadie, por excéntrico que sea, nadie en absoluto, que se lleve una sábana sucia a casa de unos amigos. Para hacer eso habría que estar loco de remate. ¿Y cómo iba a arreglárselas para llevarse al gato?

Habían llegado ya al dormitorio de Gwendolen y Olive había abierto la ventana porque aún hacía buen tiempo y brillaba el sol.

—No huele muy bien —comentó Hazel.

Su tía se encogió de hombros.

—Es lo que pasa en los sitios si no los limpias.

—¿Sabéis qué? En realidad, esta moqueta es azul, pero está tan cubierta de pelos de gato que parece gris.

Hazel abrió la puerta del armario y la asaltó el fuerte tufo del alcanfor. Los antiguos vestidos de Gwendolen colgaban apiñados de unas perchas forradas hacía mucho tiempo con seda plisada y de las que pendían unas bolsitas de lavanda. Debajo de ellos estaban los zapatos, todos revueltos, no dispuestos por pares. Olive empezó a contarlos.

—Siete —dijo—. Lo cual es significativo. Hace no mucho me dijo que tenía siete pares de zapatos.

—Debe de haberse comprado algunos más.

—Estoy segura de que no lo hizo. Me lo hubiera contado. No quiero decir con esto que yo fuera una confidente especial, sólo que Gwen no podía comprar nada, y mucho menos un artículo tan importante, sin quejarse del precio a todo el mundo con quien hablaba.

—No pudo haberse marchado sin zapatos —dijo Hazel.

—Y tampoco sin su anillo de rubí, querida. —Queenie había abierto el joyero y estaba mirando su interior. Sostuvo en alto un anillo con una piedra roja—. Era de su madre y ella nunca salía sin él.

## 28

—¿Estás diciendo que me pase el día entero sentado delante de esta ventana por si acaso veo a ese hombre? ¿No estarás hablando en serio?

—Sí, hablo en serio, Ab. Si es él y ha secuestrado a Danila y la tiene encerrada en alguna parte, esposada y atada, no podrás vivir con tu conciencia si no acudes a la policía. Apuesto a que viene mucho por aquí. Apuesto a que vive por aquí cerca.

—Kaylee —dijo Abbas con la voz de alguien a quien se le hubiera concedido una gran revelación por el camino a Damasco—. Ay, Kaylee…

—¿Qué pasa? Te has quedado muy… pálido, no sé si me explico.

—Kaylee. Esa noche, después de verle en las escaleras, recojo una tarjeta del suelo que se le cae. Él está borracho, ya sabes, y se le cae de la chaqueta. La traigo aquí, a mi piso y…

—¿Dónde la tienes, Ab?

—¿Crees que la guardo? ¿La tarjeta de visita de un desconocido?

—Pero ¿la leíste?

Abba tomó asiento y tiró de Kayley para que ésta se acomodara en sus rodillas.

—Siéntate aquí conmigo, flor mía, y ayúdame a pensar. Voy a pensar con todas mis fuerzas en lo que había.

—Sí, hazlo, cariño. Si ahora defraudas a la pobre Danila, ¿qué va a pensar de ti nuestro bebé?

Para Abbas, su bebé, que todavía no era más que un pequeño feto en el vientre de su madre, no tenía por qué saber nada de todo ese asunto y los procesos mentales de su padre no iban a preocuparle hasta dentro de unos quince años, como poco. Pero comprendía que si estaba en su mano ayudar a la policía a encontrar al autor de los males de Danila, fueran los que fueran, posiblemente una muerte prematura (aunque no iba a decirle eso a Kayleigh, cuyo estado era delicado y podría alterarse con facilidad), tenía que hacerlo. Se puso a pensar.

—Recuerdo una palabra de esa tarjeta —dijo—. No es un nombre ni una dirección…

—Oh, Abby…

—Espera. Una palabra. Es Fiterama. Sí, Fiterama. No sé lo que significa. Pero está en la tarjeta.

Kayleigh se levantó de su regazo de un salto. Estaba muy nerviosa.

—Yo sí sé lo que significa, Ab. Es el nombre de la empresa para la que trabaja el hombre que hace el mantenimiento de las máquinas del gimnasio. Madam Shoshana me lo dijo. No regresó con las piezas de recambio, de modo que llamó a la empresa para dejarlo por los suelos.


En la librería de obras policíacas de segunda mano querían cobrarle veinticinco libras a Mix por un libro sobre Christie publicado hacía cuarenta años. Dio la casualidad de que lo cogió del estante para mirar una ilustración y entonces el dependiente saltó sobre él.

—Esto es un auténtico robo —dijo Mix—. Espero que no encontréis comprador.

—No hace falta ser grosero —repuso el dependiente.

Mientras regresaba andando a casa desde Shepherd's Bush, Mix se dijo que no compraría más libros sobre Christie, no iba a leer nada más sobre Christie, eso se había terminado. Puede que incluso le llevara los libros que tenía a ese tipo para ver si se los compraba. De no ser por Christie, Danila estaría viva y él, Mix, nunca hubiera matado a una muerta. Para ser del todo sincero, diría que había sido Christie quien las había matado a las dos, con lo que sus víctimas ya sumaban un total de ocho.

Antes de establecer su propio negocio tendría que encontrar trabajo y estaba claro que no podía aceptar ninguna de las ofertas de empleo de dependiente, conserje o conductor de vehículos municipales. Si lo hiciera se pondría a la altura de Javy. Javy… Desde que había tenido el enfrentamiento con el matón de Nerissa había estado pensando en Javy, rumiando, en incluso soñando con él. Hacía trece años que no había visto a ese hombre, pero su odio hacia él no se había atenuado. Mix creía que sí, que ya pertenecía al pasado, pero se equivocaba. Javy le había parecido un obstáculo que nunca podría superar, pero ahora que se había ocupado de esas dos mujeres («ocupado de» era un modo más realista de expresarlo que «asesinado»), vengarse de su padrastro se presentaba como algo perfectamente viable.

Delante de él, aparcado todavía junto al bordillo, vio el viejo Volvo de los Brunswick. Pensó que, a pesar de la buena fama que tenía, un automóvil tan antiguo como aquél sólo supondría problemas, se averiaría en los trayectos largos y requeriría de un mantenimiento continuo. Mientras estaba mirando el coche, fijándose en que la nota del parabrisas donde ponía trescientas libras colgaba torcida, Sue Brunswick salió por la puerta principal de su casa con un gato grande del color del hollín en brazos. Con los acontecimientos del pasado fin de semana, Mix se había olvidado de ella.

—¿Ha pensado en lo de comprar nuestro coche?

—Me parece que no lo quiero —respondió Mix.

Reconoció al gato. De no haberlo identificado por el color de su pelaje y su tamaño, lo habría hecho por la mirada de desprecio y aversión que le dirigió *Otto*. Los ojos de jade imperial se posaron en él con frialdad y luego, acurrucándose contra el pecho abundante de Sue Brunswick, *Otto* ocultó tiernamente el rostro en el cuello de la mujer.

—Veo que está admirando mi gato. Es precioso, ¿verdad? El lunes entró en casa como si tal cosa y lo hemos adoptado. Lo llamamos *Choco*, por su color. No sé de dónde vino, pero es tan dulce y cariñoso que lo adoro.

No parecía que estuviera hablando del *Otto* que él conocía. Una débil punzada en el tobillo le recordó a Mix su último encuentro.

—Bueno, adiós —dijo, y siguió adelante. De vuelta en casa, Mix entró en la habitación donde la señorita Chawcer yacía bajo las tablas del suelo. En ninguno de los libros, en ninguna de las actas judiciales se decía si algunas veces Christie había comprobado los escondites en los que había depositado a su esposa muerta y a las otras mujeres. ¿Olfateaba el aire tal como hacía Mix en aquellos momentos? ¿Se quedaba de pie frente a una ventana trasera y contemplaba el jardín del número 10 de Rillington Place convenciéndose de que las tumbas de Ruth Fuerst y Muriel Eady permanecían intactas?

Mix no percibió nada más aparte del olor habitual que tenía aquella casa fuera de los confines de su piso, un olor a polvo, a insectos muertos y a fibras vetustas que no se habían limpiado nunca. El olor de una persona vieja, pero no de una persona muerta. Su siguiente movimiento lógico fue acercarse a la ventana que daba al jardín. A pesar de la falta de lluvia, la maleza estaba creciendo, verde y vigorosa, sobre el leve montículo de la tumba de Danila. No tardaría en resultar imperceptible para todo el mundo, salvo para él.

¿Por qué no se tomaba unas pequeñas vacaciones? Podía aprovechar los días que faltaban hasta el día que había señalado para volver a ver a Nerissa. No recordaba cuándo había sido la última vez que se había ido de vacaciones. Claro que el hecho de ir a Colchester a ver a tu hermana no era lo que la mayoría de personas definirían como vacaciones, pero el viaje tendría otro propósito. Por mediación de Shannon se enteraría de dónde se encontraba Javy entonces. Mix estaba seguro de que no seguiría con la misma mujer que había sucedido a la madre de ambos. Javy habría avanzado hacia una nueva vida, una nueva novia, una nueva oficina de empleo.

Resultaba curioso, o lo que podría llamarse irónico, que el miembro de su familia con quien mejor se llevaba, de hecho, el único con quien tenía alguna relación, fuera la hermana a la que Javy dijo que había intentado matar. Y no era que ella no lo supiera. Javy se había encargado de decírselo. Aún entonces, Mix podía oír sus palabras.

«No dejarías que tocara tus muñecas si supieras lo que ha hecho. Intentó matarte. Te hubiera roto la cabeza si yo no hubiera llegado a tiempo.»

El viernes por la mañana acudieron juntas a la comisaría de policía de Ladbroke Grove. Hazel dijo que no la necesitaban y que tenía que irse a casa, pero que le contaran lo que les hubiera dicho la policía y todo lo que ocurriera. Cuando ellas entraban, salió un hombre de Oriente Próximo acompañado por una mujer rubia bastante joven.

—Me pregunto a qué habrán venido —comentó Queenie—. Quizás él busque asilo político y ella vaya a casarse con él para convertirlo en ciudadano británico.

—Ya no funciona así —Olive se quedó mirando a la pareja—. El asunto es mucho más complicado.

Les entregaron un formulario de personas desaparecidas que Olive rellenó lo mejor que pudo.

—¿Y ya está? —le preguntó al joven agente detective.

—¿Qué más quiere?

—Pues, para empezar, podrían buscarla.

El detective se marchó, estuvo fuera unos diez minutos y luego regresó con otro agente, el que había atendido a Abbas y Kayleigh. Éste preguntó:

—¿En el inmueble vive un hombre joven llamado Michael Cellini que antes trabajaba para la empresa Fiterama Gym Equipment?

—De eso del Gym Equipment no sé nada —contestó Olive con voz llena de desdén—, pero se llama Cellini, en efecto. ¿Por qué?

De haber sido menos ingenua o de haber visto más televisión, no hubiera hecho esa pregunta que, naturalmente, quedó sin respuesta.

—Si pasamos por esta dirección, ¿habrá alguien allí que nos deje entrar?

—Me imagino que Cellini —contestó Queenie, quien había dejado de llamarle «señor» a raíz del comentario que hizo Mix sobre el Instituto de la Mujer—. No, espere, no pueden fiarse de él. Ya procuraremos estar allí una de nosotras.

—Lo haríamos de todas formas —terció Olive en tono grave—. Si dejamos la casa vacía, ese hombre es capaz de prenderle fuego.

Queenie compró dos porciones de pastel de queso al limón y dos cuernos de crema para tomar con el té en una pastelería de Holland Park Avenue y después regresaron las dos a Saint Blaise House en taxi.

—Me pregunto si estará arriba —dijo Queenie al pie de las escaleras.

Mix sí estaba en casa. Se había pasado casi todo el día telefoneando a antiguos clientes con los que aún no se había puesto en contacto, pero, en total, sólo eran seis los que habían accedido a quedarse con sus servicios y uno de ellos aún estaba indeciso. A media tarde telefoneó a su hermana para preguntarle si podía ir a verla y quedarse unos días. Shannon, que no podía entender por qué nadie que no tuviera que hacerlo querría pasar siquiera un solo día en una casa de un complejo de viviendas de protección oficial en las afueras de Colchester con una mujer agotada, el novio de ésta, los tres hijos de ella y los dos de él, le preguntó el motivo.

—¿Es que tengo que tener un motivo? Pensé que estaría bien veros a ti, a Markie y a los niños, eso es todo.

—No es que me importe Mix, lo que pasa es que tendrás que dormir con los niños. Sólo tenemos tres dormitorios.

—No te he visto desde hace no sé cuánto tiempo, Shan. Debe de hacer cinco años como mínimo.

—Más bien siete —dijo Shannon—. Lee era tan sólo un bebé. Mira, tengo que marcharme. ¿Cuándo tenías pensado venir?

Mix dijo que al día siguiente, por la mañana. Tendría que ir en tren.

—Tengo el coche en el taller. Le están cambiando el cárter. Tomaré un taxi desde la estación. —Mix iría en autobús, pero no había necesidad de decírselo a ella.

En la planta baja, Queenie y Olive esperaban la llegada de la policía. Eran las ocho de la tarde, empezaba a oscurecer y, aunque les habían preguntado si habría alguien en la casa más tarde, no había acudido ningún agente.

Queenie estaba de pie frente a la cristalera, mirando el jardín en penumbra. Había estado observando al señor Singh, que llamaba a sus gansos para encerrarlos durante la noche, pero el hombre ya había entrado en su casa y ya no se veía a nadie por allí fuera. Las luces de colores de la palmera se encendían, se apagaban y se encendían de nuevo, centelleantes.

—La verdad es que es un hombre muy atractivo, ¿sabes, querida? Tiene un aspecto muy distinguido. Posee el porte de un oficial de alto rango del ejército.

—¡No seas ridícula, Queenie! —Últimamente, al oírse hablar a sí misma, Olive era consciente de que estaba adquiriendo los gestos y la manera de hablar de Gwendolen.

Debía tener cuidado—. Se me ha ocurrido que tal vez una de nosotras debería quedarse a pasar la noche.

—Bueno, pues a mí no me mires. Me moriría de miedo quedándome en esta casa. ¿Te has fijado en lo oscura que está? Y es imposible hacer que haya más luz. El voltaje de las bombillas es demasiado bajo. Tendríamos que haber comprado algunas bombillas de cien vatios.

—¿Por qué no vas un momento a casa y traes algunas? Yo me quedaré aquí hasta que vuelvas. No me importará —sugirió Olive, a quien sí iba a importarle, y mucho, pero que estaba haciendo de tripas corazón—. Llamaré por teléfono a mi sobrina y veré si puede convencer a su esposo para que venga y se quede. Es un hombre encantador, pero es muy grandote y su aspecto impone mucho.

Queenie se fue a buscar las bombillas y Olive se quedó allí en el salón. Se habían preparado unos huevos revueltos con tostadas para cenar y de postre habían tomado melocotón en almíbar. La lata de melocotones estaba en el armario de Gwendolen y había caducado el 30 de noviembre de 2003, pero Queenie pensó que no podía hacerles mucho daño. Al cabo de un rato, Olive telefoneó a los Akwaa y Tom dijo que iría a la casa sobre las nueve y media. Dijo que resultaría divertido estar en un lugar tan extravagante como aquél.

Había que organizar las cosas si Tom y ella iban a dormir allí. Olive detestaba la idea, pero no le serviría de nada posponerlo. Subió penosamente las escaleras hasta el primer piso. Éste se hallaba ocupado casi en su totalidad por el dormitorio, el vestidor y el baño de Gwendolen, pero había otras dos habitaciones con cama y colchón. Éstas parecían ser menos húmedas que el resto de la casa y las cortinas de las ventanas podían correrse sin resistencia y no colgaban hechas unos andrajos. En el armario de uno de estos dormitorios encontró sábanas, fundas de almohada y mantas. Las mantas no estaban ni mucho menos limpias y las sábanas, aunque se habían lavado, no se habían planchado nunca, pero servirían. Por una noche servirían. Mientras hacía la cama de la habitación más próxima al rellano Olive se preguntó si estaba loca decidiendo quedarse a pasar la noche en aquella casa. Entonces oyó los pasos de Mix Cellini en el piso de arriba y entendió que hacía bien. Por la mañana llamaría por teléfono a la policía y les preguntaría si tenían intención de venir.

Mix también la oyó y se preguntó qué estaba ocurriendo. Seguramente nada. Lo más probable es que sólo fueran esos dos viejos buitres que habían decidido quedarse con todo lo que pudieran encontrar antes de que la vieja Chawcer regresara. Sería típico. Era posible que poseyera algunas joyas de valor, esas mujeres mayores siempre tenían cosas así. Se felicitó. La mayoría de hombres en su situación hubieran rebuscado entre sus cosas después de hallarla muerta y él se sintió muy contento por no haber tocado absolutamente nada.

Oyó que se abría y cerraba la puerta principal, la voz de la abuela Winthrop diciendo alguna tontería sobre unas bombillas y, como todas esas idas y venidas lo estaban poniendo nervioso, salió al rellano. La vieja Fordyce bajaba por las escaleras. Cuando la mujer llegó abajo, sonó el timbre de la puerta, cosa que ocurría tan pocas veces que Mix se sobresaltó. La luz se había apagado, por supuesto, y aquella noche era particularmente oscura, no había luna y tampoco se veían tantas luces en las casas como era habitual. En parte era culpa de todos esos árboles tan altos que ocultaban las farolas de la calle tras sus grandes ramas oscuras. Alguien había abierto la puerta de la calle. Mix oyó la voz de un hombre, una voz sonora y melosa, y por un momento pensó lo imposible: que era la policía. Entonces la abuela Fordyce dijo:

—Hola, Tom. Es todo un detalle por tu parte hacer esto, de verdad.

—No hay problema —repuso la voz melosa—. Es un placer. He traído una botella de vino. Pensé que nos vendría bien y, cuando hayamos echado un trago, acompañaré a la señora Winthrop a su casa en mi coche. No puedo permitir que salga sola en una noche como ésta.

Se hizo el silencio. Debían de haber pasado todos al salón. Mix se giró despacio, dio un paso hacia la puerta de su piso y al mirar hacia el pasillo de mano izquierda vio al fantasma al fondo, en la profundidad de las sombras. Mix se tapó la boca con la mano para evitar soltar un grito. El fantasma permanecía inmóvil y parecía estar mirándole fijamente. Entonces avanzó con las manos extendidas al frente como si suplicara algo, como si implorara…, ¿o acaso lo amenazaba? Mix no había cerrado con llave la puerta de su piso; la abrió rápidamente, entró a trompicones tropezando con el felpudo y luego se apoyó contra ella para mantenerla cerrada y que no entrara el fantasma. No obstante, no notó presión alguna contra él y al final, todavía temblando, cerró la puerta con llave, cosa que nunca había hecho antes.


Tom Akwaa fue el primero en levantarse por la mañana. Siempre lo era y no cambió su rutina sólo por haberse tomado el día libre.

—Me quedaré hasta que venga la policía —le dijo a Olive cuando ésta bajó para tomar el té—. ¿Quieres que les recuerde que los estás esperando?

—¿Lo harías?

Mientras él hablaba por teléfono, Olive no pudo resistirse y empezó a limpiar la cocina. Pertenecía a una generación que cambiaba las sábanas cuando tenía que venir el médico y que se ponían su mejor ropa interior antes de salir de viaje por si acaso sufrían un accidente y tenían que ir al hospital. Así pues, ordenó y fregó la cocina y limpió todas las superficies por si, cuando viniera la policía, los agentes entraban para tomar una taza de té.

El hecho de marcharse suponía un alivio para Mix. Quizá no regresara nunca más. En todo caso, si lo hacía, sería únicamente para recoger sus cosas y alquilar un depósito para sus muebles mientras encontraba otro lugar donde vivir. La aparición del fantasma la noche anterior tras una larga ausencia había sido la gota que colmó el vaso. En comparación, todo ese ir y venir de gente sólo suponía un mero fastidio, y además resultaba preocupante. ¿Quién era ese hombre y qué estaba haciendo allí?

Volvía a dolerle la espalda. No era un dolor excesivamente fuerte, en nada parecido al de esa noche terrible después de cavar la tumba, pero sí bastante intenso. Se tomó dos ibuprofenos y empezó a hacer el equipaje. Lo más probable era que no se quedara más de una noche con Shannon. La idea de compartir un dormitorio con los dos revoltosos hijos de su hermana, uno de los cuales tenía catorce años (Shannon los había tenido a ambos con diecinueve años), no le resultaba atractiva. Metió en la mochila un par de vaqueros de repuesto y tres camisetas. La chaqueta de cuero se la llevaría puesta. Ahora tenía que salir de casa antes de que se encontrara con alguna de esas dos brujas.

En cuanto hubieron comparado la información que primero les proporcionó Abbas Reza y luego Olive y Queenie, la policía no necesitó de ningún recordatorio. Un sargento detective estaba en el jardín con Tom Akwaa cuando Olive vio a Mix Cellini bajando por las escaleras. Fue a esperarlo al vestíbulo, aunque no tenía ninguna intención de decirle que había llegado la policía.

—¿Adónde va? —preguntó Olive con tono prepotente.

Mix llevaba la mochila colgada de un hombro.

—No es que sea asunto suyo, pero, ya que pregunta, me voy a Essex a ver a mi hermana.

—Últimamente no he visto su coche por aquí.

—No, señora Metomentodo, no lo ha visto por aquí porque no estaba. Lo he vendido.

Abrió la puerta principal, salió y la cerró dando un portazo. Olive dejó de limpiar y empezó a buscar en los cajones abarrotados del salón para ver si Gwendolen tenía una llave del piso de Cellini. Le llevó un buen rato, pero, cuando Queenie llegó, había encontrado dieciocho llaves de distintas formas y tamaños.

—No es ninguna de ésas —dijo Queenie—. Una vez me dijo que guardaba las llaves importantes en la centrifugadora... Bueno, que las guardaba no, que las guarda.

Aquel detalle fascinante de las rarezas de Gwendolen distrajo a Olive de su tarea.

—¿Y qué pasaba cuando la utilizaba? La centrifugadora, quiero decir.

—Nunca la utilizaba, querida. Al menos no para el propósito para la que fue diseñada.

Entraron en la cocina. El lugar más lógico para una centrifugadora hubiera sido el lavadero, pero Gwendolen tenía la suya entre el horno y la nevera. A través de la ventana vieron al policía, a quien se le había unido otro agente, que hundía un palo largo y fino en un montículo cubierto de hierbajos en lo que mucho tiempo atrás había sido un arriate de plantas perennes. Queenie abrió la puerta de la centrifugadora y extrajo una bolsa de malla que probablemente una vez hubiera contenido cebollas o patatas, pero que ahora contenía una docena de llaves.

—Será ésta —supuso Olive, que sacó la más nueva, una llave Yale dorada y reluciente.

Los dos policías, acompañados de Tom Akwaa, entraron por el lavadero.

—Van a venir algunos muchachos para cavar el jardín —anunció el sargento detective.

—¡Cavar el jardín!

Dio la impresión de que el sargento detective iba a explicar por qué, pero se lo pensó mejor. Él y el otro hombre empezaron a subir las escaleras, Tom los siguió y detrás de él fueron Olive y Queenie, ascendiendo los tramos con lentitud. Al llegar arriba Queenie a duras penas podía hablar; sin embargo, Olive se recuperó cuando uno de los agentes empezó a llamar al timbre de Mix.

—Acaba de marcharse. —Decidió mentir y esperó que Queenie tuviera el sentido común de no soltar una negativa—. Aquí está su llave. Me la dejó por si ustedes querían echar un vistazo.

—¿En serio? —El sargento detective sólo tenía veintiocho años y no había conocido a muchos homicidas, pero ni mucho menos se había esperado que un asesino invitara a la policía a registrar su domicilio mientras él se hallaba ausente. De todos modos, su filosofía era la de que a caballo regalado no se le miran los dientes, de manera que tomó la llave, abrió la puerta de Mix y entraron. Es decir, entró la policía. Como había quedado claro que no los querían allí, Tom, Olive y Queenie fueron al dormitorio de al lado. El ambiente estaba insoportablemente cargado y polvoriento. Tom, que poseía un olfato excepcionalmente desarrollado, olisqueó el aire, su semblante mostró suspicacia y olfateó de nuevo.

—¿Qué es ese repugnante olor?

—Yo no huelo nada, Tom.

—Yo tampoco.

Como era una persona bondadosa, a Tom Akwaa ni se le hubiera ocurrido decirles que tal vez la edad hubiera mermado sus facultades, de manera que sólo dijo:

—Pues yo sí que lo huelo.

Los policías se reunieron con ellos, el más joven con un montón de libros sobre Reginald Halliday Christie bajo el brazo. Olive, a quien le gustaba leer, miró los lomos con curiosidad, varios de ellos adornados con una fotografía del rostro delgado y adusto de Christie.

—¿Ustedes no huelen algo raro aquí? —preguntó Tom.

El agente cargado con la librería de Mix, un joven muy alto, dejó los libros en el tocador y se inclinó hasta el punto que su nariz casi rozó el suelo.

—¡Dios santo, sí! —exclamó, y se irguió de nuevo.

Cuando ya se había marchado todo el mundo menos Queenie, que estaba haciendo café en la cocina, Olive se puso a retirar las sábanas y las fundas de almohada de las camas que Tom y ella habían utilizado para pasar la noche. Se alegró de tener algo que hacer, puesto que se sentía inquieta y temblorosa. Al fin y al cabo, tal como la gente le decía continuamente, ya no era tan joven como antes. Todo había empezado al ver a ese joven clavando un palo en ese montículo con forma de tumba. Luego el olor, aunque ella no lo había olido. Por extraño que pudiera parecer, esos libros sobre Christie habían sido el colmo; los libros, el rostro de aquel hombre en las cubiertas y las implicaciones que se derivaban. Temió romper a llorar, pero había logrado controlarse. Mientras intentaba retirar las dos sábanas de la cama de Tom, las manos le temblaban como finas hojas de papel al viento.

Gwendolen estaba muerta, ya no tenía ninguna duda al respecto. Pese a que aquella mujer a la que llamaba su amiga no le había caído demasiado bien, Olive sentía la enormidad de aquel hecho, la amenazadora atrocidad de la muerte violenta. Las lágrimas se deslizaron por sus mejillas. Se las enjugó con una de las sábanas que metió luego dentro de la funda de una almohada para llevárselas a casa y lavarlas.

Al salir por la puerta de la habitación oyó un paso por encima de ella. ¿Acaso había regresado Cellini? Dejó en el suelo la funda con la ropa de cama para lavar y escuchó con la esperanza de que su oído no fuera por el mismo camino que su sentido del olfato. Otra pisada. Su primer impulso fue el de salir corriendo, bajar por esas escaleras e ir al encuentro de Queenie tan rápido como pudiera. Sin embargo, se mantuvo firme. No podía ser que Cellini hubiese regresado, no podía haber entrado en la casa y subir por las escaleras para entrar en su piso sin que ninguno de ellos lo viera y lo oyera. Hacía tan sólo diez minutos que se había marchado la policía y aún menos que se había ido Tom. Olive pisó el último escalón del tramo embaldosado y empezó a subir. Era lo más audaz que había hecho en su vida.

De no ser porque temía que Queenie subiera con el café y la viera, Olive hubiese salvado los últimos cinco peldaños a gatas. La cuestión es que al llegar arriba se detuvo, se agarró al poste de la escalera y miró hacia el origen de los sonidos. Primero a la derecha, luego a la izquierda. Olive gritó.


—¿Qué ocurre? ¿Qué ha pasado?

Hizo caso omiso de la voz de Queenie, pero no volvió a gritar. El sonido no quiso acudir a su boca. Temblando, miraba fijamente al hombre con la cara de Christie. Se parecía muchísimo a la fotografía que había en los lomos de esos libros. Caminaba hacia ella, con las dos manos extendidas. Olive iba a morir, iba a sufrir un infarto y moriría.

—No tenga miedo, por favor.

El hombre tenía un fuerte acento extranjero. Olive pensó que no se parecía en nada al acento que tendría Christie. Cerró los ojos, volvió a abrirlos y dijo en un susurro:

—¿Quién es usted? —carraspeó y su voz fue más fuerte y clara—. ¿Quién es usted?

—Me llamo Omar. Omar Ahmed. Soy de Iraq.

—La guerra ha terminado —dijo Olive—. ¿Usted estuvo en la guerra?

Él lo negó con la cabeza. Olive se fijó en que sus ojos poseían una negrura aterciopelada que nunca había visto en un anglosajón y que su cabello era negro, aunque salpicado de gris. «¿No llevaban todos bigote?», se preguntó a sí misma y, casualmente, el hombre comentó:

—Me afeité la barba para no tener aspecto de ser de Oriente Próximo.

—¿Es un solicitante de asilo político?

El hombre asintió con la cabeza, pero luego lo negó.

—Es lo que quería cuando llegué, pero lo hice mal. No me registré, de modo que ahora soy un inmigrante ilegal. Ahora quiero volver a casa, ahora puedo y estaré a salvo, quiero volver a Basora.

«Eso de que estará a salvo, no sé yo...», pensó Olive.

—¿Ha estado viviendo aquí? —No aguardó una respuesta, sino que añadió—: Baje a tomar un poco de café con mi amiga y conmigo.


Cuando Queenie se enteró, se quedó horrorizada, y temió que aquel hombre pudiera ser peligroso. Pero escuchó su historia. Había llegado a Inglaterra aferrado a uno de los vagones del Eurostar y había saltado en Folkestone. Desde el principio tuvo la seguridad de que todo lo que estaba haciendo era ilegal. Por eso no se había registrado como solicitante de asilo político hasta que ya se había agotado el plazo y fue demasiado tarde. Llegó a Londres haciendo autostop, en un camión que venía de Praga y que conducía un checo. Fueron prácticamente incapaces de comunicarse, puesto que el checo no tenía ni idea de inglés y por supuesto tampoco de árabe y Omar no sabía ningún otro idioma aparte del suyo y sólo un poco de inglés.

Una vez en Londres, dormía en la calle y durante el día pedía limosna. Observaba las casas buscando las que estuvieran vacías o las que sólo estuvieran ocupadas por un propietario solitario, de preferencia una persona anciana o que no pasara mucho tiempo en casa. Encontró Saint Blaise House y a Gwendolen, y cuando empezó a hacer tanto frío que pensó que moriría si pasaba otra noche en la calle, buscó la forma de entrar.

Llegado aquel punto Queenie le preguntó por qué había venido, por qué no se había quedado en casa. Cuando él pronunció el nombre de Saddam Hussein y le habló de su esposa e hijos desaparecidos, ella asintió con la cabeza, extendió la mano para tocar la suya y ya no hizo más preguntas.

—Trepé por los tejados —explicó—. Fue fácil. Entré por una ventana y eso también fue fácil.

—¿Y esto cuándo fue?

—Oh…, hace mucho tiempo. En febrero, o marzo, quizás. Hacía frío.

Durante el día había pedido limosna para comprar comida. Una vez, en Nottingh Hill Gate, vio «al hombre que vive aquí» y pensó que estaba acabado, pero el inquilino pareció más asustado de lo que él estaba. En las ocasiones que inevitablemente se habían encontrado siempre había parecido tenerle miedo, Omar no sabía por qué. Él se lo hubiera contado todo y le hubiese pedido ayuda, pero el hombre le tenía mucho miedo. El único ser vivo con el que había tenido más contacto desde que llegó a Londres desde Folkestone era un gato que vivía en la casa y al que parecía gustarle su compañía y dormía en su cama, probablemente por las sobras de carne y pescado que le daba. En el sótano encontró un tocadiscos viejo y algunos discos. Los había puesto con el volumen bajo porque tenía la sensación de que no podía vivir sin música.

Una noche, hacía no mucho, había oído unos golpes y al salir había visto a ese hombre arrastrando escaleras arriba algo envuelto en una sábana. De haber estado en Basora hubiera creído que se trataba de un cadáver, pero allí no, en Inglaterra no.

Queenie dejó escapar un gritito, pero Olive dijo:

—Tiene que contarle a la policía todo lo que oyó y vio. Tiene que contárselo, iremos todos juntos y podrá preguntarles cómo volver a casa a Iraq. —Al ver que Omar parecía nervioso, dijo—: Ellos estarán encantados de llevarlo a su casa. Cuando sea seguro, lo ayudarán a llegar hasta allí. Se lo prometo. Y espero que cuando llegue allí le guste lo que encuentre —añadió entre dientes.

## 29

El tren con destino a Norwich y con parada en Witham, Colchester e Ipswich tenía prevista su salida del andén número trece. Por un momento Mix pensó en cancelar el viaje o marcharse de la estación e intentar llegar en autobús. No, ya había sacado el billete y era terriblemente caro. La última vez que había viajado en tren se había sentado en primera clase, pero ahora las cosas eran distintas. Debía ser cauto con el dinero. Se acercaba la hora de comer. Fue al vagón restaurante, compró una hamburguesa con patatas fritas y una lata de Coca-Cola. Entonces pensó: «¿Qué diablos?», y adquirió una botella de ginebra en miniatura para echársela en la bebida.

Iba a pasarlo fatal en casa de Shannon. «Odio a los niños», pensó, y sentía náuseas sólo con imaginarse compartiendo un dormitorio con los hijos de su hermana. Recordaba que el más joven tenía un resfriado perpetuo y se sorbía la nariz constantemente. Nunca se lavaban, ninguno de los dos, y Shannon trabajaba en exceso y estaba demasiado cansada para controlarlos. De repente le vino a la cabeza el día que había intentado matarla. Pero ¿lo había hecho? ¿Lo había hecho de verdad? ¿Era eso lo que quería hacer en realidad, golpearla con esa botella hasta que muriera? De hecho, no la había tocado, Javy había llegado primero.

Ahora que lo pensaba, todos sus problemas habían empezado cuando Javy lo azotó por eso. Luego había pegado a su madre y tuvo que marcharse y arreglárselas solo. Eso eran dos cosas. Y después de eso, ¿qué? Había estado bien trabajar para Fiterama en Birmingham, pero nunca debería haber aceptado el ascenso y haberse trasladado al sur. Aun cuando Crippen no le había importado mucho, fue decepcionante encontrarse con que su casa había desaparecido, aunque eso no fue nada comparado con la indignación que sintió con lo de Rillington Place. Trasladarse a Nottingh Hill fue un error y mudarse a ese piso fue otro. Lo fue invadiendo la autocompasión hasta que notó que le escocían los ojos.

La mala suerte lo había perseguido durante toda su vida. Había acudido al gimnasio de Shoshana y el destino había hecho que conociera a Danila y ella lo había obligado a matarla. El hindú le había contado a Chawcer que lo había visto cavando en el jardín, se había lastimado tanto la espalda que ya nunca volvería a recuperarse y había matado a una mujer que ya estaba muerta. Ahora se encontraba en un tren que salía del andén número trece.

Mientras reflexionaba sobre sus infortunios había estado contando. Trece. Habían sido trece. Dejó escapar un débil gemido sin querer y una joven se lo quedó mirando.

—¿Se encuentra bien?

Él asintió, intentó esbozar una sonrisa, pero no lo consiguió. Trece pasos hasta donde se encontraba en aquellos momentos, sin empleo, cada vez más corto de dinero, probablemente perseguido durante el resto de su vida, abandonado por sus amigos. Trece pasos, los mismos que había que dar para bajar de su piso a los oscuros dominios de aquella mujer.

Vertió la ginebra en la lata de Coca-Cola medio vacía con las manos temblorosas. La chica que le había preguntado si estaba bien le lanzaba miradas de preocupación y le susurraba algo al joven que la acompañaba.

Tendría que haber estado acostumbrado, pero la mezcla de ginebra y Coca-Cola lo dejó para el arrastre. Se sentía exhausto. Pese a que el vagón estaba repleto de gente, la mayoría personas muy jóvenes y todas ellas comiendo y bebiendo el mismo tipo de comida que él, tirando envoltorios aceitosos y latas al suelo, Mix se quedó dormido. No pudo mantenerse despierto.

En el sueño que tuvo se encontraba en lo alto de esas escaleras, mirando abajo. En su cabeza, una voz le estaba diciendo que no bajara, que retrocediera. «Quédate donde estás, incluso el primer escalón será fatal.» Sin embargo, algo parecía tirar de él, lo arrastraba hacia delante y abajo, uno, dos, tres… Dio un paso, luego otro, y al llegar al pie vio que Reggie lo estaba esperando. Se despertó gritando. La chica que estaba sentada frente a él ya no se mostró comprensiva. Le dijo algo al oído a su amigo y Mix supo que le estaba diciendo que estaba borracho.

Tal vez lo estuviera. El aire del exterior le despejaría la cabeza y quizá fuera mejor que en casa de Shannon no hubiera alcohol. Se oyó una voz por el sistema de megafonía que dijo: «El tren llegará a Colchester en breves momentos. Próxima parada Colchester».

Mix bajó su mochila del portaequipajes y avanzó hacia la puerta. Ya estaba abarrotada de jóvenes cargados con mochilas y bolsas y rodeados por más. El tren entró lentamente en la estación y los pasajeros que se apeaban allí salieron a empujones y bajaron al andén. Mix también bajó, pero no llegó muy lejos.

Nadie le puso una mano en el hombro. Eso sólo ocurría en las películas. Eso era para la televisión. Las palabras que le dirigió el policía de más edad las había oído cientos de veces por televisión, se las sabía de memoria. Todo ese rollo de decir lo que tuvieras que decir ahora o podría ser que perjudicaras tu defensa si querías basarte en ello ante un tribunal. Pues bien, él quería basarse en ello porque era la verdad.

—Lo de la chica fue en defensa propia —dijo—. Y la anciana ya estaba muerta antes de ponerle la mano encima. Yo no soy un asesino. Yo no soy Christie.


Olive había extraviado las gafas de leer. El único par que tenía era de hacía cincuenta años y ya no le servían de nada. Estaba a punto de llamar a la óptica para encargar otro par cuando recordó que era muy posible que se las hubiera olvidado en Saint Blaise House.

La casa había sido territorio prohibido durante una semana y sólo habían tenían acceso a ella la policía y los expertos patólogos y forenses. Ahora ya se habían marchado todos. Michael Cellini había sido acusado del asesinato de Gwendolen en el juzgado de primera instancia y las cosas se habían calmado. Tom dijo que la policía se estaba reservando la muerte y sepultura de Danila Kovic para tener otro asesinato que imputarle si se daba el caso de que se librara. Olive entró en la casa y decidió que al salir, ya fuera con las gafas o sin ellas, dejaría la llave dentro. Tal vez la dejara en el lugar donde se guardaban las llaves importantes, en la centrifugadora.

El hecho de devolverla a aquel lugar ridículo, satisfaciendo así los extraños deseos de su antigua propietaria, le parecía un pequeño tributo a Gwendolen.

Olive entró en la sala de estar preguntándose qué le ocurriría a aquella casa. ¿Acaso la heredaría alguien? Gwendolen nunca le había hablado de ningún pariente, salvo de una vieja prima de su madre que había asistido al funeral de ésta. Pero el funeral de la señora Chawcer había tenido lugar hacía cincuenta años. Que Olive supiera, Gwendolen había sido hija única de unos hijos únicos. ¿Había llegado a hacer testamento? Saint Blaise House valdría millones para un promotor inmobiliario.

Intentó recordar dónde había estado durante las horas que había pasado allí. En el salón, por supuesto, en la cocina (allí no habría necesitado las gafas de leer), arriba en el dormitorio en el que había pasado la noche. Subió las escaleras. Queenie había llorado por la muerte de Gwendolen, pero ella no, ella se había enojado, pero al mismo tiempo se había alegrado de no haber tenido a Cellini cerca cuando la verdad salió a la luz. «Lo hubiera agredido, le hubiera clavado las uñas en la cara», dijo dirigiéndose a la casa vacía. El hecho de mantenerlas largas y afiladas bien hubiera valido la pena, aunque sólo hubiera sido por eso. Entró en aquel dormitorio triste, sucio y abandonado. Tardó tres minutos en buscar por allí y luego tuvo que lavarse las manos.

Las gafas aparecieron en el salón. Estaban debajo de una de las butacas en un pequeño enclave de polvo, pelusa y moscas muertas. Se dirigió a la cocina y estaba a punto de lavarlas debajo del grifo cuando sonó el timbre de la puerta. Mientras iba a abrir pensó que sería algún vendedor de pescado, o un afilador.

En el umbral encontró a un hombre mayor y a una mujer de mediana edad. ¿Dos de los parientes olvidados de Gwendolen?

—Me llamo Reeves —dijo el hombre muy sonriente—. Soy el doctor Stephen Reeves. Pasaba por el barrio por casualidad y se me ocurrió venir a hacerle una visita a la señorita Chawcer. A propósito, ésta es mi esposa, Diana. ¿Está la señorita Chawcer en casa?

—Me temo que no. —Olive se dio cuenta de que tendría que explicar el motivo de su ausencia, aunque en versión expurgada—. Gwendolen ha fallecido. Fue muy repentino.

El doctor Reeves meneó la cabeza e intentó aparentar tristeza.

—¡Vaya por Dios! Bueno, ya tenía sus años. A todos nos llega nuestra hora. Simplemente se nos ocurrió pasar. La verdad —permitió que su sonrisa afluyera— es que hemos venido aquí en nuestra luna de miel.

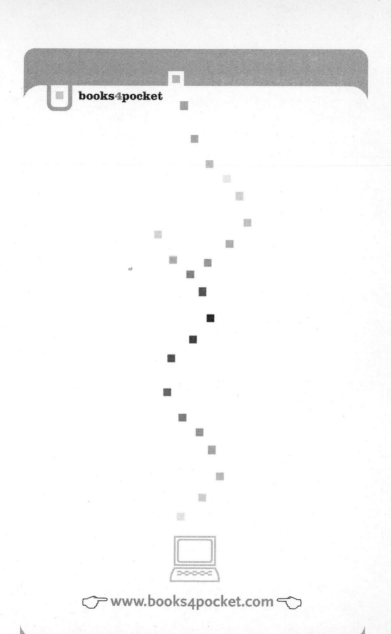

books4pocket

www.books4pocket.com